Crystal

Une enquête de Karen Newman

Jacques Goyette

Éditeur : François Doucet
Révision linguistique : Isabelle Veillette
Correction d'épreuves : Nancy Coulombe, Carine Paradis
Conception de la couverture : Mathieu C. Dandurand
Photo de la couverture : © Thinkstock
Mise en pages : Sébastien Michaud
ISBN papier 978-2-89733-649-3
ISBN PDF numérique 978-2-89733-650-9
ISBN ePub 978-2-89733-651-6
Première impression : 2014
Dépôt légal : 2014
Bibliothèque et Archives nationales du Québec
Bibliothèque Nationale du Canada

Éditions AdA Inc.
1385, boul. Lionel-Boulet
Varennes, Québec, Canada, J3X 1P7
Téléphone : 450-929-0296
Télécopieur : 450-929-0220
www.ada-inc.com
info@ada-inc.com

Diffusion

Canada :	Éditions AdA Inc.
France :	D.G. Diffusion Z.I. des Bogues 31750 Escalquens — France Téléphone : 05.61.00.09.99
Suisse :	Transat — 23.42.77.40
Belgique :	D.G. Diffusion — 05.61.00.09.99

Imprimé au Canada

Participation de la SODEC. SODEC
Nous reconnaissons l'aide financière du gouvernement du Canada par l'entremise du Fonds du livre du Canada (FLC) pour nos activités d'édition.
Gouvernement du Québec — Programme de crédit d'impôt pour l'édition de livres — Gestion SODEC.

« À Lisette qui, par sa patience, ses conseils judicieux et sa confiance indéfectible m'a donné le courage d'aller jusqu'au bout de mes idées, et à Francis qui, par son exemple de ténacité, ses convictions et ses encouragements constants à continuer m'a aidé à atteindre mon but. »

« Exposez-vous à vos peurs les plus profondes,
Après cela, la peur ne pourra vous atteindre. »
– Jim Morrison

PRÉFACE

LES FAITS…

La méthamphétamine en cristaux, aussi appelée « crystal meth », « ice », « krak », « tina » ou « tweak » par les revendeurs et les consommateurs, est une drogue de synthèse redoutable qui envahit aussi bien l'Amérique du Nord que le Mexique, où elle cause des milliers de morts dans une guerre sans merci que se livrent les trafiquants.

Rarement une drogue a-t-elle soulevé une telle inquiétude, tant chez le corps médical que chez les autorités policières et les scientifiques. Une partie du problème vient du fait que la drogue est fabriquée à partir d'éphédrine ou de pseudoéphédrine, et qu'on en trouve facilement dans les médicaments contre le rhume ou la grippe (tels que l'Actifed, le Sudafed, etc.) en vente libre dans les pharmacies. Elle est ensuite « coupée » avec des produits tels que de l'ammoniac ou du solvant, vendus dans toutes les quincailleries. Le *crystal meth* peut donc être fabriqué localement, à peu de frais et rapidement dans ce que la police appelle des « laboratoires clandestins ».

L'autre partie du problème découle du fait que beaucoup de consommateurs de *crystal meth* développent une dépendance dès la première dose, et parce qu'elle accélère le fonctionnement du système nerveux central, cette drogue peut provoquer chez eux de l'hypothermie, des convulsions, une crise cardiaque ou un accident vasculaire cérébral, et même la mort. Le *crystal*, un psychostimulant, augmente aussi la libido, et un bon nombre de consommatrices se sont retrouvées enceintes sous l'effet de la *meth*.

Aux États-Unis, par exemple, la consommation de méthamphétamine cristallisée a pris des proportions alarmantes. Selon l'American College of Neuropsychopharmacology, le nombre de morts associées à la consommation de méthamphétamine a triplé dans les grandes métropoles du sud-ouest telles que San Francisco, Los Angeles, San Diego et Phoenix.

Au Canada, le *crystal meth* serait devenu la troisième substance la plus commune causant une dépendance, après l'alcool et le cannabis, mais devant la cocaïne. Certaines chaînes de pharmacies auraient même volontairement retiré des tablettes les médicaments contenant de l'éphédrine afin de contrôler le nombre de boîtes achetées par chaque client (certains d'entre eux achetaient jusqu'à une trentaine de boîtes à la fois). En 2005, la GRC a d'ailleurs obtenu du gouvernement fédéral un budget dépassant les 15 millions de dollars afin de former 250 agents à travers le pays. Ces derniers ont été chargés d'enquêter sur les groupes organisés (motards et gangs asiatiques) qui font le commerce des drogues de synthèse et de démanteler les laboratoires de production de *crystal meth*. La GRC estime que depuis une dizaine d'années, la filière mexicaine de la drogue est de plus en plus active au Canada. Les narcotrafiquants possèdent une infrastructure de plus en plus sophistiquée qui s'étend jusqu'au Canada. La marijuana produite au nord descend vers les marchés du sud tandis que la cocaïne monte.

Mais le problème ne se limite pas aux États-Unis et au Canada. Au Mexique, près de 11 000 personnes sont mortes en 2006, alors que le président Felipe Calderón lançait officiellement le programme gouvernemental de répression des stupéfiants. À Ciudad Juárez, ou « La cité de la peur », un village mexicain situé à moins de trois kilomètres de la frontière d'El Paso, au Texas, il y a en moyenne quatre meurtres par jour reliés au trafic de drogue, et le sport favori des hommes de main des cartels de la drogue mexicains est de tirer sur les policiers et de violer et tuer les femmes du village.

Depuis 2006, plus de 400 femmes, pour la plupart de jeunes ouvrières, employées de bureau et étudiantes, y ont été assassinées avec une cruauté inimaginable, et pas l'ombre d'un indice qui pourrait conduire aux meurtriers est susceptible d'être découvert par une police locale inefficace et corrompue. En plus, 500 autres jeunes femmes sont portées disparues, et leur sort demeure un mystère. Toujours selon la GRC, ce phénomène serait lié au proxénétisme, à l'esclavage sexuel de jeunes femmes qu'on aurait droguées de force afin qu'elles deviennent dépendantes des substances que gèrent les cartels, qui les obligent ensuite à se prostituer pour obtenir leur dose.

… ET LA FICTION

Qu'arriverait-il si une actrice hollywoodienne (dans le cas qui nous concerne, sa filmographie se limite bien sûr aux films pornographiques) et ancienne toxicomane apprenait de sources fiables que son « mentor » et fournisseur de *meth*, un de ces « barons de la drogue » mexicains, a fait tuer ses parents dans le but d'éliminer la compétition ? Elle essaierait sûrement de se venger et d'obtenir justice ; c'est dans la nature humaine. Mais, pour une ancienne toxicomane sans aucune relation influente dans le monde interlope, comment y parvenir sans y laisser sa peau, et surtout, sans que la seule personne à laquelle elle tient beaucoup, sa sœur, Sonia, en souffre ? Tel est le dilemme que « Crystal » doit affronter.

J. G.

Première partie

1

Tijuana, Mexique

Manuel Zambrano, surnommé « El Jimmy », est planté là, devant la fenêtre de son bureau, au 5e étage de l'usine Unimed, attendant impatiemment l'arrivée du camion de livraison. Son idiot de beau-frère est à nouveau en retard. Il se promet bien que c'est la dernière fois qu'il lui confie un boulot, à celui-là. Au diable Juanita. Elle peut le supplier tant qu'elle voudra, lui jouer la note de *la familia*[1], peu importe ; il jure qu'il ne se laissera plus prendre à son petit jeu.

De l'autre côté de Paseo de los Heroes, face à Unimed, assis au volant d'un Toyota FJ Cruiser, le responsable de l'AFI[2], le colonel Ramon Ortega, un homme de forte taille à moustache et aux épais cheveux noirs grisonnants aux tempes, attend lui aussi l'arrivée du camion pour donner aux membres de l'escouade antidrogue sous son commandement l'ordre d'investir le centre de transformation de produits chimiques.

1. La famille, en espagnol.

2. Agencia Federal de Investigaciòn, l'équivalent du FBI au Mexique.

Depuis plus de cinq ans, le colonel Ortega, en collaboration avec la Drug Enforcement Administration (DEA), le service de police fédéral américain chargé de la mise en application de la loi sur les stupéfiants et de la lutte contre leur trafic, essaie de coincer Zambrano sans succès. Mais quelques jours auparavant, il a reçu un appel anonyme l'informant qu'une importante cargaison d'éphédrine en provenance de la Chine était attendue dans les jours à venir à l'usine Unimed située sur Paseo de los Heroes.

Il est presque 19 h et le soleil est déjà couché, ne laissant les immenses bâtiments illuminés que par quelques projecteurs à incandescence placés stratégiquement aux quatre coins de l'usine, lorsque le camion semi-remorque arborant le logo d'Unimed vient se garer devant la plateforme de chargement n° 7 du vaste hangar d'approvisionnement.

Le conducteur, un homme à l'aspect bourru dénommé Garcia, ainsi que le passager qui l'accompagne descendent de la cabine et scrutent nerveusement les environs. Le regard de Garcia demeure fixé un instant sur les quatre véhicules aux vitres teintées garés le long du trottoir, à une vingtaine de mètres de lui, mais il ne détecte rien d'anormal. *Ça doit être des clients du bar Los Torres de l'autre côté de la rue qui n'ont pu y trouver de place pour se garer*, se dit-il. Satisfait de n'avoir vu personne de suspect rôder dans les environs, Garcia tourne les talons et se dirige vers l'arrière du camion pour y rejoindre son compère.

Alors qu'ils s'affairent tous les deux à ouvrir les larges portes du camion, l'immense panneau de la baie n° 7 glisse vers le haut en grinçant sur ses rails métalliques et deux hommes armés de fusils mitrailleurs en sortent pour venir à leur rencontre. Un des deux hommes, Alberto Ramirez, un géant blond de 1 mètre 85 avec une queue de cheval et des épaules carrées avec des bras comme des troncs d'arbre, jette un regard acerbe à Garcia tout en pointant sa montre.

– Tu es encore en retard, lance-t-il sur un ton de reproche.

Garcia hausse les épaules.

– Je n'ai pas pu faire autrement. L'autoroute est bloquée parce qu'un *stupido*[3] d'alcoolique dans son 4x4 est entré en collision avec un autobus plein d'écoliers. *Madre de Dios*[4], ce n'était vraiment pas beau à voir.

– Ouais, ouais, des excuses comme d'habitude, le réprimande Ramirez comme s'il s'adressait à un enfant d'école.

Puis, il lui tend la main.

– Donne !

Garcia sort le bon de livraison de sa poche de chemise et le tend à Ramirez. Ce dernier y jette un rapide coup d'œil et se dirige vers l'arrière du camion pour inspecter la marchandise. Il examine une des caisses et hoche la tête, satisfait. Il se tourne ensuite vers la demi-douzaine d'ouvriers qui attendent à l'intérieur du hangar et leur ordonne de transborder la marchandise.

De l'autre côté de la rue, le colonel Ortega observe la scène à l'aide de jumelles infrarouges. Il hoche également la tête de satisfaction lorsqu'il voit la première caisse sortir du camion. Il est incapable de lire les inscriptions qui y figurent. Les symboles ne lui disent rien. *Ça doit être du*

3. Idiot, imbécile, stupide, en espagnol.

4. Mère de Dieu, en espagnol.

chinois, décide-t-il finalement. Mais peu importe ce qui est écrit, ça lui est égal. Son informateur a bien mérité la récompense promise de 5000 $ US.

— *Avanti*[5], crie-t-il dans le microphone fixé au col de son uniforme.

Les portières des quatre véhicules garés de part et d'autre de l'entrée grillagée de l'Unimed s'ouvrent à la volée, et une quinzaine d'hommes de l'escouade tactique équipés de casques, de gilets pare-balles et de pistolets mitrailleurs Uzi s'en extirpent vivement et foncent vers le hangar.

Dès qu'il aperçoit le camion, El Jimmy se dirige vers l'ascenseur, suivi de près par ses deux gardes du corps. Cette fois, il supervisera lui-même l'opération afin qu'aucune des caisses ne disparaisse mystérieusement comme la dernière fois.

Lorsqu'il met les pieds sur la plateforme de chargement, quelle n'est pas sa surprise de voir les hommes de l'escouade antidrogue foncer vers lui.

— *Policía Federal,* aboie Ortega dans son mégaphone. Vous êtes encerclés. Levez les mains en l'air et rendez-vous !

Alors que les policiers tentent de capturer les ouvriers qui, pris de panique, s'enfuient de tous les côtés, Ramirez et son compère tournent les talons et rejoignent en courant El Jimmy et ses deux gardes du corps avec la ferme intention de défendre chèrement leur peau. Ortega et quatre de ses hommes les prennent en chasse.

Bien qu'on lui ait ordonné de laisser tomber son arme à deux reprises, Ramirez se retourne et ouvre le feu. Un des

5. Allez-y, feu vert, en espagnol.

policiers qui le pourchassent est atteint d'une balle et l'impact le projette sur le dos. Ses collègues répliquent immédiatement et font feu sur Ramirez. Plusieurs balles lui transpercent le thorax et il tombe à la renverse. Il est déjà mort quand il touche le sol.

El Jimmy fronce les sourcils et lève les mains en l'air en ordonnant aux autres de faire de même. *Mieux vaut rester en vie pour dénicher le sale traître qui a vendu la mèche,* pense-t-il. De toute façon, les autorités n'ont rien contre lui ; l'entreprise est au nom de son cousin, Alberto Ramirez, un bavard qui est un peu trop rapide sur la gâchette à son goût. Et celui-ci ne risquait plus de parler, puisque les *federales* viennent de lui fermer la trappe définitivement. À cette pensée, El Jimmy se met à sourire, ce qui préoccupe les policiers qui lui passent les menottes.

Alors qu'il procède à l'arrestation de tout ce beau monde, le colonel Ortega sourit lui aussi. Il se réjouit à l'avance. Après ce coup fumant, sa carrière et sa prime de rendement lui seront assurées.

* * *

Le lendemain matin, Eduardo Cardenas, 52 ans, surnommé « le Lézard » et considéré comme le numéro deux du cartel, manque d'avoir une syncope lorsqu'il se met à lire l'article en première page du quotidien *El Nacional* que vient de lui apporter la servante.

El Nacional

Arrestation d'un chef du « cartel des frères Arellano Félix »

Samedi, l'AFI a annoncé qu'un peu plus de deux tonnes d'éphédrine introduites illégalement ont été saisies au Mexique lors de l'arrestation de Manuel Ivanovich Zambrano, un des chefs du cartel de la drogue dit des frères Arellano Félix à Tijuana, dans le nord-ouest du Mexique, près de la frontière des États-Unis. Cette substance est un produit chimique clé entrant dans la fabrication de médicaments et de drogues de synthèse telles que la méthamphétamine cristallisée, une drogue qui accélère le fonctionnement du système nerveux central et le rythme cardiaque et peut provoquer une crise cardiaque, un accident vasculaire cérébral ou la mort.

Zambrano était réclamé depuis plus de cinq ans par la DEA, l'agence américaine de lutte contre les stupéfiants, qui a mis sa tête à prix pour 5 millions de dollars. Toutefois, la saisie d'hier et l'arrestation de Zambrano ne sont qu'une goutte d'eau dans l'océan du trafic de drogue qui rapporte annuellement entre 13 et 48 milliards de dollars aux cartels, qui ne laisseront certainement pas un tel commerce leur échapper.

```
En 2006, le président Felipe Calderón a mobilisé 50 000 militaires et 35 000 policiers fédéraux pour combattre les cartels de la drogue. Le gouvernement mexicain vient de reconnaître qu'au-delà de 50 000 personnes auraient perdu la vie dans cette guerre, et tout indique qu'elle est loin d'être finie.
```

D'une humeur exécrable, Cardenas se lève de son fauteuil et, tel un lion en cage, se met à faire les cent pas dans son salon en proférant des menaces à voix haute envers les membres de l'AFI. Il réfléchit, chose assez inhabituelle chez lui, se demandant qui peut bien avoir vendu la mèche aux *federales*. Qui d'autre que lui et El Jimmy était au courant que la cargaison était en route ? Il s'arrête net et ouvre grand les yeux. La vérité vient juste de jaillir dans son cerveau retors : Ricardo Perez, son associé ; ça ne peut être personne d'autre que lui. *Ce sale traître.*

Un plan machiavélique, digne des plus grands criminels, et que lui seul peut élaborer, lui vient soudainement à l'esprit. Il s'empare de son téléphone mobile et compose le numéro de Carlos, un tueur à gages que seulement lui et une poignée d'autres personnes à travers le monde connaissent. Les Perez vont payer cher cette traîtrise.

2

Ciudad Juárez, Mexique

La cabine vitrée de l'ascenseur continue sa descente jusqu'au lobby du Fiesta Inn, situé à moins de 20 minutes de l'aéroport international Benito Juárez, dans la partie nord-ouest de la Playa del Carmen, stratégiquement placé sur le Circuito Pronaf. Ce quartier représente un secteur d'activité commerciale intense, de bâtiments modernes et de belles avenues, et exerce sur lui une attraction particulière. Il s'y intéresse moins pour le modernisme de son centre des affaires et de ses centres d'achats et boutiques, auxquels il ne s'intéresse guère, que pour la vie nocturne de la Playa et sa proximité du resto-bar Ajua Fiesta Mexicana, qu'il apprécie pour ses enchiladas, ses tacos épicés et sa tequila maison. En plus, il peut, à n'importe quelle heure du jour ou de la nuit, se fondre dans la multitude et disparaître sur-le-champ si la situation l'exige. Sans oublier, bien sûr, sa proximité des Villas del Bravo.

Les portes de la cabine s'ouvrent sur un vaste hall judicieusement décoré des couleurs locales et traditionnelles avec des fresques et bordures imitant parfaitement les hiéroglyphes des pyramides aztèques situées à environ quatre heures de route de là. Tout en se dirigeant vers la sortie, il salue au passage la réceptionniste et le portier d'un « *Buenos dias* », et traverse les portes vitrées pour se retrouver sur le trottoir, face à la Playa del Carmen.

Derrière ses lunettes de soleil opaques, son regard perçant balaie la Playa, et aucune silhouette suspecte n'attire son attention. Son crâne rasé reluit sous un soleil de plomb qui brille dans un ciel bleu sans nuages. Il sort un mouchoir de la poche arrière de son jeans délavé et éponge la sueur qui perle sur son front autoritaire surplombant son visage sévère. Carlos fronce les sourcils. Il déteste cette chaleur accablante. *Pas étonnant que la plupart des habitants de cette ville fassent la sieste à cette heure-ci.* Et cette saleté de veste en coton égyptien n'aide pas, mais il doit la porter pour dissimuler son arme.

Il longe un étroit sentier bordé de cactus nains et se dirige vers l'entrée en forme d'arche d'une série de villas de deux étages. Elles arborent toutes des façades de stuc blanc et des fenêtres à battants rouges et sont plantées au beau milieu d'une forêt d'hibiscus. Il se faufile à l'arrière du 26, Henry Dunant et grimpe les quelques marches menant aux larges portes-fenêtres de la vaste terrasse surplombant le jardin. Les imposantes portes françaises en bois sculpté sont toutes grandes ouvertes, ce qui lui évite de forcer la serrure.

Ça va être une vraie partie de plaisir, ce boulot, pense Carlos en entrant. Après avoir traversé un long corridor qui s'étend sur toute la longueur du rez-de-chaussée, il débouche dans un salon que surplombe un toit cathédral de quatre mètres de haut duquel pend un ventilateur aux larges pales qui ne déplacent qu'avec difficulté l'air chaud ambiant. La climatisation doit faire défaut, comme cela se produit souvent dans cette région. Tout en profitant du peu de fraîcheur que procure le ventilateur, Carlos jette un regard furtif vers le balcon qui fait face aux trois chambres de l'étage.

Les marches craquent légèrement sous ses chaussures de sport en toile lorsqu'il monte l'escalier en colimaçon menant à l'étage supérieur. Carlos en est désagréablement surpris, lui qui mesure 1 mètre 80 et pèse moins de 75 kilos, sans une once de graisse, et veille à ne pas prendre de poids afin que ses gestes restent vifs et silencieux. *La qualité et la solidité des matériaux de construction mexicains ne sont décidément pas très bonnes,* songe-t-il en grimpant les marches. Mais c'est sans conséquence ; les ronflements venant de la chambre du fond ont sûrement amorti le bruit.

Carlos se tient dans l'embrasure de la première porte et sort un automatique de l'étui qu'il porte sous son aisselle et un silencieux de la poche de sa veste. Il visse le tube sur le canon et s'avance à pas feutrés dans la chambre. Un mince rectangle de lumière encadre la fenêtre occultée par un store. Le faible jet de lumière éclaire une femme d'âge mûr étendue sur le lit. Elle dort profondément. Carlos dirige son arme vers le visage ridé de la vieille femme et lui loge deux balles dans la tête. Il se retourne et sort de la chambre pour se diriger vers la pièce suivante.

La pièce est vide et personne n'est allongé sur le lit. *Elle doit être à l'école,* se dit-il. Sans importance ; il a comme directive de ne pas supprimer la fille de toute façon. Il fait immédiatement demi-tour et se dirige vers la troisième et dernière chambre, d'où émanent les ronflements. Un homme d'un certain âge est étendu sur le lit à baldaquin ; il mesure environ 1 mètre 85, dans la soixantaine, avec une épaisse chevelure châtaine et une moustache de couleur identique. C'est bien lui, Ricardo Perez, la cible pour laquelle on le paie grassement.

Carlos s'approche lentement du vieux et place l'extrémité du silencieux à deux centimètres de sa tempe droite pour ensuite presser la détente à deux reprises. Les extrémités de la victime tressaillent, mais ses yeux demeurent fermés. Sauf pour le mince filet écarlate qui coule lentement de l'orifice d'entrée des projectiles, il n'y a aucun dégât apparent et le vieil homme semble dormir paisiblement. Tout s'est déroulé dans un silence parfait, comme d'habitude. C'est pour ces raisons qu'il apprécie tout particulièrement le calibre .22 : ça met le cerveau en bouillie sans faire de dégâts matériels et il a le temps de disparaître en douce.

Constamment aux aguets, surtout lorsqu'il effectue un boulot, Carlos entend un bruit provenant de l'étage inférieur. Il tourne aussitôt les talons et redescend l'escalier. C'est là que, du coin de l'œil, il aperçoit dans la cuisine celui qui doit être le garde du corps des Perez, qui se tient à côté de la porte ouverte du réfrigérateur, occupé à se servir une *cerveza*. Il s'approche à pas feutrés et tire deux balles dans la nuque du garde qui s'effondre lourdement sur la table de cuisine.

Le tueur dévisse ensuite le silencieux de son arme et glisse l'automatique dans l'étui pour ensuite remettre le tube dans sa poche de veste. Il regagne le salon et sort par la porte avant en affichant l'air décontracté de quelqu'un qui vient juste de rendre visite à l'un de ses proches.

C'est à ce moment qu'il l'aperçoit : une jolie blonde aux yeux verts, longues jambes élancées, dans le début de la vingtaine, qui marche vers lui dans le sentier qu'il vient à peine d'emprunter. Elle correspond à la description qu'on lui a donnée de l'une des deux filles Perez. Alors qu'il arrive à sa hauteur et croise son regard, il la salue d'un hochement de tête et d'un « *Señorita* », et lui sourit. *Tu n'as aucune idée de la chance que tu as,* pense-t-il. Son commanditaire a décidé de l'épargner, et il choisit lui aussi d'en rester là.

Carlos continue son chemin sans se retourner afin de ne pas attirer inutilement l'attention de la jeune fille. Sonia Perez se retourne tout de même sur le passage de cet étranger qui semble sortir de chez elle. Avec son crâne rasé et sa carrure de lutteur, il lui donne froid dans le dos. Elle a soudainement un mauvais pressentiment alors qu'elle le regarde se diriger vers la fin du sentier, où il s'arrête pour héler un taxi. Il tourne la tête pour lui jeter un dernier regard de glace avant de s'installer dans le taxi qui démarre aussitôt pour disparaître de sa vue.

Carlos jette un regard à sa montre et se cale dans le siège avec une expression détendue sur le visage. Il est dans les temps pour passer prendre ses bagages à l'hôtel et se rendre à l'aéroport pour prendre le prochain vol vers Miami.

Sonia se retourne et se dirige d'un pas hésitant vers la villa. Quelle n'est pas sa surprise de constater que les portes vitrées de l'entrée principale sont grandes ouvertes. Elle s'avance dans le vestibule et appelle le garde du corps :

— Luis ?

Elle n'obtient pas de réponse. *Étrange,* se dit-elle. Est-il parti reconduire son père à une réunion de dernière minute ? Ça serait étonnant que personne ne l'en ait avertie plus tôt. Plus elle avance dans le corridor central en jetant un coup d'œil dans les différentes pièces du rez-de-chaussée, et plus son mauvais pressentiment s'intensifie.

Lorsqu'elle atteint la cuisine, Sonia pousse un cri d'effroi à la vue du corps de Luis, écroulé sur la table, un filet de sang s'écoulant du trou béant sur sa nuque. La panique s'empare d'elle et elle se rue dans l'escalier qui mène aux chambres. C'est trop. À la vue du corps sans vie de sa mère, qui a subi le même sort que Luis, elle devine qu'il en est de même pour son père, et elle s'effondre dans l'entrée de la première chambre. L'émotion est trop forte, et elle perd connaissance pour se réveiller 20 minutes plus tard dans une ambulance en route pour l'hôpital. Une voisine l'a entendue crier et a alerté la police. Le colonel Ramon Ortega l'a longuement interrogée et, d'après la description qu'elle lui a donnée du tueur ainsi que son modus operandi, en a conclu à un règlement de comptes.

Le lendemain matin, encore sous l'effet des calmants, Sonia Perez fait un cauchemar où elle revit sans cesse les événements de la journée dans une boucle infernale pour finalement s'arrêter près du lit de l'étranger au crâne rasé qui a assassiné ses parents et lui loger deux balles dans la tête.

3

GRC, Division C
Quartier général de Montréal
Québec

Comme tous les matins, l'inspecteur Marc Harris de la Sûreté du Québec met ses lunettes de soleil et s'assoit au volant de sa Malibu pour entreprendre sa routine habituelle. Il fait d'abord un arrêt au Tim Hortons pour ramasser son café et son muffin aux framboises, et prend ensuite l'autoroute 15 en direction de Montréal. Après avoir passé un bon quarante-cinq minutes à avancer à pas de tortue dans la circulation dense de l'heure de pointe matinale, il s'engouffre enfin dans le parc de stationnement souterrain de la Place Ville Marie et se gare dans son emplacement réservé. Il sort de la voiture et se dirige vers l'ascenseur pour se rendre à son bureau du 26e étage.

À sa sortie de l'ascenseur, Harris s'engage dans la suite de bureaux du quartier général de la GRC pour atteindre la division de l'Unité mixte d'enquête sur le crime organisé. Après avoir salué quelques-uns de ses collègues assis à leur poste de travail, occupés à prendre les messages de leurs boîtes vocales ou à répondre au téléphone, il ouvre la porte de son bureau et dépose son cappuccino sur sa table de travail, puis il s'installe devant son ordinateur pour, à son tour, consulter ses courriels. Il constate avec regret que celui qu'il attend impatiemment n'y est toujours pas.

En tant qu'agent double qui opère sous le nom de Mike, et grâce à ses contacts dans le milieu, Harris a appris que des courtiers mexicains en stupéfiants se trouvent dans la métropole pour faire des affaires. L'un d'eux, Miguel Sandoval, a pris contact avec Mike, croyant qu'il pourrait lui trouver un client fortuné pour écouler 30 kg de cocaïne à un « prix d'ami », soit 630 000 $. Une première transaction avec le revendeur est reportée, le commanditaire d'Harris (qui est en réalité l'Unité mixte de la GRC et de la SQ) n'ayant pu libérer à temps les fonds nécessaires.

Après plusieurs jours de négociations, Harris (Mike) a réussi à obtenir les fonds du fisc québécois et a contacté à nouveau Sandoval par courriel afin d'organiser un second rendez-vous entre l'agent double, le courtier et le client, un agent du fisc qui, le moment venu, fera semblant de transporter la somme exigée. C'est la réponse à ce courriel qu'Harris attend impatiemment. Alors qu'il fixe l'écran de son ordinateur, un nouveau message apparaît. Il hausse les sourcils lorsqu'il voit que ce n'est pas le courriel tant attendu et qui en est l'auteur.

Il provient de son contact à la DPI, la Division des opérations policières internationales[6] du B.C.N., la Police fédérale brésilienne[7]. En fait, c'est plus qu'un simple contact parmi

6. Semblable à Interpol.

7. Équivalent de la GRC au Québec.

tous ceux qu'il a établis au fil des années ; le message a été envoyé à partir du bureau de Jessica Martz, son ex-amoureuse, une Brésilienne de 27 ans au physique athlétique qui irradie une détermination et une confiance en soi remarquables. Ils s'étaient rencontrés en Norvège lors du dixième congrès de l'International Police Association (IPA), trois ans plus tôt, et sa beauté, son caractère et son dynamisme l'avaient immédiatement conquis. Jessica est une passionnée et tout comme lui, elle ne fait pas les choses à moitié.

Dès le début de leur relation, une certaine complicité s'était établie, mais au fil des ans, un fossé s'était creusé et ils s'étaient éloignés l'un de l'autre. La vie de couple lui avait cependant appris une chose : l'amour ne peut durer qu'à condition d'y consacrer autant d'attention et d'énergie que lors des premières rencontres, sinon il s'enlise dans une confortable routine, et il devient vite ennuyeux sans qu'on en ait conscience. Et puis, il y a cette fâcheuse manie qu'elle avait de discuter de tout et de rien sous prétexte d'ouvrir le dialogue et de ne pas laisser de malaise s'installer entre eux. Elle ne comprenait pas que le silence a aussi ses vertus et qu'il faut respecter le jardin secret de l'autre.

Il doit relire le message (qui est loin d'être concis !) afin d'être sûr d'avoir bien compris.

Ma copine Sandra (Sandra Echeverria, actrice, mannequin et chanteuse mexicaine, célibataire, en plein ton genre !), qui joue le rôle de Marina dans la telenovela Marina qui passe en ce moment sur les chaînes RFO et France Ô, m'a envoyé un texto pour m'expliquer qu'elle a rencontré sur le plateau de tournage une ancienne copine de classe, Angela Perez, portée disparue par les federales mexicaines il y a environ huit ans de cela ! Tu peux t'imaginer sa surprise lorsqu'elle a reçu des nouvelles d'elle après tout ce temps. Angela lui a expliqué que, suite à une overdose, elle a été en cure de désintoxication en Californie, après s'être prostituée, et que maintenant, elle joue dans des films pornos sous le pseudonyme de « Crystal ». Holà.

Bon, très bien, oui, je sais, « accouche », pour employer ton expression favorite. J'y arrive. Après avoir échangé leurs numéros de téléphone (je te refile le numéro de cellulaire de Sandra, juste au cas où, on ne sait jamais !) en se promettant de se rappeler bientôt, Angela a confié à Sandra qu'elle partait en tournage du côté de Montréal. C'est ce qui m'a d'ailleurs décidée à te mettre au courant. Tu collabores toujours avec la GRC ? Je l'espère, car sinon, tu ne recevras jamais ce courriel. J'ai essayé de te joindre sur ton cellulaire, mais il n'y a plus d'abonné au numéro que j'ai ; tu as dû le changer, ou tu l'as encore perdu !

Oui, oui, j'y arrive ! On se calme ! J'étais curieuse (oui, je sais, qu'est-ce que tu veux, c'est un de mes défauts mignons !) et j'ai fait une recherche dans la banque d'Interpol Brasilia, à laquelle j'ai accès, et j'ai effectivement trouvé la fiche signalétique d'Angela Perez, disparue de Ciudad Juárez le 23 juillet 2003 ! Tu sais ce que cela implique : il faut que je le signale aux federales mexicaines. Tu sais quelle opinion j'ai des fedes ! Mais avant, je voudrais savoir ce que tu en penses. Rappelle-moi DQP. Bye. Jess. xxx

Au lieu de la rappeler (il n'est pas d'humeur à entendre Jess déblatérer sur les bienfaits d'être en couple et n'a pas envie d'être obligé de se justifier vis-à-vis d'elle parce qu'il n'a pas de copine), Harris consulte la banque des personnes disparues de la GRC et y inscrit le nom d'Angela Perez. Bingo ! Angela Perez, recherchée par les *federales* du gouvernement mexicain ainsi que par le FBI relativement à une série de disparitions à Ciudad Juárez, ville située en face de la ville texane d'El Paso. Sous la photo figure le numéro du FBI à contacter en cas d'identification positive.

Depuis plusieurs années, suite à une guerre sans merci que se livrent les différents cartels de la drogue mexicains, une longue série de disparitions et de meurtres de jeunes femmes ensanglante de plus en plus la ville de Juárez. Le gouvernement mexicain en a plein les bras dans sa lutte contre les cartels de la drogue et a demandé la collaboration des États-Unis pour retrouver les femmes disparues de Juárez. L'AFI, en collaboration avec le FBI, a diffusé une liste avec photos des disparues, et Angela Perez y figure.

Comme lui non plus n'accorde pas une grande confiance aux *federales* ni aux fonctionnaires corrompus du gouvernement mexicain, Harris compose plutôt le numéro de téléphone du FBI indiqué sur le site de la GRC. Après avoir été mis en attente à au moins trois reprises et avoir enduré chaque fois l'éternelle musique en boîte, il finit par joindre le poste de la personne concernée et est, encore une fois, mis en attente avant de pouvoir lui parler.

– Foutu bordel de merde ! s'exclame-t-il à bout de patience.

4

OCDESF
New York

À 34 ans et après 11 années d'expérience sur le terrain à traquer et capturer des criminels notoires, l'agente spéciale du FBI, Karen Newman, vient d'être promue assistante directrice responsable de l'OCDESF (Organized Crime Drug Enforcement Strike Force), la section de répression du crime organisé et du contrôle de la drogue de la branche de New York, et ça ne fait pas vraiment son affaire.

Depuis son arrivée au bureau, le mois dernier, avec son 1 mètre 80, ses longues et fines jambes d'athlète, ses yeux vert émeraude et ses longs cheveux auburn ondulés, les regards admiratifs des membres masculins de son équipe la suivent discrètement sur son passage, et quelques murmures étouffés se font parfois entendre. Mais elle n'est pas du genre à s'exhiber, et plutôt que d'attiser la haine des quelques employées féminines du bureau qui n'aimeraient rien de mieux que de faire véhiculer sur elle des faussetés telles que : « la patronne a eu ce poste après avoir accordé des faveurs sexuelles», Karen préfère se conformer au code vestimentaire et s'en tenir au tailleur classique.

La porte de son bureau est ouverte et elle perçoit les allées et venues du personnel dans le couloir d'en face. Ces jours-ci, elle et son équipe sont submergées par un surplus d'appels reliés aux femmes disparues de Juárez, pour la plupart victimes d'esclavage sexuel, et les sonneries assourdies des téléphones, le bruit des télécopieurs et des photocopieurs produisent une rumeur confuse qu'elle n'arrive pas vraiment à supporter.

Karen n'est pas une employée de bureau et l'action commence déjà à lui manquer. Elle se lève du fauteuil pivotant de son bureau et se plante devant la fenêtre qui surplombe l'East Side de New York pour se détendre et admirer la vue plongeante qu'elle a sur la série de gratte-ciel de cette partie de l'imposante métropole. Puis, elle remarque sa réflexion dans la baie vitrée. En faisant abstraction de ses pommettes saillantes, de son petit nez busqué, et de ses longs cheveux auburn, ce sont ses yeux d'un bleu-vert sombre mêlé de taches intenses et plus claires qui semblent capter la lumière comme les facettes d'un diamant que les gens remarquent immédiatement chez elle. Et c'est également ce regard vert incisif qui les paralyse sur place. Et en dépit d'un dossier professionnel regorgeant d'un nombre impressionnant d'arrestations et d'inculpations, elle est persuadée que c'est cette particularité qui a rendu son ancien patron mal à l'aise à tel point qu'il a été ravi à la perspective de la muter. Une promotion et une occasion qu'elle ne pouvait se permettre de laisser passer. Ou peut-être aurait-elle pu.

Le problème, c'est que cette proposition lui est parvenue en même temps qu'une offre de participer à la cellule de profilage qu'on lui a offert, ironie du sort, suite à sa chasse au tueur en série Robert Jr. Yates, à qui on attribue les meurtres de quatorze femmes. Elle se demande (et ce n'est pas la première fois) si l'ambition ne l'a pas conduite à commettre une grave erreur en menant sa carrière prometteuse dans un cul-de-sac. Bien sûr, elle sait très bien que rechercher des personnes disparues fait partie de son travail, mais… ce n'est rien en comparaison de la traque de criminels endurcis ou de psychopathes tels les tueurs en série. L'action lui manque.

Elle hausse les épaules et se détourne de la fenêtre lorsque son adjoint, l'agent Frank DaSylva, cogne à sa porte et lui annonce qu'elle a un appel en attente en provenance de Montréal. *Montréal ?* Karen fixe le téléphone qui clignote comme si on venait de lui rappeler un rendez-vous chez le dentiste pour un traitement de canal, et hausse les sourcils. *Encore un autre,* se dit-elle. Sans beaucoup d'enthousiasme, elle décroche sèchement le combiné.

– Agente spéciale Karen Newman. Que puis-je faire pour vous ?

– Inspecteur Marc Harris de la SQ.

Il soupire d'impatience.

– Eh bien voilà : pour la énième fois, comme je l'ai déjà expliqué à je ne sais plus trop qui, je crois avoir trouvé une de vos Mexicaines disparues de Juárez, Angela « Crystal » Perez.

– Vous en êtes bien sûr, inspecteur Harris ? demande Karen, incertaine.

– Aucun doute. Appelez-moi Marc, voulez-vous ? Vous n'avez qu'à vérifier. Je vous donne l'adresse internet de Vivid Entertainment, la maison de production de films pornos qui l'a engagée, et vous pourrez le constater par vous-même.

Karen Newman affiche une moue dubitative en entendant le nom du site pornographique.

– Comment avez-vous appris où elle se trouvait ?

– Eh bien, c'est une longue histoire, mais pour faire simple, disons que c'est Jessica Martz, de la DPI, qui me l'a appris.

Qu'est-ce que la DPI brésilienne vient faire là-dedans ? s'interroge Karen. Puis, elle décide que c'est sans intérêt avant de déclarer :

– Très bien, inspecteur Harris. Nous vous remercions pour votre collaboration.

Après que Newman lui a raccroché au nez, Harris l'envoie promener mentalement en se disant que les agents du FBI sont fidèles à leur réputation de personnages présomptueux et arrogants. Il décide d'oublier ça et de passer à autre chose, se disant qu'il a fait son devoir et que ce n'est plus de son ressort. Puis, il commence à composer le numéro de Jess, s'arrête à mi-chemin, et raccroche. Il lui faut réfléchir à la meilleure action à entreprendre. Après tout, Angela « Crystal » Perez ne souhaite peut-être pas être retrouvée, et c'est très bien comme ça. Il décide de laisser tomber, et Jess… eh bien, elle va devoir patienter jusqu'au lendemain avant qu'il ne l'informe des derniers développements.

* * *

Au début, il ne semble s'agir que d'une identification de plus, de quelqu'un qui ressemble à quelqu'un d'autre, mais seulement quelques minutes après que Karen Newman a communiqué l'adresse Internet qu'Harris lui a donnée au service de renseignements du FBI, la personne chargée des recherches lui confirme l'identité de celle qui se fait appeler « Crystal », la reine de la pornographie, Angela Perez de son vrai nom, recherchée par les *federales* mexicaines. Elle regrette immédiatement son attitude rébarbative envers l'agent de la Sûreté du Québec (SQ) et se met à faire des appels.

Karen fonctionne à l'instinct. Et son instinct lui dit qu'elle tient quelque chose avec cette fille. L'urgence lui dicte de ne pas attendre qu'Angela « Crystal » Perez accepte de se déplacer jusqu'à la montagne. Elle prend donc l'initiative d'aller à la rencontre de l'actrice pornographique à Montréal, au Québec.

À peine une heure après son appel au FBI, Harris reçoit un appel téléphonique en provenance de New York. La réceptionniste l'informe que c'est l'agente Newman du FBI qui désire lui parler, sur la première ligne. Il se met à rire et se délecte à l'avance de la façon dont il va remettre à sa place l'arrogante agente du FBI. Tout d'abord, il laisse sa boîte vocale prendre le message, puis il attend qu'elle rappelle. Quelques minutes plus tard, lorsqu'elle le fait, il la met en attente et la fait patienter en la laissant écouter la musique insipide que diffuse la ligne en attente. Lorsqu'il décroche, Harris entend avec satisfaction un soupir de soulagement à l'autre bout de la ligne.

— Inspecteur Marc Harris, comment puis-je vous aider ? dit-il sur un ton qu'il veut le plus condescendant que possible.

— D'accord, je l'ai bien mérité, dit Karen avec complaisance. Bon, maintenant que nous avons réglé nos comptes, passons aux choses sérieuses, si vous le voulez bien.

Harris pouffe de rire.

– Il n'y a rien qui ne me ferait plus plaisir, agente Newman. Que puis-je faire pour vous ?

– Angela Perez court un grave danger. D'après nos informations, et les vôtres, inspecteur Harris, elle est effectivement en tournage à Montréal pour une série télévisée intitulée *Maison de poupées*.

– Très intéressant, dit Harris sur un ton indifférent, mais je ne vois pas quel danger elle court à tourner un film porno. Vous croyez qu'on pourrait l'attaquer et la violer sur le plateau de tournage ? Désolé de vous décevoir, agente Newman, mais je ne crois pas qu'on lui en veuille à ce point de tourner une série télévisée. Ce serait complètement ridicule, ne trouvez-vous pas ?

Karen soupire.

– Très drôle. Les Québécois sont-ils tous aussi hilarants que vous, inspecteur Harris ?

– Non, pas vraiment. Ça dépend toujours du genre d'auditoire auquel nous avons affaire. Mais en général, les humoristes québécois sont assez populaires par ici et…

– Le problème, l'interrompt sèchement Karen, est qu'elle est une narcomane et que le proxénète qui lui fournit la cocaïne et la *meth* n'est nul autre qu'Eduardo Cardenas, le *big boss* du cartel de la drogue mexicain Arellano Félix.

Eduardo Cardenas est un sale type de la pire espèce. Harris en a entendu parler entre les branches. Il y a une série de mandats d'arrêt internationaux contre lui pour meurtre, enlèvement, trafic humain et trafic de stupéfiants, complot d'importation de produits chimiques entrant dans la composition de la drogue, et corruption. Selon les derniers rapports d'enquête, Cardenas a été aperçu à Mexico, où il vit agréablement en narguant les autorités. D'autres sources révèlent toutefois qu'il se planque dans l'un des Club Med de la côte mexicaine.

Mais Karen Newman a aussi sa petite idée sur la question. Son instinct lui dit qu'il ne doit pas être tellement loin de sa protégée, Angela « Crystal » Perez. N'importe quelle autre petite crapule démontrerait une simple témérité en se présentant en territoire canadien ; mais étant un criminel traqué par les *federales* depuis plus de cinq ans, cet homme à l'égo démesuré faisait preuve d'une audace qui n'étonnait guère Newman.

— Pourquoi l'éliminerait-il si elle lui rapporte des clients de l'industrie cinématographique ainsi que leurs commanditaires ? s'informe Harris par pure curiosité.

— Parce qu'elle peut témoigner en cour de ses activités criminelles…

Karen marque un moment d'hésitation avant de continuer.

— Et parce qu'elle vient d'apprendre qu'il y a à peine un an de cela, Cardenas a fait tuer ses parents.

— Oh merde ! s'exclame Harris en ouvrant grand les yeux.

Il demeure silencieux pendant un moment, semblant réfléchir. Puis, son expression devient méfiante avant qu'il ne reprenne.

— Comment l'a-t-elle appris ? demande-t-il sur un ton incrédule. Vous n'avez pas…

— Oui, en effet, nous le lui avons fait savoir.

— Et vous l'avez par le fait même foutue dans la merde ! Pourquoi avez-vous fait ça ? Tant qu'elle l'ignorait, elle était en sécurité. Mais là, elle va chercher à se venger, c'est sûr. Vous êtes une belle bande de salauds, s'exclame Harris. Vous n'êtes pas mieux que Cardenas.

Karen fronce les sourcils en affichant une moue de déplaisir. Elle n'apprécie guère le ton accusateur de ce policier québécois. Mais elle a besoin de lui et décide d'ignorer la remarque.

– Elle l'aurait appris tôt ou tard, et mieux valait que ce soit nous plutôt que Cardenas qui le lui dise pour ensuite l'éliminer.

– Et maintenant, qu'allez-vous faire pour la sortir de là ?

– C'est là que vous intervenez, inspecteur Harris.

Harris sourcille. Il ne s'y attendait pas.

– Moi ? Qu'est-ce que je viens faire là-dedans ?

– Opérer une saisie de drogue et une perquisition suivie d'une arrestation en territoire canadien ne relève pas de notre juridiction. Vous devez obtenir un mandat et procéder à l'arrestation de Cardenas pour possession vous-même. Ensuite, nous prendrons les choses en main. Sommes-nous d'accord ?

Harris réfléchit durant un moment et se décide enfin.

– Je dois d'abord obtenir l'autorisation de mon patron avant de m'impliquer là-dedans. J'ai déjà une autre enquête en cours et je ne sais pas si je...

– Vous l'avez déjà, l'interrompt Karen. Nous avons contacté votre directeur avant de vous faire cette proposition. Il fallait que nous soyons sûrs à qui nous avions affaire afin de protéger nos arrières.

– Et vous êtes satisfaite des informations qu'on vous a fournies à mon sujet ?

– Entièrement. Et je ne serais pas surprise que vos « qualifications » particulières nous soient utiles au cours de cette enquête, « Mike ».

Harris affiche un léger sourire lorsqu'il l'entend utiliser son pseudonyme. Il y a un bref instant de silence avant que Karen ne reprenne.

– Quelle est votre réponse ? Je vous rappelle que la vie d'une jeune femme est également en jeu. Vous devez prendre une décision maintenant, inspecteur Harris.

Harris prend un moment pour réfléchir en silence, pesant le pour et le contre. Puis, il déclare d'une voix incertaine :

– Bon, je suppose que je n'ai pas vraiment le choix étant donné que je suis en quelque sorte responsable d'avoir aggravé sa situation.

Nouveau silence. Puis, il hoche la tête.

– Très bien, j'accepte, mais à une condition.

Karen fronce les sourcils en se demandant ce qu'il peut bien vouloir.

– Laquelle ?

– Appelez-moi Marc !

Karen plisse les yeux, perplexe.

– C'est tout ?

– Oui, répond Harris. C'est ma seule condition et ce n'est pas négociable.

Elle est bien bonne, celle-là, s'étonne Karen. Elle n'a pourtant rien dit pour qu'il la drague ainsi. Et ce n'est vraiment pas le moment idéal pour initier une relation intime avec quelqu'un qu'elle ne connaît même pas. Sauf qu'elle n'a pas vraiment le choix : elle a besoin de lui. Harris est son seul contact au Québec et il est bien placé pour l'aider à résoudre cette affaire. Et après tout, sa demande n'est pas déraisonnable ; le tutoyer ne serait pas si terrible. Elle décide de mettre ses doutes de côté.

– D'accord inspect… je veux dire, Marc. Et moi, c'est Karen. On se fixe rendez-vous dans sept heures à votre bureau pour mettre au point les détails de l'opération.

Harris se met à sourire.

– D'accord. Je ne bouge pas d'ici, dit-il en affichant une expression satisfaite avant de raccrocher.

Je me demande bien de quoi elle a l'air, pense-t-il en se levant pour se diriger vers la machine à café.

5

Montréal

Crystal, la vedette de la pornographie, est effondrée sur son divan, complètement bouleversée par ce que vient de lui apprendre une certaine Karen Newman du FBI. Cette femme, qui était une parfaite inconnue jusqu'à ce jour, lui a annoncé sur un ton officiel qu'il y a près d'un an de cela, ses parents ont été tués par un tueur professionnel engagé par Cardenas et ses acolytes, dans le but d'éliminer la compétition que se livraient les trois fondateurs du cartel Arellano Félix de Tijuana.

Sa première réaction a été de refuser d'y croire, de traiter Newman de folle et de raccrocher. Mais cette dernière a tout de suite renchéri en lui donnant des détails sur la demeure familiale de Juárez où avait eu lieu le drame ainsi que le nom de leur garde du corps, Luis, également abattu par l'assassin de ses parents ; nul autre qu'Angela aurait pu connaître ce détail. Angela s'empresse de lui demander des nouvelles de sa jeune sœur, qui vit maintenant à New York, mais Karen lui répond qu'elle n'a rien sur elle.

— J'ignorais que vous aviez une sœur, avait dit Karen. Quand lui avez-vous parlé pour la dernière fois ?

Angela s'était redressée et avait contemplé la photo de Sonia, posée sur l'étagère près du poste de télé. D'une beauté poignante et tellement vulnérable. Elle se demandait souvent ce qui lui donnait cette apparence innocente et délicate. *C'est probablement sa silhouette frêle, élancée et incroyablement séduisante.* Pour ça, elles tenaient toutes deux de leur mère, que Dieu ait son âme, qui était également grande et élancée. Mais c'étaient surtout ses grands yeux verts, qui reflétaient la douceur et la fragilité tout en étant futés et pénétrants, des yeux qui vous sondaient jusqu'à l'âme, qui donnaient cette impression de fragilité à sa jeune sœur.

Sa dernière conversation avec sa sœur lui était revenue en mémoire, comme si on lui avait lancé un dard droit au cœur. Angela avait revu ses yeux accusateurs alors que Sonia lui reprochait de s'être entichée d'un sale type tel que Cardenas et de mener une vie de débauche qui avait rendu leur « papa » malade du cœur. Et dire qu'elle n'avait rien trouvé de mieux à faire que de traiter sa sœur de petite snobinarde, alors qu'elle savait très bien que Sonia avait parfaitement raison. Dieu qu'elle le regrettait. Un froid s'était ensuite installé entre elles, et elles ne s'étaient pas reparlé depuis ce jour-là.

— Angela, vous êtes toujours là ?

La voix de Karen l'avait ramenée à la dure réalité.

— Est-ce que vous pourriez essayer de la retrouver pour moi ? avait demandé Angela sur un ton presque suppliant.

Karen avait hésité avant de répondre. Elle ne pouvait pas faire une promesse qu'elle n'était pas sûre de pouvoir tenir.

— Je vais m'informer, avait-elle déclaré sans beaucoup d'enthousiasme.

Après lui avoir offert de témoigner contre Cardenas, ce qu'Angela avait carrément refusé, Karen lui avait laissé un numéro de téléphone où la rejoindre si jamais elle changeait d'idée, en lui demandant de réfléchir sérieusement à sa proposition.

Depuis qu'elle avait dû quitter Los Angeles pour s'installer à Montréal à la suite d'une session intense de désintoxication, il y avait quelques mois, les choses n'avaient pas tourné exactement comme Angela l'avait espéré. Les contrats s'étaient faits rares et elle avait dû se résigner à faire du direct avec une caméra vidéo sur Internet afin de boucler les fins de mois. Jusqu'à ce qu'Eduardo, grâce à ses contacts chez les motards, lui décroche un contrat de film chez Vivid et que, peu de temps après, les fédéraux débarquent.

Mais son existence n'avait pas toujours été aussi dure. Bien au contraire, il y avait seulement un an de cela, Angela était en demande auprès des plus gros producteurs de films pornographiques de Hollywood et pouvait facilement négocier des contrats de films dans les six chiffres. Mais depuis qu'elle avait rencontré ce salaud d'Eduardo Cardenas, qui l'avait rendue dépendante à la cocaïne puis au *crystal meth*, tout son monde s'était écroulé.

Le manque est toujours là, et Angela s'allume une cigarette pour compenser. Malgré la désintoxication, il est toujours présent, insidieux, constamment logé aux abords de son subconscient. Elle se sent comme une alcoolique qui regarde avec avidité la bouteille de Beaujolais sur la table voisine du restaurant chic où elle est en train de dîner. Cette pensée lui rappelle qu'elle a justement un cruchon de vin déjà entamé dans son réfrigérateur. Elle s'approche, ouvre la porte et en tire le demi-litre de blanc. Elle en avale une longue rasade à même le goulot.

Au moins, Sonia est encore en vie, elle ; du moins Angela l'espère. Elle se sent méprisable, se blâme d'avoir si naïvement fait confiance à ce salaud de Cardenas. Elle se met à pleurer à chaudes larmes en pensant à ses parents, qu'elle ne reverra plus jamais. Ensuite, la colère monte en elle, tel un volcan sur le point d'entrer en éruption, et elle envisage de se rendre dans la chambre du Ritz Carton où Eduardo fait son orgie comme à l'habitude et de lui loger une balle entre les deux yeux. Mais après mûre réflexion, elle décide que ce n'est peut-être pas une si bonne idée ; les gardes du corps de Cardenas la descendraient sûrement avant même qu'elle ait pu s'approcher de lui.

Il faut qu'elle trouve une autre solution pour faire payer ce salaud et venger la mort de ses proches. Mais quoi ? L'empoisonner. Comment ? Non, ça ne marcherait pas non plus ; il fait toujours goûter sa nourriture par ses gardes du corps. Si seulement elle savait comment fabriquer des explosifs, elle pourrait faire sauter son gros cul sale. Engager un professionnel pour le liquider, comme il l'avait fait pour ses parents. C'est ça ! Non, ça non plus, ça ne marcherait pas : elle ne connaît personne et n'a pas d'argent pour le payer. *Merde !*

Puis, Angela en vient à la conclusion qu'elle ne pourra jamais s'en sortir toute seule. Il lui faut de l'aide. Soudain, elle aperçoit, sur la table du salon, le petit calepin rouge où elle a noté le numéro de téléphone que l'agente Newman lui a donné. Peut-être que si elle dénonce son trafic de drogue et de prostitution, ce salaud d'Eduardo sera mis en prison, ou encore mieux, qu'il sera condamné à mort. Oui, Newman doit avoir raison : c'est le seul moyen de faire tomber ce salaud. Elle s'empare du téléphone et compose le numéro qu'elle a griffonné dans le carnet.

* * *

Karen Newman est assise dans le bureau de Marc Harris à préparer un plan B au cas où Angela refuserait son offre. Mais elle est tout de même convaincue que, lorsque sa fureur sera tombée, Angela réfléchira et sa lucidité reviendra. Elle comprendra qu'ils sont sa seule chance de faire payer Cardenas et de venger ses parents. Karen en est persuadée.

Quoique, elle ne la connaît pas vraiment, et avec ce genre de fille, on ne peut jamais vraiment savoir quelle réaction elle aura. Angela pourrait tout aussi bien essayer de se faire justice elle-même, et ce serait la pire chose à faire. Voilà pourquoi ils élaboraient un plan B : au cas où. Si elle refuse de collaborer, ils vont tout simplement arrêter Cardenas pour proxénétisme et usage de stupéfiants, et après, ils ajusteront le tir.

Harris était allé les chercher, elle et Frank DaSylva, à l'aéroport P.-E.-Trudeau, et dès qu'il l'avait aperçue, il était tombé sous son charme, comme la plupart des mâles qu'elle rencontrait pour la première fois ; c'était purement hormonal. Avec ses longs cheveux auburn, son regard vert émeraude vif comme l'éclair, son tailleur-pantalon noir de coupe classique qui lui seyait à la perfection, il n'avait eu aucune chance et avait été immédiatement séduit.

Alors qu'elle vérifie ses messages sur son BlackBerry, Karen prend soudainement conscience qu'Harris l'observe discrètement. Elle lui lance un regard interrogateur et plisse les yeux.

– Est-ce que mon maquillage a coulé ? lui demande-t-elle avec une pointe d'ironie.

La question prend Harris au dépourvu. Il répond la première chose qui lui vient à l'esprit.

– Non, tu es parfaite, dit-il en esquissant son petit sourire de séducteur.

Il l'observe un moment de ses yeux bleus charmeurs avant de revenir à la charge.

– Habites-tu New York depuis longtemps ? demande-t-il sur un ton plus que cordial.

Karen fronce légèrement les sourcils en refermant son téléphone portable et lui lance un regard interrogateur.

– Non, affirme-t-elle carrément en lui jetant un regard où s'entremêlent la curiosité et la flatterie.

Il hoche la tête.

– J'imagine que ce ne doit pas être facile pour ton conjoint que tu sois constamment sur la route, comme ça. Il doit souvent s'inquiéter pour toi.

Karen l'a vu venir avec ses gros sabots et elle affiche un sourire calculé. Elle est pleinement consciente qu'il la drague de nouveau, et elle se surprend à entrer dans le jeu. Un peu plus grand qu'elle, musclé comme un athlète bien entraîné, et indiscutablement viril, l'homme est extrêmement séduisant. Ses cheveux bruns fraîchement coupés, ses petites fossettes qui se creusent lorsqu'il sourit, mais surtout, ses yeux, aussi bleus que le ciel ; tout cela fait qu'elle le trouve incroyablement… désirable.

Elle doit bien l'admettre, l'attention qu'il lui porte la flatte. Et depuis qu'elle s'est séparée de son ex, le très égocentrique et non moins célèbre avocat Steve Grant (qui, quant à elle, peut bien brûler en enfer), ça lui manque. Sous l'impulsion du moment, elle décide d'embarquer dans le jeu.

— Ça me surprendrait beaucoup, étant donné que je vis seule, déclare-t-elle spontanément sur un ton enjoué.

L'instant d'après, son téléphone portable, qu'elle avait déposé, se met à sonner. Karen le saisit sur la table d'appoint près du bureau d'Harris et consulte l'afficheur. Un sourire apparaît sur ses lèvres lorsqu'elle voit d'où provient l'appel.

— Bonjour, Angela.

— J'ai bien réfléchi, lui dit aussitôt celle-ci. Je veux dénoncer ce salaud de Cardenas. Je veux qu'il crève et qu'il aille en enfer pour ce qu'il a fait à mes parents et à Luis. J'accepte votre proposition, mais à une condition. Que vous me promettiez de prendre soin de ma jeune sœur et de mon chien Riki si jamais il m'arrive quelque chose.

— Pour Riki, ça pourrait s'arranger, mais je ne peux rien promettre en ce qui concerne votre sœur.

— J'apprécie votre franchise, Karen. Je ne sais pas trop pourquoi, mais j'ai envie de vous faire confiance.

Elle fait une pause.

– Mais si jamais j'ai le moindre doute à votre sujet, je disparais aussi vite.

– Nous sommes d'accord, Angela. Ne bougez pas de là, je serai à votre appartement dans 20 minutes. Surtout, gardez votre sang-froid et ne faites pas de bêtise. En attendant, fermez votre porte à double tour et n'ouvrez à personne d'autre, entendu ?

– D'accord, mais faites vite avant que je change d'idée.

Elle raccroche.

Karen se tourne vers DaSylva et Harris.

– C'est dans le sac ! Allons-y !

Les deux agents du FBI se lèvent précipitamment et, accompagnés de Marc Harris, se dirigent d'un pas fébrile vers les ascenseurs. La phase 1 de l'Opération Crystal vient juste de commencer.

6

Angela attrape son téléphone portable et compose le numéro de celui qu'elle considère maintenant comme son pire ennemi pour lui dire sa façon de penser. Il décroche à la troisième sonnerie.

— Tu n'es qu'une espèce de salaud, Cardenas, dit Angela d'une voix tremblante dès qu'elle l'entend répondre.

— Allons, allons, Angela, qu'est-ce qui se passe ? rétorque Cardenas sur un ton mielleux. Pourquoi es-tu si en colère contre moi, ma douce Angela ?

— Parce que tu n'es qu'un sale meurtrier, Cardenas ! Tu as fait assassiner mes parents, lance-t-elle sur un ton accusateur.

— J'ignore de quoi tu parles, Angela, affirme Cardenas en affichant une moue de déplaisir.

— Ne fais pas semblant de ne pas comprendre, Eduardo. Ne me prends pas pour une conne, OK ? Je suis sûre que c'est toi qui as commandité leur exécution. J'ai des preuves.

— Je t'assure que ce n'est pas moi, affirme Cardenas d'une voix suave. Qui t'a raconté tous ces mensonges ?

— Je l'ai appris du FBI. Ils ont la preuve que c'est toi qui as engagé le tueur, n'essaie pas de le nier.

– Et tu préfères les croire, eux, plutôt que moi ? dit Cardenas, qui commence à perdre son sang-froid.

– Cette fois tu ne t'en sauveras pas aussi facilement, espèce de salopard ! Tu vas payer pour tous tes crimes et pourrir en prison, je te le promets.

– Espèce de petite garce ingrate, jette Cardenas en haussant le ton d'un cran. Comment oses-tu me menacer ? Tu devrais me remercier pour tout ce que j'ai fait pour toi et les tiens. Je vous ai sortis de votre taudis de la ruelle de Ciudad Juárez, où vous viviez dans la pauvreté, pour vous offrir une vie de luxe que beaucoup d'autres *chicas*[8] envient, et tout ce que tu fais pour me remercier, c'est me menacer de m'envoyer en prison pour le reste de mes jours. Réjouis-toi, *puta*, tu vas bientôt rejoindre les tiens.

– Va te faire foutre, Cardenas, s'exclame Angela avant de raccrocher.

Angela est forte, mais elle a ses limites, comme tout le monde. C'est à ce moment qu'elle s'effondre et que, la larme à l'œil, elle enferme Riki dans la salle de bain avant de se saisir du pistolet à la crosse de nacre que son papa lui a offert à son 18e anniversaire et de le jeter dans son sac à main. Pendant un court instant, elle envisage de laisser un message à l'agente Newman pour s'excuser de lui faire faux bond, mais elle change aussitôt d'idée, se trouvant complètement ridicule en pensant à ce qu'elle va faire ensuite.

Elle récupère sa veste en imitation de peau de daim et sort de la copropriété en coup de vent, pour se diriger vers le plus proche arrêt de bus.

* * *

8. Filles, en espagnol.

La dernière chose à laquelle les trois agents s'attendent lorsqu'ils se pointent au 26A de l'avenue du Parc est bien de découvrir la porte de l'appartement qui n'est pas verrouillée et le chien enfermé dans la salle de bain qui hurle comme un bon.

— Où a-t-elle bien pu passer ? s'interroge DaSylva.

Karen, qui a fait le tour de l'appartement avec le chien à ses trousses, se tourne vers DaSylva en affichant un regard inquiet.

— J'espère qu'elle n'a pas fait ça !

— Fait quoi ? demande DaSylva.

— Appeler Cardenas pour lui dire qu'elle est au courant pour ses parents et le menacer de mort.

— Elle ne peut pas être aussi idiote que ça, s'exclame Harris d'un ton incrédule.

Karen sort son mobile de sa poche de veston et lance un appel à tous pour appréhender Angela avant qu'elle ne commette l'irréparable.

Quand ils se retrouvent tous les trois sur le trottoir avec Riki en laisse, celui-ci se met à aboyer de plus belle. Il a aperçu sa maîtresse qui attend le bus au coin de la prochaine rue et il se met à tirer de toutes ses forces sur sa laisse pour aller la rejoindre.

Au même instant, une voiture surgit soudainement d'une rue secondaire et se range le long du trottoir. Les portières avant s'ouvrent et deux hommes en costume sombre et aux cheveux grisonnants à la coupe militaire en sortent.

— Monte dans la voiture, lui ordonne le plus grand des deux.

Angela sent le canon de l'arme appuyé contre son dos, la poussant à avancer.

– Qui êtes-vous et qu'est-ce que vous me voulez ? demande Angela, craintive.

– Nous t'expliquerons tout une fois en route, lui dit sèchement le deuxième sbire.

Ils se saisissent rapidement d'Angela pour l'amener de force jusqu'à la Lexus et l'obligent à prendre place à l'arrière de la voiture.

Harris et les deux agents, qui ont observé la manœuvre sans pouvoir intervenir, se ruent dans la Charger de fonction d'Harris, et ce dernier prend en filature la Lexus tout en gardant une distance respectable entre les deux véhicules afin de ne pas se faire repérer.

Bien qu'Angela soit bien décidée à ne pas perdre son sang-froid, la montée d'adrénaline commence à lui donner des palpitations, et dès qu'elle voit le canon énorme de l'arme que l'homme assis sur le siège du passager avant braque sur elle, elle est prise de panique. Les yeux arrondis d'effroi, elle s'écrie à nouveau :

– Qui êtes-vous et qu'est-ce vous me voulez ?

L'expression de celui qui tient l'arme demeure de marbre. Le conducteur l'observe un instant dans son miroir avant de lui dire sur un ton glacial :

– M. Cardenas désire avoir un entretien avec toi, Angela.

Durant une quinzaine de minutes, ils roulent sur Sherbrooke Ouest en direction du centre-ville, et la tension d'Angela ne se relâche pas.

Quand les phares arrière de la Lexus scintillent et que celle-ci s'engage dans le parc de stationnement souterrain du Ritz Carlton, Harris ralentit pour se glisser derrière un taxi qui se dirige vers l'entrée principale de l'hôtel. Il va ensuite se garer près de la voiture la plus éloignée du petit terrain de stationnement réservé aux visiteurs.

Miguel, le conducteur de la Lexus, trouve un emplacement dans le parc de stationnement souterrain et se gare. Les deux hommes de main de Cardenas sortent ensuite de la voiture, et Diego, celui qui braque toujours son arme sur elle, ouvre la portière pour inviter sèchement Angela à le suivre. Elle jette un regard inquiet autour d'elle et, en vacillant sur ses talons aiguilles, Angela s'efforce de suivre Miguel, qui se dirige d'un pas rapide vers l'ascenseur.

– Alors, qu'est-ce qu'on fait ? demande Harris en adressant un regard interrogateur à Karen.

– On ne fait rien ; on attend, lui répond-elle d'un ton sec. S'ils avaient voulu la tuer, ils auraient pu facilement le faire tout à l'heure au lieu de l'enlever. Non, elle possède sûrement quelque chose que Cardenas désire, et nous devons à tout prix savoir de quoi il s'agit. Dans une vingtaine de minutes, si elle n'est pas ressortie de là, on intervient avec la cavalerie.

Elle se retourne vers DaSylva, assis à l'arrière avec Riki, qui n'a pas cessé de grogner et d'aboyer tout au long du parcours.

– Et fais-moi taire ce sale cabot, il va me rendre folle !

DaSylva hausse les épaules.

– Rien à faire, j'ai tout essayé, sauf de l'empoisonner. Tu peux toujours lancer un appel à l'aide pour un animal sauvage en liberté. La fourrière municipale ne demanderait probablement pas mieux que de s'en charger.

Karen sourit bien malgré elle.

– Très drôle, Frank. Vraiment, tu n'en manques jamais une !

7

Ritz Carlton
Montréal

Eduardo Cardenas observe avec fascination le lézard qui gobe les insectes du vivarium d'un simple coup de langue. C'est pour lui l'exemple parfait de la loi du plus fort : tuer ou être tué. Les plus faibles ne sont là que pour servir les plus forts, c'est dans leur nature, tout comme pour les insectes et autres proies, de servir de nourriture et d'assurer le bien-être des prédateurs. Il n'y a rien d'autre qui puisse égaler ce sentiment de puissance et de satisfaction que lorsqu'il écrase un de ces insectes serviles qui ne sont plus d'aucune utilité pour lui. En particulier ces milliers de femmes mexicaines intoxiquées qui se voient contraintes d'enrichir son organisation avec l'argent gagné sur les trottoirs ou dans les bordels clandestins. Et qui se soucie de cette main-d'œuvre bon marché, de ces travailleurs forcés des plantations et des laboratoires qui logent dans des HLM ou des baraquements et qui mettent des années pour défrayer leur entrée illégale aux États-Unis et au Canada ?

Tout ce qu'il gagne grâce au trafic des êtres humains, des drogues et des armes, au racket sur le marché du travail au noir, aucune affaire n'échappe à son contrôle, et toute dérogation est sévèrement punie. Les affaires, c'est ça l'important. Rien d'autre ne compte.

Cardenas fronce les sourcils lorsqu'il entend cogner à sa porte. Il se retourne et va ouvrir. Dès qu'il voit Miguel et Diego qui encadrent cette garce d'Angela, il affiche un sourire de satisfaction.

Il y a dans ce sourire une férocité qui fait froid dans le dos, pense Angela. Lorsqu'elle voit ses petits yeux noirs se plisser, telle une souris prise au piège, elle croit que sa dernière heure est venue. Il s'approche assez d'elle pour la frôler et lui donne un baiser sur la joue.

– *Hola, mi chiquita,* lance-t-il sur un ton mielleux en esquissant un sourire poli.

Dans la quarantaine avancée, mesurant 1 mètre 80, il a le teint basané et le visage ouvert, carré, avec les cheveux bruns coupés en brosse. Il ne porte pas de blouson mais est néanmoins impeccable, en chemise de soie blanche classique à col ouvert qui laisse dépasser une chaîne en or, et pantalon bleu marine pure laine à fines rayures. Il est très séduisant et paraît 10 ans plus jeune que lorsqu'elle l'a vu la dernière fois, il y a seulement quelques semaines de cela, afin de lui offrir, pour employer son expression, le « contrat du siècle ».

Pour afficher un tel sourire complaisant, il a sûrement dû éliminer un tas d'ennemis dernièrement, songe-t-elle avec une pointe d'amertume.

Les nerfs à fleur de peau, Angela recule d'un pas.

– Va te faire foutre, Cardenas. Je ne suis pas ta *chiquita,* espèce de meurtrier. Tu avais promis de les laisser tranquilles si je recrutais des personnages influents pour toi. Mais tu n'as pas tenu parole. Pourquoi? Ils ne t'ont pourtant rien fait.

Cardenas la regarde d'un air désolé qui, elle le sait, n'a rien de sincère.

— *Por qué*[9]? Savais-tu que Ricardo Perez, ton cher père, que tu idolâtrais tant et que je considérais comme un frère, a trahi ma confiance en vendant mon cousin Jimmy à la DEA pour 5 millions de dollars américains?

— C'est faux! s'écrie-t-elle avec véhémence. Ce ne sont que des mensonges. Mon papa n'aurait jamais fait ça.

Cardenas lui jette un regard meurtrier et la gifle avec tellement de force qu'elle manque de tomber à la renverse.

— Tu oses me traiter de menteur, salope. Je vais t'apprendre autre chose sur ton «papa» chéri. Non content d'être un traître et de vendre ses amis à la *policía*, Ricardo est devenu trop gourmand. Il ne se contentait plus de sa part des bénéfices, il en voulait toujours plus, et pour se payer des putes de luxe comme toi, une école d'équitation à Ixtapa et une villa de plusieurs millions en Californie, il est allé s'octroyer mes meilleurs clients californiens en vendant la mèche aux *federales* au sujet de notre labo de *meth* à Tijuana, et par la même occasion me faire perdre 5 millions de dollars américains. Ç'a été, comme disent les gringos, la goutte qui a fait déborder le vase. Je n'avais plus le choix. Il fallait qu'il paie pour sa traîtrise, sinon j'aurais fini par tout perdre.

Cardenas fait un signe du revers de la main comme pour chasser un moustique qui l'importune.

— Et n'oublie surtout pas que je vous ai épargnées, toi et ta sœur, Sonia. Considérant tous les problèmes que ça me

9. Pourquoi, en espagnol.

cause maintenant, je me demande si j'ai bien fait. De toute façon, si nous n'arrivons pas à nous entendre, Angela, je devrai bientôt remédier à la situation dans laquelle vous m'avez fourré, ta sœur et toi.

Angela reste de glace. Elle sait qu'il ne la tuera pas : s'il en avait eu l'intention, il l'aurait déjà fait. Alors, pourquoi cette mise en scène ? Malgré son énervement, Angela essaie de réfléchir à ce que ce salaud d'Eduardo peut bien vouloir. Soudainement, la solution lui apparaît clairement : la liste et les clichés. Elle essaie d'orienter la conversation dans une autre direction.

— Alors, Eduardo, dis-moi pourquoi tu m'as fait enlever par tes deux hommes de main. Ce n'est sûrement pas pour me faire la conversation.

— Enlever, c'est un bien grand mot. Si je t'ai fait venir, c'est pour te faire une proposition, *mi chiquita*.

Angela se braque de nouveau.

— Je t'ai déjà dit que je ne suis pas ta *chi*…

Puis, elle se ravise. Elle décide qu'il vaut mieux pour sa santé de ne plus jeter d'huile sur le feu.

— Voilà ce que nous allons faire, poursuit Cardenas d'un air satisfait en faisant semblant d'ignorer l'interruption. Tu me remets les preuves que tu as accumulées contre moi et mes associés, et je te laisse la vie sauve. C'est un bon *deal*, non ?

Elle a vu juste ; c'est bien la liste de personnages célèbres du monde cinématographique qui lui achètent de la drogue ainsi que les clichés qu'elle a pris avec son appareil-photo numérique lors de leurs activités sadomasochistes qui l'intéressent. Si jamais cette foutue liste et ces clichés tombaient entre les mains des journalistes, Cardenas pouvait être certain que des têtes tomberaient au sein de son organisation, la sienne en premier.

– Alors, est-ce qu'on est d'accord ou pas ? demande-t-il d'un ton impatient. Décide-toi, je n'ai pas toute la journée.

Le scénario se déroule à toute vitesse dans le cerveau d'Angela. Il n'est pas question de lui donner ce qu'il veut ; Eduardo s'empresserait de demander à ses sbires de l'éliminer. Maintenant qu'elle est sa prisonnière, Angela juge qu'elle n'a plus le choix. Mais comment arriver à lui fausser compagnie sans y laisser sa peau ? Les idées se bousculent dans sa tête. Et si elle mentait et faisait semblant d'être d'accord ? Plus facile à dire qu'à faire, conclut-elle amèrement. Elle devra se fier à son instinct.

– J'accepte, mais à une condition, indique-t-elle en relevant le menton avec arrogance.

– Ah, je te reconnais bien là, *mi chiquita*, dit Cardenas sur un ton où perce le soulagement. Tout ce que tu veux ; tu n'as qu'à le demander.

Angela lui lance un air de défi et se met à fourrager dans son sac à main, comme si elle voulait y retrouver un objet. Elle trouve ce qu'elle cherche, et sort le petit pistolet à la crosse de nacre du sac et le pointe d'une main tremblante vers Cardenas.

Cardenas sursaute et fait deux pas en arrière.

– Qu'est-ce que..., parvient-il à dire d'une voix hésitante.

– Va en enfer, espèce de salaud ! crie-t-elle en appuyant sur la détente.

Le bruit assourdi de la détonation se réverbère dans tout l'appartement.

Dès qu'il aperçoit ce qu'elle tient dans la main, Diego s'approche d'elle.

– Qu'est-ce que tu fous, espèce de salope ? Donne-moi ça ! lance-t-il en lui arrachant le pistolet des mains.

Angela, qui a déjà eu affaire à des clients récalcitrants, lui administre un coup de genou dans les testicules et il se plie en deux de douleur. Profitant de la diversion, elle détale vers la sortie en balançant un coup de pied dans le tibia de l'autre acolyte, qui se rapprochait dangereusement d'elle.

En un instant, elle se retrouve dans le couloir, ne sachant quelle direction prendre. Il faut qu'elle sorte sa jolie frimousse de blonde vaporeuse de cet hôtel en cinquième vitesse. *Ça presse,* se dit-elle en regardant de chaque côté du couloir.

L'escalier de secours ? Non, ils la rattraperaient bien avant qu'elle ne parvienne à sortir de là. L'ascenseur ; elle doit prendre l'ascenseur. Elle croit bien que l'ascenseur se trouve vers la droite, alors elle s'engage dans cette direction en courant. Elle a tellement peur que son cœur bat à un rythme effréné. *Du calme,* se dit-elle en se concentrant pour ne pas trébucher sur ses talons très hauts dans l'épais tapis fleuri.

Mais elle ne réussit pas à maîtriser le rythme effréné de ses pas et se rue bien malgré elle jusqu'au bout du corridor, où elle rejoint un jeune couple dans la vingtaine qui s'embrasse devant l'ascenseur. À son arrivée, un signal sonore retentit et la cabine s'ouvre. Un garçon d'étage en sort, poussant devant lui un chariot contenant un cabaret en argent sur lequel reposent une bouteille de Dom Pérignon à 250 $, deux flûtes de cristal, un bac à glace et un plateau-repas. Il se dirige aussitôt vers la suite d'où provient la commande sans jeter le moindre coup d'œil aux gens qui attendent l'ascenseur.

Angela s'engouffre immédiatement dans la cabine sous le regard réprobateur du jeune couple, et juste avant que la porte ne se referme, elle croit apercevoir, à l'autre bout du corridor, Cardenas et ses deux compères sortant de l'appartement, l'air furieux de s'être fait avoir si facilement par une femme. *Merde, je l'ai raté !* se réprimande-t-elle en l'apercevant qui la regarde avec l'air renfrogné d'un enfant que l'on a privé de dessert.

Les 10 étages jusqu'au rez-de-chaussée défilent sans qu'elle s'en rende vraiment compte, et dès que la cabine s'ouvre, elle sort dans le grand hall d'entrée. L'immense espace qui s'ouvre devant elle la surprend. Il est de vastes fenêtres panoramiques aux vitres teintées, de ventilateurs aux larges pales suspendus au plafond cathédrale, de fauteuils en cuir et tables basses en acajou où repose un assortiment de revues et journaux, et de larges bacs contenant des palmiers nains : Angela a soudain l'impression de se retrouver dans le hall d'un hôtel des Caraïbes. La mezzanine attenante contient une boutique de cadeaux et une autre où l'on vend de la lingerie fine et des accessoires de toilette.

Un voisin a dû rapporter avoir entendu des coups de feu, parce que deux policiers en uniforme lui tournent le dos. L'un d'eux se tient devant le bureau de location situé en face des ascenseurs et est en grande conversation avec le préposé. Son coéquipier prend des notes dans son calepin alors qu'une vieille dame aux cheveux gris et portant des lunettes à monture d'acier à la Harry Potter lui décrit, avec geste à l'appui, ce qu'elle a vu, c'est-à-dire rien du tout !

Lorsqu'elle les aperçoit, Angela est sur le point de perdre à nouveau son sang-froid. *Du calme,* s'intime-t-elle en faisant de son mieux pour ramener à la normale le rythme de ses battements de cœur et de sa respiration. En réfléchissant à la meilleure solution qui s'offre à elle, Angela aperçoit soudain la sortie de secours tout au fond du couloir.

Finalement, elle se décide. Au lieu de se mêler aux quelques clients de l'hôtel qui traversent le hall pour se diriger vers la porte principale, elle décide d'emprunter l'issue de secours située à l'arrière, près des toilettes. Son cœur bat à nouveau à un rythme effréné tandis qu'elle se dirige vers la sortie. Elle ouvre la porte métallique en poussant sur la barre horizontale et se retrouve sur un trottoir qui conduit jusqu'au terrain de stationnement des visiteurs.

Un bruit saccadé de voitures démarrant et accélérant attire son attention, et elle aperçoit, non loin d'où elle se trouve, les feux de l'intersection de la rue Sherbrooke et du boulevard St-Laurent. Elle s'arrête net au bout du trottoir. La réalité vient soudainement de la frapper : où va-t-elle comme ça ? À son appartement ? Non. Les tueurs de Cardenas ne lâcheront pas leur proie jusqu'à ce qu'ils aient obtenu ce qu'ils veulent, et le premier endroit où ils iront sera justement à son appartement. Elle n'a nulle part où aller. *Merde !*

Elle serre les poings.

— *Merde !* s'écrie-t-elle alors que la peur fait lentement place à la rage et à la rancœur.

En plus, elle l'a raté, ce salaud ! Quelle nigaude elle fait. Jamais capable de réussir ce qu'elle entreprend. Refoulant avec peine l'envie de pleurer, elle balaie désespérément du regard l'aire de stationnement quand une voix l'interpelle.

— Angela.

Elle sursaute. Une Charger vient de quitter sa place de stationnement pour venir s'arrêter près d'elle. La vitre est baissée, et le conducteur la regarde curieusement. Elle s'apprête à s'enfuir en courant lorsqu'elle voit une femme sortir du côté passager de la Charger et lui faire signe de monter.

— Angela. C'est moi, Karen Newman.

Angela lâche un soupir de soulagement et s'approche lentement de la voiture.

Karen regarde d'un œil critique la pin-up aux cheveux blonds comme les blés qui se penche vers la portière avec un regard inquisiteur pour mieux voir qui est à l'intérieur. La jeune femme a approximativement 30 ans, une peau cuivrée qui sied parfaitement avec ses yeux verts et sa chevelure dorée, un petit nez fin qui surplombe des lèvres plantureuses recouvertes d'une épaisse couche de rouge à lèvres rubis nacré, de longues jambes effilées qui chancellent sur des talons aiguilles vertigineux. Elle porte un haut rouge vif extrêmement serré, une mini-minijupe noire et une veste en peau de daim bien ajustée. Une femme très séduisante qui a dû briser son lot de cœurs. *Elle a un regard dur,* pense Karen, *le regard de quelqu'un qui en a bavé et ne se laisse pas marcher sur les pieds.*

— Montez ! dit Karen avec empressement en lui ouvrant la portière arrière du côté passager avant de prendre son coude pour l'aider à monter.

Angela grimpe à l'intérieur et Karen claque la portière derrière elle. Dès qu'elle a repris sa place, Harris redémarre et tourne à droite sur la rue Sherbrooke. Riki se jette sur Angela et commence à lui lécher le visage. Le spectacle provoque une moue de dégoût chez DaSylva.

Angela se cale confortablement dans le siège de cuir, la nuque bien posée sur l'appui-tête. Ouf ! Elle a enfin réussi à s'échapper. Au moins, elle ne risque rien dans cette voiture, avec eux. Elle se sent en sécurité. Elle peut respirer et se détendre. Du moins, pour un petit bout de temps, elle l'espère.

8

Hôtel Le St-James
Montréal

Carlos retire son costume gris Armani à fines rayures et le suspend sur un cintre en respectant le pli du pantalon. Carlos apprécie les belles choses. Il ne porte que des vêtements griffés. Il ne descend que dans des hôtels de luxe. Il aime se faire faire massages, manucures et pédicures. Et pourquoi pas ? Il peut se le permettre. Il gagne plus d'argent en une semaine que la plupart des gens en un mois de travail. Et la cerise sur le gâteau : il fait un travail qu'il aime et pour lequel il est doué.

Il décroche le téléphone de sa suite et compose le 2.

– Service à l'étage, dit une voix. Que puis-je pour vous, Monsieur Diaz ?

Le St-James s'adresse toujours à ses clients par leur nom, la marque d'un hôtel de grande classe. Carlos l'apprécie. Diaz, évidemment, est son pseudonyme du moment.

– Steak au poivre, mi-saignant, avec légumes du jardin.

– Oui, Monsieur Diaz. Autre chose ?

— Et une bouteille de Châteauneuf-du-Pape 1967. Très frais.

— Oui, Monsieur Diaz.

Carlos raccroche et s'offre un Bacardi à même le petit réfrigérateur de sa suite en attendant la commande. La sonnerie de son BlackBerry retentit. Il regarde l'afficheur et sourit. Un nouveau travail. Excellent.

— J'ai un autre boulot pour vous.

— J'écoute, dit-il d'une voix neutre.

— Je veux que vous récupériez une liste de noms et des clichés compromettants et que vous éliminiez quelqu'un d'autre.

— Même méthode que pour les deux autres ?

— Vous êtes libre d'improviser si ça vous chante. Tout ce qui compte, c'est le résultat. Mais n'oubliez pas, vous devez absolument récupérer ces preuves avant de l'éliminer. *Comprende* ?

— *Si señor.*

Après que son client lui a envoyé la photo et les coordonnées de sa cible, il referme le téléphone et s'approche de la table d'appoint. Il ouvre la mallette et examine le Walther P22 Q qui s'y trouve.

— *Buenos,* murmure-t-il en effleurant la crosse du pistolet.

Le .22 fera le travail, impeccablement, comme d'habitude. Il referme la mallette et se dirige vers la chambre, où il passe en revue sa garde-robe. Il se décide pour un polo Ralph Lauren et un jeans Diesel. Ainsi que ses lunettes de soleil opaques Versace et sa casquette des Yankees, bien sûr. Un parfait déguisement pour ce qu'il va entreprendre.

9

— Où allons-nous ? s'informe Angela au bout d'un moment.

Karen se retourne et l'observe durant quelques secondes avant de lui répondre.

— À votre appartement. Vous n'y êtes plus en sécurité et nous allons vous reloger. Vous récupérez le strict nécessaire et vous sortez de là. D'accord ?

Elle approuve d'un signe de tête.

— Entendu.

Alors qu'elle établit mentalement la liste de ce qu'elle va prendre chez elle, Angela s'aperçoit que Karen la regarde fixement. Une question semble lui brûler les lèvres.

— Quoi ? Mon maquillage a coulé ?

Karen pouffe de rire. *Cette fille a du cran,* pense-t-elle. Malgré tout ce qui lui arrive, cette ex-toxicomane et actrice de films pornographiques trouve encore le moyen de dédramatiser la situation.

— Qu'est-ce qu'il voulait ? demande Karen sur le ton le plus neutre possible afin de ne pas la braquer contre elle.

Angela lui lance un regard interrogateur.

— Qui ça ?

– Allons, Angela, vous savez très bien de qui je parle, insiste-t-elle en la fixant du regard. Qu'avez-vous sur Cardenas qui l'empêche de vous liquider?

Angela est sur le point de répondre qu'elle ne sait pas, puis se ravise. Elle prend un temps de réflexion, puis en vient à la conclusion que ces gens sont sa seule chance de rester en vie. Puis, elle hausse les épaules.

– Une liste… une liste de mes clients «de marque» ainsi que certains clichés compromettants. Mon assurance-vie, quoi.

Karen hoche la tête en affichant un air satisfait.

– On s'en doutait. Il suffisait d'additionner deux et deux.

Elle la regarde droit dans les yeux.

– Vous êtes consciente qu'il vaudrait mieux mettre ces preuves dans un endroit sûr, n'est-ce pas, Angela?

– Elles le sont déjà, rétorque-t-elle sèchement.

Karen hausse les épaules en soupirant. Elle n'insiste pas.

– D'accord. Nous reprendrons cette conversation un peu plus tard, Angela. Pour l'instant, nous avons d'autres priorités, et l'une d'entre elles est de vous reloger avant qu'on ne vous fasse taire pour de bon.

Angela l'observe avec inquiétude avant de laisser son regard dériver sur le paysage urbain. Même à cette heure tardive, la circulation est dense dans les deux sens, et Harris doit s'arrêter à un feu rouge, derrière une file de voitures et de camionnettes de livraison. Durant ce court instant, Angela détaille en silence et avec discrétion le profil sévère de DaSylva. Cet homme un peu bourru lui donne une impression de sécurité. Il lui inspire confiance. *Ce serait bon d'avoir quelqu'un dans ma vie en qui je pourrais avoir confiance,* se dit-elle alors qu'elle croise son regard. Elle songe que ses yeux d'un bleu profond doivent refléter la grande sensibilité qui l'habite, et que, pour couronner le tout, il est loin d'être désagréable à regarder dans son costume gris anthracite.

DaSylva lui sourit gentiment, comme pour lui signifier qu'il apprécie lui aussi sa présence. Il pense qu'elle est magnifique avec ses longs cheveux blonds ondulés retombant en cascade sur ses épaules, ses grands yeux verts et son petit nez fin surplombant ses lèvres pulpeuses. *Un ange… aux portes de l'enfer,* songe-t-il amèrement. Au moins, elle a une chance de s'en sortir, et il fera tout pour l'aider.

Le feu passe au vert et Harris accélère. Peu après, il tourne à gauche sur l'avenue du Parc, laissant derrière lui les ensembles de bureaux, les tours d'habitations, et les restaurants et boutiques de la rue Sherbrooke pour filer sur un long boulevard où se côtoient une série d'habitations à logements multiples et des immeubles de pierre grise de style colonial contenant une multitude de petits commerces allant de la simple épicerie à heures d'ouverture prolongées à la boutique de vêtements chics griffés devant lesquels trônent une rangée d'arbres matures. Il finit par trouver une place et se gare de l'autre côté de la rue, à quelques pâtés de maisons de l'immeuble où habite Angela.

— Nous y voilà, dit Harris d'un ton inquiet.

Soudainement arrachée à ses réflexions, Angela lui lance un regard craintif. La peur s'empare de nouveau d'elle. L'idée de rentrer dans son appartement l'angoisse. N'importe qui peut l'attendre à l'intérieur pour lui faire la peau.

Une auto-patrouille du SPVM se trouve déjà sur les lieux, phares et clignotants allumés, mais il n'y a personne à l'intérieur du véhicule. Karen et Harris échangent un air méfiant.

— J'ignorais que tu avais demandé des renforts.

Harris secoue la tête.

— Non, ce n'est pas moi.

De l'extérieur, tout paraît normal ; trop normal. Son instinct dicte à Karen que c'est loin de l'être, et jusqu'ici son instinct ne l'a jamais trompée. Pas de policiers en uniforme ou en civil en faction devant l'entrée du duplex. *Ils doivent être à l'intérieur,* se dit-elle. Mais pourquoi les rideaux des fenêtres donnant sur la rue sont-ils tirés ? Peut-être, dans l'énervement, Angela a-t-elle machinalement tiré les rideaux et éteint les lumières avant de partir ? Ou c'est quelqu'un d'autre qui l'a fait. Mais dans quel but ? Elle se retourne pour s'adresser à nouveau à Harris.

— Je crois qu'il serait temps de le faire.

Celui-ci hoche la tête avant de s'emparer du micro et demander du renfort. Karen entend la réceptionniste lui répondre « 10-4 ».

Karen et Harris sortent du véhicule et balaient les alentours du regard avant de monter l'escalier de fer forgé menant à l'entrée du deuxième étage. Harris pose la main sur la poignée et la tourne. Ce n'est pas fermé. *Curieux,* pense Karen.

Harris la regarde avec un drôle d'air.

— Il me semblait l'avoir fermée avant de partir quand nous sommes venus ici la première fois.

Karen hoche la tête.

— Oui, je t'ai vu le faire, affirme-t-elle en s'avançant lentement dans l'étroit vestibule.

Elle tend l'oreille, se concentrant afin de percevoir le moindre son. Aucun bruit suspect n'attire son attention. Sauf pour le ronronnement régulier du réfrigérateur et le tic-tac de l'horloge de parquet, c'est le calme plat à l'intérieur de la copropriété. Elle fait signe à Harris, qui ressort sur le palier et à son tour fait signe à DaSylva et Angela de venir les rejoindre.

Après être sortie de la Charger en compagnie de DaSylva, Angela jette un regard méfiant par-dessus son épaule avant de monter l'escalier. Elle grimpe avec peine les marches étroites sur ses talons aiguilles derrière DaSylva. Ce qui la chiffonne en entrant chez elle est le manque d'éclairage. Il fait noir. Elle trouve l'interrupteur près de l'entrée et tente d'allumer, mais sans succès.

– Inutile, j'ai déjà essayé, lance Karen en la voyant faire. Ça ne fonctionne pas.

– Panne électrique ? demande DaSylva, qui devient nerveux.

– Non. Le réfrigérateur fonctionne, précise Karen.

Puis, Karen s'aperçoit que le boîtier du système d'alarme affiche « Désactivé ». Elle se tourne vers Angela pour demander :

– Et le système d'alarme ? Avez-vous oublié de l'activer ?

Non, elle n'oublie jamais ça ; Angela ne fait pas de compromis sur sa sécurité et s'assure de l'activer chaque matin avant de partir au travail. Mais dans l'énervement, oui, peut-être l'a-t-elle oublié. Par acquit de conscience, elle se rapproche du boîtier de l'alarme et l'ouvre. Le voyant rouge lui indique que le système est désactivé et le panneau de contrôle affiche « Hors service ». Il y a peut-être eu une panne de courant ? Bizarre... Elle s'apprête à mentionner ce fait à Karen, mais celle-ci lui fait signe de garder le silence.

Karen avance à pas feutrés dans l'étroit couloir qui mène au salon avec son arme pointée vers l'avant. Ses coéquipiers sont sur le point d'en faire autant lorsqu'elle lève la main droite pour leur faire signe de s'arrêter. Lorsqu'elle rejoint les deux autres à l'entrée du petit salon, Angela tremble de peur.

La pièce est sombre, à l'exception de la faible lueur provenant de l'entrée du vestibule. Plus elle avance, plus Karen perçoit clairement le bruit de tic-tac régulier, tel celui d'une horloge de parquet bien huilée, sans toutefois apercevoir celle-ci nulle part. Elle se tourne vers Angela pour lui demander :

— Avez-vous une horloge antique ?

Angela la regarde, perplexe.

— Quoi ? Si j'ai une horloge ? Non, pourquoi ?

Karen fait une grimace avant de s'écrier :

— Tout le monde dehors ! Sortez de là, bougez-vous, tout va sauter !

DaSylva accroche Angela par le bras au passage et l'entraîne avec lui dans l'escalier avec tellement d'ardeur qu'elle manque de trébucher et de descendre l'escalier tête première.

Karen et Harris les suivent de près lorsqu'une déflagration se fait entendre à l'intérieur de la copropriété et une boule de feu explose hors de l'entrée pour les projeter tous sur le trottoir, sans toutefois faire de victime.

Un peu sonné, Harris se relève péniblement et va retrouver Karen, qui est étendue par terre.

— Rien de cassé ? lui demande-t-il en l'aidant à se relever.

— Non, ça va, indique-t-elle avant de lui emboîter le pas pour se diriger vers la Charger.

Il en était moins une, et grâce aux réflexes aiguisés de Karen, ils sont tous sains et saufs et s'en tirent avec seulement quelques coupures et ecchymoses.

— Ce salopard a bien failli nous avoir, déclare DaSylva sur un ton rageur alors que les hurlements des sirènes s'amplifient.

Karen demeure muette pendant un court instant, à réfléchir. Quelque chose l'agace.

— Je ne crois pas qu'il voulait nous éliminer. Je pense plutôt qu'il s'agissait d'un simple avertissement. Si la charge avait été un peu plus forte, nous ne nous en serions sûrement pas sortis vivants.

DaSylva fronce les sourcils et lui lance un regard interrogateur.

— Tu crois qu'il cherchait simplement à nous intimider, pour qu'on classe l'affaire ?

— Peut-être, mais si c'est le cas, c'est bien mal me connaître. Je ne vais pas lâcher le morceau aussi facilement, lance-t-elle sur un ton déterminé alors que les véhicules d'urgence se garent en face de l'immeuble.

Les paramédicaux arrivent pour soigner les coupures causées par les éclats de verre tandis que les pompiers s'affairent à éteindre l'incendie. Un inspecteur de la SPVM sort de son véhicule banalisé et jette un rapide coup d'œil au deuxième étage du duplex en flammes avant de se retourner et de se diriger vers eux.

Ce doit être lui qu'on a chargé de l'enquête, se dit Karen en l'apercevant

L'inspecteur, un grand gaillard qui a l'air tout droit sorti de la série policière *NCIS*, semble reconnaître Harris et s'approche pour lui poser quelques questions. Il jette un regard scrutateur à Harris avant de demander :

– Salut Harris. Ça va ?

Harris hoche la tête et grimace lorsqu'il tâte l'ecchymose qu'il s'est faite au bras en heurtant la rampe d'escalier (ou plutôt en déboulant l'escalier, poussé par l'onde de choc de l'explosion).

– Salut Parker. Ouais, ça va, dit-il en grimaçant. Je vais m'en tirer avec quelques bleus et des égratignures. Ce n'est pas grave ; j'en ai vu d'autres.

Il fixe Parker, qui ne semble pas avoir trop mal vieilli depuis qu'il l'a vu la dernière fois, il y a environ quatre ou cinq ans de ça, alors qu'ils étaient partenaires à la SPVM.

– Et toi, toujours à la *crim* d'après ce que je peux voir.

– Eh oui. Tu sais comment c'est. Flic un jour…

Harris hoche à nouveau la tête avant de terminer la phrase de Parker.

– Flic toujours, ouais.

– Alors, qu'est-ce que c'est que ce cirque ? s'enquiert Parker en indiquant la fumée noire qui sort des fenêtres fracassées du deuxième étage du duplex.

Harris hausse les épaules.

– Tout ce que je peux te dire, c'est qu'il s'agit d'une enquête mixte du FBI, de la GRC et de la SQ, visant à coincer un haut personnage du cartel de la drogue mexicain.

– Et on a fait exploser le domicile de cette personne, demande-t-il en pointant une Angela perturbée assise sur le pare-chocs de l'ambulance et qui tremble de peur, parce que…

— Je ne peux pas t'en dire plus, désolé, répond Harris en évitant le regard interrogateur de Parker.

— Et ceux-là, questionne-t-il en indiquant les deux agents du FBI qui l'attendent près de la Charger, je suppose qu'ils n'ont rien à me dire non plus ?

— Ouais, tu as deviné juste, répond Harris en jetant un regard discret à Karen. Et ceux-là, indique-t-il en pointant la fourgonnette de reportage de CTV qui vient juste de débarquer, ce serait préférable qu'ils n'en sachent pas trop.

Parker sort un petit calepin noir de sa poche de veston.

— Bon, en attendant, je vais mettre ça sous « Cause accidentelle ».

L'inspecteur lève les yeux de son carnet de notes pour les fixer sur ceux d'Harris.

— Tu sais comme moi qu'ils ont le bras long, ces salopards, déclare-t-il en désignant le deuxième étage, d'où s'échappait toujours une épaisse fumée noire.

Harris approuve d'un signe de tête.

— Méfie-toi et surveille bien tes arrières, Harris, l'intime-t-il avant de hocher la tête en guise de salut et de se rediriger vers les journalistes, que des policiers en uniforme tiennent à distance.

Harris retourne son salut et se dirige vers son véhicule, où l'attendent les trois autres.

— Alors, on y va ? s'enquiert-il auprès de Karen.

Celle-ci hoche la tête avant d'aller s'asseoir du côté passager.

Alors qu'ils quittent les lieux, aucun d'eux ne remarque l'homme garé un peu plus bas, de l'autre côté de la rue, au volant d'une vieille Toyota Tercel de couleur rouille qui les observe derrière ses lunettes de soleil opaques Versace.

Sous sa casquette des Yankees, son visage basané affiche un petit sourire de satisfaction.

Le véhicule de police qu'il a dérobé dans le parc de stationnement du poste de quartier n° 4 a bien rempli son rôle en les rendant plus vigilants avant qu'ils ne montent dans l'appartement. Et il a très bien synchronisé l'explosion et calculé la quantité de C-4 dérobé sur un chantier de construction : à peine 150 g, juste assez pour ne blesser personne, mais suffisamment pour que le message soit clair.

Maintenant, il lui suffit de les suivre pour savoir où ils vont reloger sa cible. Et cette fois, l'uniforme qu'il a subtilisé au policier en plus de l'auto-patrouille lui seront utiles ; ce ne sera plus qu'un jeu d'enfant de ramasser les preuves qu'il n'a pu trouver dans l'autre appartement et d'ensuite éliminer sa cible. Ouais, mais Carlos sait très bien que les choses ne sont jamais aussi simples, surtout lorsque le FBI est de la partie. Il grimace de déplaisir. Non, il devra improviser, et s'il y a une chose qu'il déteste plus que tout, c'est d'improviser.

10

Montréal

Il gare la voiture de l'autre côté de la rue, face à l'immeuble de trois étages en brique rouge. Dans l'éclairage diffus du terrain de stationnement du bar Dallas qu'un lampadaire illumine partiellement, il observe Harris qui descend les marches et s'adresse à l'un des deux policiers affectés à la surveillance de l'appartement d'Angela en faction dans l'auto-patrouille. Peu après, l'inspecteur regagne son véhicule et quitte les lieux.

Carlos voit la silhouette d'Angela apparaître à la fenêtre de son appartement du 3e étage et disparaître peu de temps après. *C'est bien là*. L'idiot l'a mené jusque-là sans même s'en douter. Il saisit son sac à dos, met pied à terre, traverse la rue d'un pas vif et, se dissimulant dans l'ombre que projettent les immeubles voisins, parvient à se rendre à la porte d'entrée de celui où habite sa cible. Il jette un regard du côté de l'auto-patrouille pour s'assurer que personne n'a remarqué sa présence et, faisant mine de fouiller dans sa poche à la recherche de ses clés, profite de la sortie d'un voisin pour retenir la porte avant qu'elle se referme.

Une fois dans le vestibule, il consulte les noms des locataires affichés à l'entrée. Seul celui de l'appartement nº 12 manque. *Subtils les fédéraux !* Carlos devine aisément qu'il s'agit bien de celui qu'il recherche. Après trois essais infructueux, il réussit à se faire ouvrir en prétendant être un ouvrier qui vient changer un tube fluorescent du palier. Ces immeubles de trois étages n'ont pas d'ascenseur et cela fait son affaire. Les ascenseurs sont plus bruyants et risquent d'attirer inutilement l'attention des voisins, et par la suite de la police. En plus, à 39 ans, même s'il est en excellente condition physique et qu'il ne fait pas d'exercice à proprement parler, grimper silencieusement l'escalier menant au 3e étage lui donne l'occasion de se mettre en forme. C'est probablement le stress, cette tension permanente inhérente à son occupation, qui l'empêche de prendre du poids même s'il mange comme quatre et le garde en forme.

Lorsqu'il parvient au 3e étage, Carlos, après s'être assuré qu'il n'y a aucune présence suspecte en vue, se dirige d'un pas feutré vers l'autre extrémité du couloir et s'arrête devant la 4e porte. Il fouille dans son sac à dos et en sort une casquette, des gants de latex, qu'il met, et enfin le pistolet, qu'il dissimule derrière son dos avant de cogner à la porte. Dans la lueur diffuse qui éclaire à peine le palier, elle ne s'apercevra sans doute pas qu'il n'est pas un vrai policier et elle n'y verra que du feu.

Après avoir verrouillé à double tour tel que le lui a conseillé Harris à son départ, Angela jette un regard craintif au travers de la baie vitrée du salon de son appartement qui domine l'avenue du Parc pour le regarder s'éloigner dans sa Charger de fonction. Ce faisant, elle note la présence de l'auto-patrouille affectée à sa surveillance garée juste en face. Cela ne la rassure pas tellement, et un frisson lui parcourt la colonne à la pensée du tueur qui n'attend probablement que la bonne occasion pour lui faire la peau.

Angela sursaute lorsqu'elle entend cogner à l'entrée. Elle s'approche à pas feutrés et regarde à travers le judas de la porte, mais ne peut d'abord rien distinguer dans l'obscurité du couloir.

– Qui est là ? demande-t-elle sur un ton hésitant.

– Police, lui répond sèchement une voix rauque. Ouvrez… s'il vous plaît.

Elle s'apprête à ouvrir lorsqu'un doute lui effleure l'esprit. Plutôt que d'obtempérer, elle tourne les talons et se dirige vers la cuisine. Le plafonnier ne diffuse qu'un éclairage tamisé et elle se met fébrilement à la recherche du mobile qu'Harris lui a laissé. Elle l'avait pourtant bien laissé là, sur la table, alors qu'elle attendait que l'eau bouille pour leur faire du thé. Puis, elle l'aperçoit derrière la théière.

Dans son énervement, elle accroche la théière, qui s'écrase avec fracas sur le plancher de chêne massif. *C'est foutu pour la discrétion,* se dit-elle lorsque Riki se met à aboyer. Elle soupire, puis se fige, le souffle suspendu, à l'écoute. Peut-être est-il reparti ? Elle hésite un instant avant de presser la touche « Appel » du téléphone portable.

Alors qu'elle attend que la communication s'établisse, elle entend un bruit provenant du vestibule. Soudain, elle prend conscience que c'est un craquement. L'individu qui prétendait être un policier vient de s'introduire chez elle en défonçant la porte. Les aboiements du chien se transforment bientôt en lamentations puis cessent tout d'un coup. Il l'a fait taire. *J'espère qu'il ne l'a pas tué,* songe-t-elle anxieusement.

Son instinct lui dit qu'elle doit absolument rejoindre Harris et que son existence même en dépend. Elle tient toujours le téléphone près de son oreille, attendant fébrilement qu'il décroche, lorsque sa vision périphérique détecte une forme sombre en mouvement dans le salon qui se dirige droit vers elle.

Harris attend le feu vert sur la rue Rosemont lorsque son Bluetooth résonne. Il accroche l'oreillette à son oreille.

– Harris, dit-il en observant sur l'écran du tableau de bord d'où provient l'appel.

– Il y a quelqu'un qui vient d'entrer dans l'appartement… Venez vite !

– Ne paniquez pas Angela, j'arrive, lance-t-il en faisant demi-tour à toute vitesse pour se retrouver à sens inverse dans l'autre voie. En attendant, allez vous enfermer dans la salle de bain. Avez-vous compris ?

Angela ne prend pas le temps de répondre et, tel que vient de le lui conseiller Harris, elle se retourne subitement et se dirige en courant vers la salle de bain pour s'y réfugier. Lorsqu'elle veut répondre à Harris qu'elle a fait ce qu'il lui a dit, elle se rend compte que, dans son énervement, elle a laissé tomber le portable.

Carlos s'arrête net près de la table de cuisine et récupère le mobile.

– Harris, êtes-vous encore là ?

Harris, qui conduit à tombeau ouvert en essayant de joindre sur sa radio les policiers en faction devant l'immeuble, arbore un air étonné lorsqu'il entend la voix de Carlos dans son oreillette.

– Oui, je suis toujours là. Où est Angela ? J'espère pour vous que vous ne lui avez rien fait.

— Elle va bien, pour l'instant, et il n'en tient qu'à vous pour que ça continue.

— Que voulez-vous ?

— Simplement que vous me disiez où elle les cache, et je m'en vais sans lui faire de mal.

— Je n'en ai aucune idée, répond Harris en brûlant un feu rouge avec les phares clignotants et la sirène au maximum. Je ne les ai jamais vues et je ne sais même pas si elles existent.

— Dommage, dit Carlos avant de refermer le mobile.

Angela sursaute lorsqu'il se met à marteler la porte à coups de poing. Puis, elle se met à crier.

— Au secours ! Au secours ! Aidez-moi !

— Ferme-la ! crache Carlos sur un ton rageur. Surtout, ne crois pas que tu vas t'en tirer comme ça, salope.

Il jette un regard meurtrier vers la porte d'entrée. Comme il a reçu l'ordre de trouver les preuves d'abord et de la tuer ensuite, il décide de remettre ça à plus tard. Sur ce, il pivote sur ses talons et se dirige d'un pas rapide vers la sortie.

— Ce n'est que partie remise, lance-t-il avant de s'éloigner.

Peu de temps après, Angela, que ses jambes menacent de trahir à tout instant, sort de la salle de bain et se dirige vers l'entrée en titubant. Elle pousse un soupir de soulagement lorsqu'elle voit Harris et deux policiers en uniforme se précipiter derrière lui dans l'appartement en levant leurs armes. Elle s'effondre dans les bras d'Harris, qui l'attrape juste à temps. Il remet son arme dans son holster et aide Angela, qui tremble encore de peur, à s'asseoir sur le divan du salon.

– Où est-il ? demande-t-il.

– Je crois bien que je l'ai entendu quitter l'appartement quand j'étais enfermée dans la salle de bain.

Ils sont arrivés trop tard. Carlos a dû disparaître parmi le dédale des rues secondaires qui s'entrecroisent dans ce quartier achalandé.

– Il n'est plus là, dit-il finalement en s'adressant aux deux policiers qui l'accompagnent.

– Désolé, dit l'un d'eux. Il nous a bien eus.

– C'est correct, les gars, ce n'est pas de votre faute. Ce type est comme une vraie anguille.

Puis, Harris se tourne à nouveau vers Angela, l'air inquiet.

– Ça va ?

Pour toute réponse, Angela se met à pleurer à chaudes larmes, ce qui ne l'étonne guère. Son niveau d'adrénaline retombait, entraînant avec lui son emprise sur ses émotions. Puis, tout à coup, juste comme il se disait qu'il était soulagé qu'elle n'ait rien de grave, elle relève la tête et s'arrête net de pleurer, comme si elle venait d'avoir une révélation. L'anxiété se lit sur son visage et elle se mord les lèvres.

– Quelqu'un a vu Riki ?

Les trois policiers se regardent en secouant la tête.

Angela se lève du divan, les jambes en coton, et inspire une longue bouffée d'air. Puis, d'un seul trait, elle part en coup de vent à la recherche du poméranien. Harris est sur le point de demander aux deux policiers de partir à la recherche de ce satané cabot lorsqu'il voit Angela revenir vers le salon, toute souriante, en transportant Riki, qui sommeille doucement, dans sa cage.

– Dieu merci, il l'a seulement endormi, dit Angela, la larme à l'œil.

— Parfait, dit Harris, soulagé de ne pas avoir à partir à la recherche du chien à travers tous les étages de l'immeuble. Vous pouvez y aller, les gars, dit-il aux deux policiers qui attendent près de l'entrée.

Ils le saluent avant de sortir.

Angela se réinstalle sur le divan du salon en compagnie de Riki, puis elle lève les yeux vers Harris pour lui offrir une tasse de thé, oubliant que la théière s'est brisée en mille morceaux lorsqu'elle l'a accrochée. Harris refuse poliment et se lève. Il n'a pas l'intention de jouer au garde du corps, et il a d'autres plans pour terminer cette soirée en bonne compagnie.

Angela lui lance un regard inquiet.

— Vous n'allez pas me laisser toute seule ici, inspecteur ? Il pourrait revenir pour finir le travail et je ne serai peut-être pas aussi chanceuse la prochaine fois.

— Ne vous inquiétez pas, Angela. Je reste jusqu'à ce que le serrurier que j'ai fait venir arrive et répare la serrure endommagée, et jusqu'à ce que l'agent qui va prendre la relève vienne vous tenir compagnie.

Une demi-heure plus tard, une fois la serrure réparée et l'agent Rivest bien installé sur le canapé en compagnie de Riki, qui le détaille dangereusement, Harris se lève et leur souhaite bonne nuit avant de se diriger vers la sortie. Alors qu'il s'apprête à franchir le seuil de la porte, il se retourne et se met à sourire en apercevant Rivest en train de flatter le chien.

— Si j'étais toi, Rivest, je ferais attention, dit-il en affichant un regard sévère. On ne sait jamais, il pourrait aussi bien t'arracher un doigt, ce chien.

Quand il le voit retirer sa main d'un geste aussi brusque que s'il venait de lui annoncer que Riki a la peste, Harris éclate de rire. Angela, qui n'a pas trop apprécié la blague, lui jette un regard mauvais en prenant Riki dans ses bras. Elle regarde Rivest en affichant une moue et en secouant la tête.

— Ce n'est pas vrai. Il ne ferait jamais une chose pareille, n'est-ce pas mon beau Riki ? lui demande-t-elle en le flattant. Ne l'écoutez pas, agent Rivest, conclut-elle en jetant un regard mauvais à Harris.

Pauvre lui, murmure Harris en sortant. Il ne se doute pas de ce qu'il va devoir endurer toute la nuit avec ces deux-là. *Ça fait partie des dangers du métier, je suppose,* se dit-il en descendant l'escalier avec un léger sourire aux lèvres.

De l'autre côté de la rue, assis dans sa Tercel orangée (ou tout simplement rouillée !), Carlos rumine. C'est la deuxième fois qu'il manque son coup, et son commanditaire ne sera pas content ; vraiment pas. Sauf que, avec les contraintes qu'il a (son travail est d'éliminer des cibles, pas de récupérer des damnées preuves !), ce n'est pas surprenant. Mais ce n'est pas une raison qui justifie ce double échec.

Lorsqu'il le voit sortir de l'immeuble pour se diriger vers la Charger, cela lui rappelle qu'il va devoir régler le problème Harris. Le flic de la SQ devient un peu trop encombrant à son goût. Puis, l'idée lui vient : *Tant qu'à l'avoir dans les pattes, celui-là, autant l'utiliser pour arriver à mes fins. À bientôt, inspecteur Harris !* se dit-il avant de démarrer et de s'éloigner avec un sourire aux lèvres.

11

Brasilia, Brésil

Jessica Martz, elle, est loin de sourire, et elle ne s'ennuie vraiment pas de l'attitude désinvolte, des yeux d'un bleu profond, ainsi que du petit regard espiègle de Marc Harris. Non, c'est plutôt le contraire. Elle vient juste de consulter ses courriels et, après 48 heures, son ex-amoureux n'a toujours pas daigné répondre à son message. *Qu'est-ce qu'il fout ? Il doit être en train de flirter avec une grande blonde aux gros seins, ou bien il s'est encore foutu dans le trouble.*

— Bon, bien, si tu n'es même pas capable de retourner mes messages… Va donc te faire foutre, Harris ! marmonne Jessica en récupérant son gilet sur le dossier de sa chaise avant de sortir de son bureau.

Elle se dirige vers l'ascenseur tout en composant un nouveau message sur son iPhone.

Jessica sort de l'édifice de la *Policía Federal* pour se diriger vers sa place de stationnement. Elle regrette d'avoir consulté Harris plutôt que les *federales* mexicaines ou le FBI. Marc a le don de se mêler de ce qui ne le regarde pas et de se mettre dans le trouble. *C'est sûrement pour ça qu'il ne me rappelle pas,* songe-t-elle en appuyant sur les touches de son téléphone cellulaire.

Et soudain, sortie de nulle part, une fourgonnette blanche roulant à vive allure s'arrête près du trottoir, à sa hauteur. Les vitres teintées du véhicule l'empêchent de voir le visage du conducteur et son passager. Jessica n'y prête pas trop attention et se remet à écrire son message texte à Harris afin de lui dire sa façon de penser. La portière latérale s'ouvre brusquement, et deux individus en sortent et se saisissent d'elle.

Elle parvient à se dégager en donnant un coup de pied de style kung-fu dans les testicules du plus costaud des deux. Ce dernier se plie en deux de douleur. La salope l'a surpris. On ne l'a pas prévenu qu'il aurait affaire à une spécialiste des arts martiaux, mais avec ces agents du DPI, il aurait dû s'en douter. Il sort son arme et la pointe sur elle pendant que son complice se place derrière.

— Restez tranquille, *señorita* Martz. Ne m'obligez pas à me servir de ça, indique-t-il en agitant le Glock.

C'est au tour de Jessica d'être surprise. D'où connaît-il son nom ?

— Si vous voulez m'échanger contre une rançon, j'ai de mauvaises nouvelles pour vous. Je n'ai pas un sou et je ne...

Jessica est sur le point de dire qu'elle ne connaît personne de riche qui voudrait payer sa rançon lorsqu'elle ressent une piqûre et une sorte de brûlure à la base de son cou, puis plus rien.

Les deux hommes se saisissent d'elle. Celui à l'arrière attrape ses épaules avant qu'elle ne s'écrase par terre, le costaud empoigne ses jambes, et ils la déposent sans ménagement à l'intérieur du véhicule. La fourgonnette blanche démarre en trombe avec Jessica étendue sur la banquette arrière, inconsciente, ligotée, bâillonnée, et coiffée d'une cagoule noire sans ouvertures pour les yeux.

12

Montréal

Le lendemain de l'attentat, Karen est assise à la petite table ronde du coin-repas de sa chambre d'hôtel et feuillette fébrilement le *Journal de Montréal* en buvant une gorgée du café noir qu'elle s'est procuré à la réception du Holiday Inn. Rien. Il n'y a pas une ligne qui fait référence à l'explosion de l'appartement d'Angela. L'attentat a sûrement eu lieu trop tard dans la soirée pour que la nouvelle paraisse dans l'édition du lendemain matin. Elle s'empare de la télécommande du téléviseur et, durant quelques minutes, s'adonne à l'activité favorite de tous les hommes qui consiste à zapper d'une chaîne à l'autre à la recherche de nouvelles fraîches. Elle s'arrête sur la chaîne LCN, qui diffuse un reportage en direct montrant l'intérieur calciné de l'appartement. La thèse retenue par la police est que l'explosion a été causée par une fuite de gaz. *Aucune allusion en ce qui a trait au transfert de la propriétaire de l'appartement. Parfait. Harris a fait un bon travail de relations publiques.*

Ce qui ramène Harris dans ses pensées. Tout un numéro, celui-là. Non seulement il n'a pas semblé autrement affecté par l'explosion qui a failli leur coûter la vie, ni par l'attaque qu'il a avortée de justesse après avoir déposé Angela au refuge de la SQ, mais il a tout de suite débité son boniment de dragueur en l'invitant au restaurant. Ce n'était qu'une ruse à peine voilée pour passer du temps avec elle, ce qui n'était pas vraiment une surprise.

– Dites donc, inspecteur Harris, vous ne lâchez pas prise facilement, lui avait-elle répondu.

– Ce n'est pas ce dont nous avions convenu, Karen, avait-il rétorqué avec tristesse.

Karen l'avait dévisagé en se demandant ce qu'il pouvait bien vouloir dire lorsqu'elle avait compris son erreur.

– Désolé, Marc, mais je ne peux vraiment pas accepter. J'ai pour politique de ne pas fréquenter mes collègues de travail en dehors du service.

Harris avait levé une main.

– Holà, Karen, je ne te demande pas en mariage ! Je veux juste te faire profiter de mon expérience.

Elle lui avait jeté un regard méfiant.

– Ton expérience ?

– Oui, mon expérience en matière gastronomique. Je connais les meilleurs restaurants du coin.

Elle s'était sentie tiraillée : elle voulait qu'il disparaisse de sa vue, car il provoquait trop de perturbations émotionnelles, mais elle comprenait également les avantages que son aide pouvait lui apporter. Et bien malgré elle, Karen commençait à se sentir intriguée par le personnage. Elle devait bien l'avouer, il avait un certain charme. Non parce qu'il était gentil, ou mignon. Non, ça, ça pouvait décrire n'importe quel beau parleur, sans plus. Non, c'était plutôt ce satané sourire, et ces damnés yeux bleus qu'elle trouvait incroyablement... désirables.

— Est-ce que j'ai bien entendu le mot « restaurant », avait demandé DaSylva le plus sérieusement du monde en s'approchant d'eux.

Son rire avait jailli spontanément et bien malgré elle en voyant le regard déconfit d'Harris lorsque DaSylva, tout en feignant la gêne, avait innocemment demandé s'il pouvait se joindre à eux. Elle reconnaissait bien là l'habileté de DaSylva à saisir une occasion ; il n'en manquait jamais une pour s'imposer. C'était vraiment amusant de voir l'air démonté d'Harris, et elle n'avait pu s'empêcher d'éclater de rire. Et c'est pourquoi Karen était furieuse contre elle-même, car le problème avec le rire, c'est qu'il est impossible à rattraper et que, pour éviter qu'Harris ne croie qu'elle se moquait de lui et le blesser dans son orgueil de mâle, elle s'était sentie obligée d'accepter son invitation.

Peu de temps après, ils s'étaient retrouvés tous les trois dans l'élégante salle privée située au deuxième étage du Bar et Bœuf, bistro « gourmand » situé au centre-ville, dans le Vieux-Montréal, dans un immeuble historique de la rue McGill au cœur du quartier des affaires. À la fois chaleureux et raffiné, chic et décontracté, c'était évident qu'Harris avait choisi l'endroit pour son prestige de « haut lieu de la gastronomie » et surtout, pour l'impressionner. Cependant, lorsque le serveur leur avait présenté le menu, Karen avait haussé les sourcils.

— Je dois vous prévenir, Harr... euh pardon, Marc, mon allocation de dépenses ne couvre pas ça et ce n'est pas dans mes moyens. D'autant plus que le bureau devra défrayer ma chambre d'hôtel. Non, vraiment pas dans mes moyens, avait-elle répété en voyant les prix astronomiques affichés.

DaSylva, qui, dès le départ, n'avait pas apprécié le choix de l'établissement, en avait profité pour faire dévier la conversation vers son choix à lui.

– Ce n'est pas non plus dans mes moyens. Surtout que je dois défrayer la réparation de ma voiture de fonction qui est malencontreusement, et par pur accident, entrée en contact avec le vieux tas de ferraille d'un revendeur que je poursuivais en toute légalité dans la dense circulation de la métropole.

Karen avait applaudi la performance de son partenaire.

– Tout de même, n'en fais pas trop, DaSylva, avait-elle dit avec un sourire. On a tous compris que le choix de restaurant ne te plaît pas.

DaSylva avait aussitôt affiché son plus beau sourire, avant de suggérer tout bonnement une succursale de l'un de ses restaurants préférés, la Trattoria, un endroit qui, selon lui, offrait d'excellents plats italiens, des mets simples qui font le régal des amis à un prix beaucoup plus abordable.

Et c'est comme ça que, après avoir fait un arrêt dans une épicerie du coin pour « apporter leur vin », ils s'étaient retrouvés à festoyer à l'un des restaurants préférés de DaSylva.

Il a vraiment l'art de s'imposer celui-là ! avait songé Harris en conduisant pour se diriger vers le restaurant italien.

Dès qu'ils avaient été assis à une banquette qui venait tout juste de se libérer, DaSylva s'était fait un plaisir de commander un de ses plats préférés au serveur : la penne arabiata sauce aux échalotes, avec des calmars frits en entrée, et un tiramisu au fromage mascarpone pour dessert.

Harris lui avait jeté un regard réprobateur.

— Pour quelqu'un qui n'en avait pas les moyens il y a à peine 20 minutes, Monsieur se gâte ! dit-il avec une pointe de sarcasme dans la voix.

DaSylva avait ignoré la remarque et levé fièrement son verre de vin.

— À votre santé, et à la joie d'être encore en vie pour pouvoir se payer un bon repas. *Salute* !

La conversation s'était ensuite orientée sur la stratégie à adopter face à la menace qui planait sur leur protégée, jusqu'à ce que le serveur arrive avec leurs plats : fettucini del mare avec crevettes au vin blanc pour Karen, lasagne maison gratinée pour Harris, et bien sûr, la penne arabiata de DaSylva.

Ils avaient mangé en silence, ce qui avait laissé à Harris l'occasion d'observer Karen sans que DaSylva s'en mêle. Et sans qu'il le sache, Karen en faisait autant dès qu'il se penchait pour prendre une bouchée de lasagne. La question qu'elle se posait était : *Pourquoi le destin nous a-t-il mis en contact ?*

Très profond, comme question ! se dit-elle en dégustant ses crevettes. De la façon qu'il avait de la lorgner, elle se disait qu'il ne devait y avoir personne dans sa vie. Ou peut-être était-il marié et infidèle et se cherchait une maîtresse. Elle lui avait lancé un regard sévère, essayant de deviner ce qui se dissimulait derrière ce sourire enjôleur. Rien à faire, il cachait très bien son jeu.

Dès qu'ils avaient eu terminé leurs plats principaux, le serveur avait débarrassé la table et était revenu peu de temps après avec leurs desserts. Mousse au chocolat pour Karen (*Au diable la ligne* ! s'était-elle dit en souriant), glace à la vanille pour Harris (*Dessert compris avec la table d'hôte. Radin !* avait pensé DaSylva), et bien sûr, le tiramisu de DaSylva. Karen, qui commençait à ressentir de la fatigue (décalage horaire, stress dû aux événements de la journée, etc.), avait demandé l'addition.

Par la suite, Harris les avait reconduits à l'hôtel en souhaitant bonne nuit uniquement à Karen. *Rancunier,* s'était dit Karen en mettant la clé dans la serrure. Quoique, il fallait le reconnaître, DaSylva pouvait être lourd par instants.

Soudain, on avait cogné à la porte, ce qui avait sorti Karen de sa rêverie. *Je n'ai rien commandé,* s'était-elle dit en récupérant son Glock accroché à la patère du vestibule.

– Si c'est Harris qui rapplique, je vais lui enlever pour toujours l'envie de harceler ses compagnes de travail ! murmure-t-elle.

Avant d'ouvrir, elle avait jeté un coup d'œil à travers le judas de la porte pour constater qu'il n'y a personne. *Étrange,* s'était-elle dit en entrebâillant la porte pour jeter un coup d'œil dans le corridor afin de voir s'il y avait quelqu'un. Toujours personne. *Bizarre.* Elle avait pourtant bien entendu cogner.

Karen s'apprêtait à refermer lorsqu'elle avait aperçu, à ses pieds, ce qui semble être une carte professionnelle. Elle s'était penchée pour la ramasser et avait haussé les sourcils d'étonnement en lisant le simple mot qu'il y était écrit : « BOUM ! »

C'est une blague ou quoi ? s'était-elle demandé en retournant la carte. Au verso, il était écrit, en caractères d'imprimerie : « Agente spéciale Karen Newman, FBI ».

Elle est bien bonne, celle-là, avait-elle songé en souriant. Il essayait de l'intimider en lui mentionnant qu'il aurait bien pu se débarrasser d'elle en déposant une bombe dans sa chambre d'hôtel.

— J'ai bien hâte que tu te montres, espèce de salopard, avait-elle murmuré en refermant la porte. Je te la ferai exploser, moi, ta tête de malfrat.

Bon, maintenant, fini les folies. Au boulot ma grande. Elle avait secoué la tête et inspiré longuement avant de récupérer son téléphone cellulaire sur la table basse du salon et de composer le numéro de Marc Harris. Il avait répondu après la deuxième sonnerie, comme s'il attendait son appel.

— Harris.

— Bon, ça suffit ! s'était exclamé Karen sur un ton cassant.

— Bonjour à vous aussi, agente spéciale Newman.

— Cette affaire prend un tournant que je n'aime pas, mais alors pas du tout. Après le message qu'il m'a livré, il n'est plus question d'attendre. Il faut agir sans tarder.

— Quel message ? avait demandé Harris, inquiet.

— Une fausse carte professionnelle qu'il a laissée sur le pas de ma porte de chambre d'hôtel et où il me menace de me faire exploser ! Seul un cinglé peut faire ça…

Harris avait compris que ce n'était pas l'heure de plaisanter.

— Bon, et maintenant, qu'est-ce qu'on fait ? On met toujours Cardenas sous surveillance ?

— Non. On passe au plan B. Il est grandement temps d'embarquer Cardenas. Ça urge !

Karen avait paru réfléchir un instant avant d'ajouter :

— Tu vas à nouveau entrer dans la peau de Mike et, comme prévu, prendre contact avec Sandoval pour conclure l'affaire.

– Pourquoi se donner tout ce mal puisqu'on a déjà Angela, qui va témoigner contre Cardenas ?

– Parce que c'est sa parole contre la sienne et en cour, la parole d'une toxicomane prostituée ne vaut pas grand-chose.

– Ex-toxicomane ! Et les preuves qu'elle a contre lui ne sont pas suffisantes ?

– On ne les a toujours pas vues, ces fameuses preuves, avait répondu Karen avec impatience, et on ne sait pas si ça tiendra en cour.

– Et nous, est-ce qu'on a des preuves que Sandoval travaille effectivement pour Cardenas ? Sinon, on ne capture que du menu fretin, et tout sera à recommencer dans moins d'une semaine avec un handicap de plus : Cardenas sera au courant qu'il est dans notre mire et il ne tombera plus dans le panneau.

– Bien vu, inspecteur Harris… Oh pardon, Marc. Je ne m'étais pas trompée sur ton compte. Mais ne t'inquiète pas. Après enquête, notre « courtier » mexicain s'est révélé être un des sbires de Cardenas. Les *federales* nous ont faxé un dossier complet sur Sandoval et il n'y a aucun doute : il est bien sous la coupe du cartel Arellano Félix que dirige Cardenas. On le filmera lorsqu'il ira faire son dépôt chez Cardenas, et l'affaire sera dans le sac.

Alors que Karen lui expliquait en détail comment elle allait procéder (en fait, il s'agissait simplement de l'appréhender en évitant de mettre les civils en danger, et Karen croyait que Cardenas serait moins sur ses gardes assis à une table de black jack), Harris repensait aux derniers événements. Il était convaincu que ce ne serait pas aussi simple qu'elle le prétendait et que l'assassin engagé par Cardenas ne laisserait pas tomber avant d'avoir terminé son contrat.

Karen avait raccroché sèchement après avoir convenu qu'Harris viendrait les prendre, elle et DaSylva, dans une vingtaine de minutes à son hôtel. Elle était vraiment remontée et il fallait qu'elle passe son agressivité sur quelqu'un. Autant que ce soit sur Cardenas que sur ses coéquipiers.

13

Mike s'est arrangé pour obtenir un nouveau rendez-vous avec Miguel Sandoval, le courtier mexicain qui cherche à écouler 30 kg de cocaïne, et qui est également le bras droit de Cardenas. Ils se sont mis d'accord pour se rencontrer dans un salon privé au 2e étage du Mesa 14, un resto-bar mexicain au coin de Bishop et Sainte-Catherine à 19 h pour procéder à l'échange.

Comme prévu, Miguel se présente au Mesa 14 en compagnie de Diego Ramirez, le second garde du corps de Cardenas, qui transporte la drogue répartie en sacs de 1 kg dans une mallette. Le renflement sous l'aisselle de leurs vestons indique à Mike qu'ils sont, tout comme lui, armés et dangereux.

Ray Dubois, son compagnon agent du fisc et porteur de la mallette contenant l'argent, est très nerveux lorsqu'il demande à Mike de tester la drogue. Comme il n'y connaît pratiquement rien, Harris prend le sachet que lui tend Ramirez et se dirige vers la salle de bain avec un léger pincement à l'estomac. Après avoir vérifié qu'il n'y a personne, il entre dans la salle de bain et déchire le sachet à l'aide d'une clé. Il touche la poudre blanche pour évaluer la texture, la sent, et sort de sa poche de veston une ampoule contenant un liquide transparent que le chimiste du laboratoire de la SQ lui a confié pour tester la cocaïne. Il déroule du papier à main du distributeur et y étend de la poudre du sachet pour ensuite l'asperger avec le contenu de l'ampoule. La poudre de cocaïne se colore en bleu au contact du liquide. Satisfait, Harris jette le papier à main dans la poubelle et referme le sachet avec du sparadrap avant de retourner à sa place.

Mike approuve la marchandise et fait signe à Dubois de procéder avec la transaction. Dubois compose nerveusement le code sur la serrure de la mallette contenant les 63 000 $ en petites coupures plutôt que les 630 000 $ en billets de 1000 $ convenus, l'ouvre et la tend à Sandoval. Celui-ci examine le contenu en haussant les sourcils, puis jette un regard à Ramirez tout en saisissant son arme.

— Ce n'est pas ce dont on avait convenu, dit-il en pointant le Magnum spécial vers les deux agents.

Harris lève les mains, imité par Dubois, qui est sur le point de faire une syncope. Sandoval se tourne ensuite vers Diego.

— Ramasse tout ça, ordonne-t-il en indiquant les deux mallettes. On fout le camp.

Puis, il jette un regard glacial à Mike.

— Qui êtes-vous ? demande-t-il sèchement. Police ou fédé ?

— Les deux, dit-il. Si j'étais vous, je rangerais ça, l'intime Mike en pointant les armes qu'ils brandissent. Ils vont faire irruption d'une minute à l'autre, dit-il en accentuant chaque syllabe.

C'est le signal convenu en cas de danger qu'attendait le groupe tactique d'intervention pour débarquer et mettre la main au collet des deux sbires.

– Qui ça, *ils*? demande Sandoval, qui a perdu de son assurance. Si vous essayez de vous foutre de notre gueule...

– Eux, indique Mike en pointant les policiers casqués armés de fusils-mitrailleurs qui envahissent le salon en criant : « *Baissez vos armes ! Les mains en l'air !* »

Après leur avoir passé les menottes, les policiers font monter les deux prisonniers dans la voiture cellulaire pour les amener au quartier général de la GRC, où ils sont interrogés. En présence de leur avocat et de celui du ministère de la Justice, on leur propose, pour une peine réduite à des travaux communautaires, de collaborer. Tout ce qu'on leur demande, c'est de livrer la mallette contenant les 63 000 $ de faux billets et de billets numérotés à Cardenas en lui certifiant qu'ils ont compté l'argent et que le compte y est.

– Et si Cardenas vérifie quand même et s'en aperçoit? réplique Sandoval. On n'est pas mieux que mort!

– On ne sera pas loin, dit Karen, qui voyait les deux acolytes devenir de plus en plus nerveux, et vous n'aurez qu'à donner le signal convenu dans l'émetteur qu'on vous aura installé.

– Comme celui que Mike avait quand vous nous êtes tombés dessus tout à l'heure? demande Diego.

Karen sourit en acquiesçant. Sandoval lance un regard inquiet à son complice avant de hocher la tête. Convaincus, ils s'empressent tous deux d'accepter, reconnaissants d'éviter une dizaine d'années d'emprisonnement.

Seulement une demi-heure après leur arrestation, ils sont déposés au Ritz Carlton, tous les deux portant des microphones, et on enregistre leur conversation avec Cardenas lorsqu'il prend possession de l'argent. Celui-ci exulte alors qu'il dépose la mallette dans son coffre-fort sans prendre le temps de compter l'argent. Sans même se douter de quoi que ce soit, il annonce à tout le monde (à ses deux sbires ainsi qu'à Harris et aux deux agents du FBI qui écoutent) qu'il va célébrer la réussite de cette transaction au casino.

Les deux agents et l'inspecteur commencent à filer Eduardo Cardenas vers 21 h, quand il quitte le Ritz Carlton en compagnie de ses deux gardes du corps dans sa Lexus LS460 pour s'engager sur l'autoroute Décarie. Ils suivent la Lexus jusqu'à l'approche du pont Champlain pour se diriger vers le casino de Montréal sur l'île Sainte-Hélène.

Après que Sandoval a garé la voiture dans le parc de stationnement souterrain, Cardenas et ses deux sbires se dirigent vers l'escalier roulant qui monte au premier étage du casino pour se rendre aux tables de black jack avec mise minimum de 1000 $. Lorsque Cardenas demande au croupier qu'on lui fasse crédit pour une mise de 10 000 $, celui-ci refuse poliment, prétextant que les dettes de jeu de « monsieur » dépassent largement ce montant.

Cardenas prend le mors aux dents et, tel un cheval sauvage qu'on vient d'éperonner, crie à tue-tête à qui veut bien l'entendre que ce n'est pas possible, qu'il y a sûrement erreur, et qu'il exige de voir le patron, immédiatement.

Après avoir organisé toute l'affaire avec le chef de la sécurité du casino et voyant son plan s'exécuter avec la régularité d'une horloge bien huilée, Karen se tord de rire en voyant la mine déconfite du tout-puissant baron de la drogue mexicain.

— Feu vert ! aboie Karen dans le micro fixé au col de sa blouse. N'oubliez pas qu'il s'agit d'Eduardo Cardenas et qu'il est sûrement armé et dangereux.

Lorsqu'il voit Karen et DaSylva ainsi que deux autres agents déguisés en serveurs s'approcher de lui, Cardenas prend conscience de ce qui se passe et, l'air défait, secoue la tête.

— C'est une blague ! s'exclame-t-il en levant les yeux au ciel et en laissant tomber les bras.

— FBI, annonce Karen en lui montrant son badge. Eduardo Cardenas, vous êtes en état d'arrestation pour meurtre, tentative de meurtre et importation illégale de produits chimiques au Canada et aux États-Unis.

Elle se tourne vers DaSylva, qui se retient pour ne pas rire.

— Frank, lis ses droits à cette crapule avant qu'on l'embarque, ordonne-t-elle avec un hochement de tête.

— Avec plaisir, répond DaSylva en sortant son calepin de notes.

— Vous n'avez pas le droit ! hurle Cardenas d'une voix éraillée par la fureur alors qu'il fait pivoter la chevalière à tête de lézard qu'il porte au doigt de la main droite avant de glisser cette dernière à l'intérieur de son veston pour se saisir de son arme.

DaSylva lui enlève son arme, et les deux agents-serveurs se saisissent sans ménagement du baron de la drogue pour l'immobiliser.

Cardenas secoue la tête. Les muscles et les tendons saillent sur son cou. Il semble prêt à bondir et à étrangler Karen.

– Cardenas, vous avez le droit de garder le silence. Dans le cas contraire, tout ce que vous direz pourra et sera utilisé contre vous devant un tribunal. Vous avez le droit de consulter un avocat et d'avoir un avocat présent lors de l'interrogatoire. Si vous n'en avez pas les moyens, un avocat vous sera désigné d'office, et il ne vous en coûtera rien. Avez-vous compris vos droits ?

– Allez vous faire foutre ! réplique Cardenas sur un ton acerbe.

Alors que DaSylva lit le paragraphe de loi, Karen voit du coin de l'œil les deux gardes du corps de Cardenas qui, l'air menaçant, s'avancent lentement vers eux avec la main droite à l'intérieur de leurs vestons. Elle fait signe à Harris, qui se tient près de l'entrée du salon avec deux policiers en uniforme.

À son tour, Harris fait signe aux deux agents de le suivre, et sans plus attendre, ils s'avancent pour saisir par-derrière les deux sbires et les menotter. Dès qu'il a terminé d'énoncer leurs droits aux deux acolytes, Harris s'avance vers Cardenas pour lui passer les menottes.

– Vous n'avez rien contre moi.

Puis, il reprend son calme, et un petit rictus arrogant plisse ses lèvres.

– Même si l'arrestation est illégale, je ne vous ferai pas le plaisir de résister. Je serai dehors dès demain.

Il tressaille imperceptiblement quand un clic métallique rompt le silence de la pièce alors que l'inspecteur lui passe les menottes.

– C'est ce que nous allons voir, lui dit Karen. Vous oubliez Crystal, le témoin gênant que vous avez tenté d'éliminer en faisant sauter son appartement.

– J'ignore de quoi vous voulez parler, mais vous pouvez être certaine que ça ne se passera pas comme ça ! s'exclame Cardenas furieusement. Je vais vous poursuivre pour harcèlement !

Il se débat comme un diable dans un bénitier alors que les deux policiers le tirent jusqu'à la sortie. Il a à peine posé le pied sur les marches de l'escalier roulant qu'il se retourne d'un mouvement brusque.

Karen a du mal à croire ce qu'elle voit : l'espèce d'ordure sourit.

14

Manhattan, New York

Fraîche émoulue de la faculté de droit de Harvard, sortie première de sa promotion, Sandy Reynolds est l'exemple parfait de la jeune professionnelle émancipée pour qui la carrière passait avant tout. La compétition masculine a été particulièrement féroce et elle a travaillé d'arrache-pied pour en arriver là où elle en est rendue.

Dès sa sortie de l'université avec son diplôme en poche, on lui a offert un poste de substitut du procureur au ministère de la Justice de l'État de New York, division des droits civils, offre qu'elle s'est empressée d'accepter. Mais après quelques mois à rédiger des requêtes, Sandy en est venue à douter qu'elle a fait le bon choix.

Après avoir poursuivi des revendeurs et des criminels de petite envergure pendant un certain temps, elle réalisait qu'elle n'allait nulle part et qu'à ce rythme-là, son ambition de se joindre à un gros cabinet d'avocats et de devenir une associée à part entière n'était pas près de se réaliser. Elle est de moins en moins motivée dans son travail et recherche activement de nouveaux défis qui lui permettraient de réaliser son rêve lorsque son patron, Jim Granger, qui s'est rendu compte de son manque d'enthousiasme, lui offre sur un plateau l'occasion de poursuivre un des célèbres barons du cartel de la drogue mexicain, Eduardo Cardenas, dans une cause hautement médiatisée.

De prime abord, l'idée ne lui a pas paru si mauvaise que ça : c'est l'occasion rêvée pour elle de faire monter les enchères auprès des cabinets les plus réputés de New York. Elle accepte donc l'offre de Granger et se met immédiatement au travail.

Il est près de 14 h à Montréal lorsque le patron d'Harris reçoit l'appel de Sandy Reynolds, l'informant qu'elle prend la cause en main et qu'elle va faire une demande d'extradition pour Angela « Crystal » Perez ainsi que pour Eduardo Cardenas.

Lorsqu'Harris revient à son bureau, il affiche un air contrarié. Karen n'est pas étonnée lorsqu'il lui apprend, sur un ton désolé, qu'elle et DaSylva devraient désormais assurer seuls la protection du témoin lors du transport vers New York.

– De notre côté, nous allons nous charger de faire transférer Cardenas au pénitencier de Rikers Island.

Karen lui tend la main.

– Eh bien, Marc, ce fut un réel plaisir de travailler avec toi, dit-elle avec une pointe de regret dans la voix.

– Pour moi également, Karen, rétorque Harris sur un ton nostalgique en lui serrant la main.

Il la regarde dans les yeux et lui fait un clin d'œil.

– Au revoir. Fais attention à toi.

Elle lui renvoie un sourire distant et le salue d'un petit mouvement de tête avant de tourner les talons. Étrangement, au moment de partir, elle se rend compte qu'il lui plaît et que son attitude désinvolte, ses yeux d'un bleu profond ainsi que son petit regard espiègle vont lui manquer.

15

Laval, banlieue de Montréal

Carlos se gare en marche arrière dans le petit terrain de stationnement du Couche-Tard pour avoir une vue imprenable sur la maison unifamiliale de brique rouge et au revêtement de vinyle beige situé un pâté de maisons plus loin. Il éteint le moteur et observe les alentours. Il scrute l'entrée de la maison et les véhicules garés dans la rue et ne voit aucune trace de la Malibu d'Harris. Il récupère son arme dans la mallette sur le siège passager et la place dans l'étui sous son aisselle gauche avant de sortir de son véhicule. Il jette un nouveau coup d'œil autour de lui avant de se diriger à pas lents et calculés jusqu'à l'entrée de la maison. Il gravit quelques marches et donne quelques coups sur le battant ; pas de réponse. La sonnette retentit plusieurs fois dans le vide.

Carlos constate avec satisfaction que la porte de la maison n'a qu'une serrure de qualité moyenne. Il n'hésite pas : un regard circulaire pour s'assurer que personne ne le voit et il se met à l'œuvre sur la serrure. Le verrou est rudimentaire et il ne lui faut que quelques secondes pour le crocheter et se retrouver à l'intérieur. Il pénètre ensuite dans le vestibule obscur. La maison d'Harris, comme pratiquement toutes celles de la rue Fillion, est un plain-pied de sept pièces avec un sous-sol. Carlos ne prend pas le temps de visiter les pièces du rez-de-chaussée et se dirige à pas feutrés vers l'escalier qui mène au sous-sol.

Au bas de l'escalier, il pointe sa lampe de poche vers le mur du fond du sous-sol semi-fini et n'a aucune difficulté à repérer le panneau électrique (habilement camouflé par un miroir), l'ouvre et retire le fusible de l'éclairage du rez-de-chaussée. Il revient ensuite sur ses pas et se retrouve dans la cuisine, face à un étroit couloir baigné par l'obscurité qui mène au salon et aux chambres. Il repère le petit réfrigérateur qui se trouve au fond de la pièce, près du foyer, et en sort une bouteille de cognac Le Courvoisier (*Pour un flic, il a du goût ce Harris !* pense Carlos en se servant un verre). Il va ensuite s'installer confortablement sur le divan du salon, où il déploie le repose-pied du fauteuil EL RAN et attend patiemment l'arrivée de son hôte en savourant le liquide d'une riche couleur ambre.

Il se fait tard et Harris décide de rentrer directement chez lui ; son rapport peut bien attendre au lendemain, et Karen Newman a poliment refusé son invitation à aller fêter la capture de Cardenas. Il gare son véhicule dans l'entrée de garage de sa maison unifamiliale sur la rue Fillion, à Chomedey, Laval, en banlieue de Montréal. Harris descend de son véhicule et monte les quelques marches du porche tout en activant l'antivol de son véhicule, qui bipe.

C'est en constatant que la clé s'enfonce difficilement dans la serrure que son sixième sens s'éveille. Quelque chose cloche. La serrure n'obéit pas comme d'habitude et il doit presque la forcer pour ouvrir. Une fois dans le vestibule, rien ne se produit lorsqu'il appuie sur l'interrupteur. *Merde*, se dit-il, *il va encore falloir que je remplace cette maudite ampoule !* Pourtant, il lui semble l'avoir changée récemment. *C'est ça, les ampoules de mauvaise qualité du supermarché !* se dit-il en progressant dans le couloir plongé dans l'obscurité. Encore ce picotement dans la nuque qui le met habituellement en garde d'un quelconque danger et qui rarement le trompe.

Le Glock pointé, la lampe de poche coincée entre les dents, l'inspecteur enlève la sécurité de son arme de service et s'avance prudemment jusqu'au salon. Une fois parvenu à l'entrée, il essaie d'allumer le plafonnier et, encore une fois, rien ne se produit. Alors qu'il promène le faisceau de sa lampe dans l'obscurité de la pièce à la recherche de la lampe sur pied du salon, il sent la pression du museau d'un revolver sur sa colonne vertébrale.

– Inutile de vérifier, ça ne fonctionne pas. J'ai enlevé le fusible. Si ça ne vous dérange pas, je vais prendre cela, dit Carlos en saisissant son arme.

Surpris, Harris se retourne lentement et aperçoit le personnage à la tête rasée qui, tout en lui lançant un regard de glace indéchiffrable, lui sourit. Son crâne nu aussi lisse qu'une boule de billard et ses yeux au regard dur luisent dans la clarté diffuse du lampadaire de la rue situé vis-à-vis de la baie vitrée du salon.

– Prenez place, ordonne Carlos en désignant d'un signe de tête le divan du salon qui lui fait face tout en braquant son arme sur lui.

Harris se déplace vers le fauteuil désigné. Il observe du coin de l'œil l'homme au crâne rasé qui s'installe dans celui à l'opposé. Il est dans la trentaine avancée et son physique imposant démontre qu'il doit s'entraîner régulièrement. Son teint basané couplé à un fort accent sud-américain confirme ses origines. *Sûrement un des sbires de Cardenas*, pense Harris.

– Qui êtes-vous ? demande-t-il sur un ton peu assuré.

– Qui je suis n'a aucune importance, répond l'autre d'une voix rauque. Ce que je veux, par contre, en a beaucoup.

Alors qu'il s'assoit sur le canapé, Harris est surpris par le regard intense que le tueur lui lance. Il le fixe de ses yeux noirs comme du charbon, des yeux qui ne laissent paraître aucune émotion. C'est sûrement lui qui a posé la bombe dans le logement d'Angela ; il a l'air plutôt doué pour s'introduire chez les gens, et en plus, il dégage une assurance et une maîtrise de soi qui ne laissent aucun doute quant à sa compétence à exécuter de tels contrats.

– Inutile de vous énerver, dit Carlos, qui a remarqué l'air méfiant d'Harris. Je n'ai nullement l'intention de vous éliminer, si c'est ce que vous craignez. Nous sommes des gens civilisés, après tout.

Il lève son verre de cognac et prend une gorgée.

– Oh, pardonnez mes manières. Puis-je vous offrir quelque chose ? Le cognac est excellent, dit-il en levant son verre. Non ? Vous êtes bien sûr ? Après tout, vous êtes chez vous. Non ? Bon, d'accord.

Il fait une pause tout en prenant le temps de déguster son cognac. Puis, il reprend en détaillant Harris de son regard de glace.

– Je ne tue personne sans raison, vous savez. Et je n'en ai aucune, en ce qui vous concerne. Jusqu'à maintenant, en tout cas. Après, on verra, dit-il en affichant un petit sourire morbide.

— Ah bon, dit Harris avec soulagement. Je suis bien content de l'apprendre.

— En passant, Harris, le Courvoisier, excellent choix, indique Carlos en levant son verre comme pour porter un toast avant d'avaler une autre rasade de cognac.

Harris détecte du coin de l'œil le tatouage que l'homme porte sur son bras droit, et ce que son instructeur à l'école de police lui a enseigné lui revient soudainement en mémoire : « Toujours montrer à l'agresseur que vous maîtrisez la situation, que vous êtes en contrôle. Amenez-le à parler de lui-même ; cela pourrait désamorcer une situation qui autrement pourrait conduire au drame. »

— Vous étiez dans les forces spéciales, n'est-ce pas ?

Carlos le regarde d'un air sévère sans toutefois répondre à sa question. Il repose son verre sur la petite table d'appoint et dirige à nouveau son arme vers Harris.

— Inutile de pratiquer votre psychologie absurde avec moi, gardez ça pour les toxicomanes et les prostituées que vous protégez, Harris.

Marc sent la moutarde lui monter au nez. Il en a plus qu'assez de ce type. Il se raidit avant de lancer sur un ton accusateur :

— Vous êtes assez mal placé pour me faire la morale, Monsieur le tueur à gages à la solde des narcotrafiquants.

— Touché ! dit celui-ci en affichant un léger sourire.

— Alors, si vous me disiez ce que vous voulez ? s'enquiert Harris d'une voix égale en s'efforçant de garder son calme.

— Pas tout de suite. Avant, j'aimerais vous montrer quelque chose qui va sûrement vous intéresser, Harris.

En gardant le pistolet braqué sur Marc, l'homme au crâne rasé sort un BlackBerry de la poche intérieure de son veston et se met à presser les touches du minuscule clavier. Lorsqu'il trouve ce qu'il cherche, il lève les yeux et gratifie Harris d'un petit sourire en coin en lui tendant le mobile.

Harris change légèrement de position et saisit le BlackBerry. Il consulte l'afficheur et hausse les sourcils d'étonnement. Le petit écran affiche un nom, suivi d'une fonction :

> Jessica Martz, DPI
> Division des opérations policières internationales du B.C.N., Police fédérale brésilienne

— Et après ? réplique Harris avec un regard farouche. Ça prouve juste que vous êtes bien renseigné sur mon compte et sur ma vie privée, qui, soit dit en passant, ne vous regarde pas du tout.

— Maintenant, placez le curseur sur le prénom de votre ex-petite amie et appuyez sur « Enter ».

La photo de Jessica apparaît ; elle est assise sur une chaise droite, bâillonnée et ficelée. Ses yeux semblent implorer qu'on l'aide.

— Ça vous rappelle de bons souvenirs, j'espère, dit Carlos, qui observe sa réaction avec un malin plaisir.

Harris est tout d'abord déconcerté par ce qu'il voit et ensuite par cette remarque inappropriée, surtout venant d'un tueur sans scrupules. Il ne comprend pas où il veut en venir. Puis, il lève les yeux de l'écran pour apercevoir un sourire triomphateur sur le visage de l'autre, qui ravive ses instincts meurtriers.

— Vous n'êtes qu'un salopard de la pire espèce, lance Harris avec hargne. Si j'avais mon arme, je vous ferais un troisième œil, juste là, indique-t-il en pointant l'index vers le front de Carlos.

— Vous n'en feriez rien, et vous le savez très bien, Harris, dit Carlos, parce que ça signifierait la mort de la belle Jessica.

Il fait une pause, comme pour savourer le moment.

— Et nous savons très bien tous les deux que vous ne souhaitez pas qu'il lui arrive quelque chose de mal.

— Rien ne me prouve qu'elle est encore en vie. Je veux lui parler, exige Harris en désignant le cellulaire de Carlos.

Ce dernier plisse des yeux et lui lance un regard plein de méfiance, comme pour mieux deviner les intentions de l'agent de la SQ.

— Pas d'entourloupes, Harris, indique-t-il en récupérant le BlackBerry.

Il appuie sur une touche et attend que la communication s'établisse en le fixant de ses yeux noirs comme du charbon.

— *Hola,* Raoul. *Cómo estas*? dit-il dès qu'il entend la voix à l'autre bout.

— *Estoy bien,* Carlos, lui répond une voix au fort accent sud-américain.

— Passe-moi la fille, veux-tu ? demande-t-il avant de tendre le cellulaire à Marc, qui le saisit aussitôt, comme s'il s'agissait d'une bouée de sauvetage.

— Allô ? Jessica ?

À son tour, Jessica Martz saisit le cellulaire que lui tend Raoul.

– Marc ! Merci mon Dieu. Je suis tellement contente d'entendre ta voix.

– Jess ! Comment ça va ? Ils ne t'ont pas maltraitée, j'espère, parce que s'ils…

Harris jette un regard meurtrier à Carlos, qui, les bras croisés, le détaille avec amusement.

– À part m'avoir droguée et jetée sans ménagement dans une fourgonnette blanche, ils ne m'ont rien fait, l'interrompt Jessica.

Pour se calmer, elle prend une grande respiration avant de continuer.

— Qu'est-ce qu'ils veulent, au juste ? Pourquoi moi ?

– Je n'en sais rien, Jess. Tout ce que je peux te dire, c'est que ç'a rapport à Crystal, mais je…

Le tueur récupère brusquement le téléphone des mains d'Harris en le tenant en joue et le referme.

– Satisfait ? demande Carlos sèchement.

– Ouais, et maintenant ?

Harris secoue la tête en affichant une moue de déplaisir.

– Et si on arrêtait ce petit jeu ridicule et que vous me disiez où vous voulez en venir ?

– C'est assez simple, en fait. Même un flic comme vous devrait comprendre.

Il regarde Harris d'un air méprisant.

– Je pose les questions et vous répondez ; simple non ? Si je suis satisfait des réponses que vous me donnez, j'envoie un texto à mon pote Raoul à Brasilia pour qu'il libère votre copine, et je file d'ici, ni vu ni connu, et vous n'entendrez plus parler de moi. *Comprende amigo* ?

Harris fait signe que oui, mais il ne fait pas confiance à ce meurtrier sans scrupules. *Dès qu'il aura obtenu ce qu'il veut, il n'hésitera pas à nous éliminer tous les deux,* se dit-il en acquiesçant.

– Très bien, commençons, dit l'autre en manipulant le BlackBerry comme s'il s'agissait d'un jouet pour animal de compagnie. Premièrement, dites-moi où elle les cache.

Harris hausse les sourcils.

– On parle d'Angela et des preuves qu'elle a accumulées contre votre patron, c'est ça ?

Comme Tête rasée ne réagit pas, il poursuit.

– Si vous faites allusion à l'endroit où elle a pu les dissimuler, je n'en ai aucune idée.

Carlos lui jette un regard meurtrier.

– N'essayez pas de jouer au plus fin avec moi, Harris, indique-t-il en ouvrant le mobile. Alors, c'est votre dernier mot ?

Harris secoue la tête.

– C'est la vérité. Angela n'a jamais voulu nous révéler où elle les cache.

– Vous voudriez me faire croire, Harris, que durant tout ce temps que vous avez passé ensemble, elle n'y a jamais fait allusion ? Vous me prenez pour un con, ou quoi ?

– Désolé, si vous ne me croyez pas, répond Harris. Mais c'est la vérité. Et si vous n'êtes pas content, allez-y, tirez, mais laissez mon ex tranquille. Elle n'a rien à voir là-dedans.

– C'est faux, et vous le savez très bien, Harris, lui dit Carlos sur un ton arrogant. Qui d'autre que l'agent Jessica Martz du DPI vous a renseignés, toi et le FBI, sur qui est Crystal et où elle se trouvait ? Qui s'est mêlé de ce qui ne la regardait pas? Et vous savez ce qui arrive à ceux qui ne se mêlent pas de leurs affaires?

Il fait un geste comme si on lui tranchait la gorge.

– Ouais, et après? Je suis sûr que Cardenas ne vous paie pas pour torturer des pauvres filles au Brésil.

Encore ce petit sourire machiavélique. *Maudit que j'aimerais te l'enlever de ta face de rat!* se dit Marc en l'observant.

Carlos détourne son regard de glace durant quelques secondes. Il semble réfléchir.

– Bon, très bien. Voilà ce que vous allez faire, inspecteur Harris, dit Carlos en le regardant droit dans les yeux. Vous allez reprendre contact avec vos petits copains du FBI et allez découvrir ce que Crystal a fait de ces maudites preuves.

Carlos agite le BlackBerry devant Harris.

– C'est votre seule chance de vous en tirer, vous et votre copine.

À bien y réfléchir, Harris se dit qu'il n'a pas vraiment le choix. Et même s'il fait ce que ce maniaque demande, rien ne garantit qu'il libérera Jessica. Il s'est bien fait avoir. *Merde!* se dit-il. *Il doit bien y avoir une solution.* Soudain, l'idée lui vient : *Karen Newman.* Avec les moyens dont elle dispose, elle peut sûrement l'aider.

– Rien ne me prouve que vous n'allez pas la supprimer dès que vous les aurez, vos maudites preuves.

– J'ai bien peur que vous deviez vous contenter de ma parole pour ça. Vous n'avez pas le choix, Harris. C'est votre seule chance de vous en sortir. *Comprende*?

Ouais, ta parole de tueur! pense Harris. *Très rassurant!*

Carlos fait une pause, le temps de vider sa bulle de cognac.

– Alors, vous vous décidez ? demande Carlos sur un ton impatient. On n'a pas toute la nuit !

– Ouais, ouais, d'accord ! J'vais l'faire tabarn…

Sur ce, Carlos remet le cellulaire dans la poche de son veston et se lève d'un trait, puis il se dirige vers la sortie en exultant.

– Votre seule chance ! lance-t-il en quittant la pièce subrepticement tel un chat noir qui se fond dans l'obscurité de la nuit.

Harris, qui l'a suivi, le voit qui sourit à pleines dents alors qu'il démarre la vieille Tercel rouillée.

– Va chez le diable, espèce de salopard ! murmure-t-il en le regardant s'engager sur la rue Fillion et s'éloigner.

Puis, il secoue la tête, incrédule. Il ne peut croire à sa chance ; il est encore en vie. L'Univers lui laisse encore une chance de s'en sortir et de corriger ses erreurs.

– À toi d'en profiter, Harris, murmure-t-il avec une pointe d'amertume dans la voix.

16

Brasilia, Brésil

Jessica ouvre les yeux dans le noir. Elle secoue lentement la tête, comme pour s'assurer qu'elle émerge vraiment de ce brouillard léthargique dans lequel elle est plongée. Nauséeuse, sa tête tourne et elle est entourée d'un rideau d'obscurité. Elle commence déjà à ressentir les premiers assauts de la migraine.

Pendant un moment, elle se demande où elle se trouve, jusqu'à ce qu'une douleur sourde irradie à la base de sa nuque, là où un de ses ravisseurs lui a injecté ce qui devait être un soporifique. Le cauchemar qu'elle est en train de vivre lui revient brutalement à la mémoire. Elle avait bien essayé de se défendre, d'asséner quelques coups de pied de kung-fu, mais le deuxième larron s'était faufilé derrière elle et, d'un geste vif, l'avait piquée à la base du cou. Malgré ses efforts pour mettre ses adversaires hors de combat, elle avait senti sa volonté s'évaporer à mesure que ses muscles se tétanisaient et qu'elle s'enfonçait dans un puits sans fond.

On l'a enlevée. Mais pourquoi ? Comme elle a essayé de l'expliquer à ses ravisseurs, elle n'a pas d'argent et ne connaît personne qui en a. Donc, ce n'est pas pour l'argent. Quoi d'autre ? S'ils avaient voulu la violer, ou la tuer, ce serait déjà fait. Son travail ! Ça devait être ça. Sûrement quelqu'un du milieu de la drogue qui lui en voulait. Mais qui ? Ça, elle le découvrirait bien assez tôt. Pour l'instant, il fallait qu'elle sorte d'ici au plus vite, avant qu'ils ne viennent la questionner et la torturer, comme on le voit souvent dans les films.

Elle a mal et se frotte à l'endroit où son ravisseur l'a piquée. Jessica regarde autour d'elle et soudain, elle comprend qu'elle se trouve dans la pièce exiguë d'un appartement. Elle est allongée sur le dos sur ce qui doit être un lit pliant. Pas la moindre étincelle de lumière. Une fenêtre est entrouverte sur le bruit sourd de la ville. La nuit est tombée et l'obscurité totale a envahi la chambre. Elle est seule avec la noirceur et le bruit en sourdine de la ville qui, bien qu'à proximité, ne lui est d'aucun secours. Ce n'est qu'au prix d'un suprême effort qu'elle parvient à maîtriser sa peur et ses tremblements. Elle se met péniblement debout, vacille, et marche à l'aveuglette, les bras tendus en avant d'elle ; tel un zombie, elle s'avance lentement jusqu'à ce que ses doigts rencontrent quelque chose de dur : un mur.

Elle poursuit son exploration à tâtons. À l'exception du lit pliant sur lequel elle était allongée quelques instants plus tôt, la pièce est entièrement vide. Elle trouve un coin et longe le mur perpendiculaire. Trois ou quatre mètres plus loin se découpe une porte en bois qu'elle sonde sur toute sa hauteur. Les planches s'imbriquent sans aucun interstice, et il lui est impossible de distinguer quoi que ce soit de l'autre côté. Au centre, une poignée de métal qui ne bouge pas lorsqu'elle la tourne de toutes ses forces.

Frustrée, Jessica crie, frappe lourdement contre le battant de la porte jusqu'à ce que ses poings lui fassent trop mal. Des larmes descendent le long de ses joues, mouillant ses lèvres sèches. L'écho de ses coups éteint, un long silence s'installe. Elle retourne s'allonger et ferme les yeux, incapable de rester éveillée plus longtemps. Cette fois, elle ne s'endort pas tant à cause de la drogue qu'on lui a injectée que de la fatigue, de l'épuisement.

Dans un demi-sommeil, elle songe que la vie est une suite capricieuse de moments cruels et se demande un instant si le jeu en vaut vraiment la chandelle. Malgré tout, elle espère. Parce que c'est la seule chose qui lui reste, l'espoir. L'espoir de sortir de là vivante et avec toutes ses facultés physiques. Elle souhaite juste de ne pas tomber sur un psychopathe qui jouit dans la torture des autres.

Tout à coup, un bruit de pas se fait entendre à l'extérieur et un claquement métallique résonne dans la pièce où elle se trouve. Elle sursaute. Ce bruit est la seule sensation qui perce son état de demi-sommeil. Le même bruit qui l'a tirée de sa torpeur quelques minutes plus tôt. Un bruit sec, qui semble se réverbérer dans la pièce au complet, suivi d'un jet étincelant de lumière. Une lumière éclatante qui emplit la pièce et l'aveugle pendant un instant. Elle se couvre les yeux et quand l'effet d'éblouissement s'estompe, Jessica regarde nerveusement autour d'elle dans l'espoir de distinguer ce qui est à l'origine de cette lumière et de ce bruit étrange.

Elle lève les yeux, ayant l'impression soudaine d'être surveillée. Près de la porte entrouverte, elle finit par distinguer une forme sombre, un homme vêtu de noir, revolver au poing. Une paire d'yeux sans vie qui la fixent et, sous l'arête tranchante du nez, des lèvres glacées esquissent un sourire. Jessica est parcourue d'un frisson lorsqu'elle finit par reconnaître son ravisseur : c'est le plus costaud des deux individus qui s'étaient extirpés de la camionnette. Elle sourit, lorsqu'elle le revoit, plié en deux et grimaçant de douleur, après qu'elle lui avait administré un solide coup de pied de style kung-fu dans les testicules.

La douleur irradiant de sa nuque lui revient immédiatement en mémoire. L'homme en noir s'approche lentement d'elle et l'observe pendant un instant avant de lui tendre un téléphone portable.

– Quelqu'un aimerait vous parler, *señorita* Martz, déclare-t-il en affichant un regard impavide.

Elle saisit l'appareil, et lorsqu'elle entend la voix et les explications de son ex-amoureux, tout devient clair pour Jessica Martz. Elle comprend que, encore une fois, Marc Harris les a foutus dans la merde ! *Pauvre con !*

17

New York

Sandy Reynolds pénètre nerveusement dans le bureau du procureur au 7e étage du Rockefeller Center sur Avenue of the Americas avec l'épais dossier d'Eduardo Cardenas sous le bras.

Jim Granger, un homme de grande taille au regard sévère et aux grandes aspirations, a renoncé au travail de forçat du secteur privé. Après avoir fait une maîtrise en droit, Granger a vu plusieurs de ses camarades d'études devenir associés dans de gros cabinets avec des revenus annuels dans les six chiffres. Pour sa part, il est entré au service du gouvernement. Il travaille actuellement pour le ministère de la Justice et fréquente des sénateurs, ce qui le mènera, il l'espère, dans l'univers politique.

Complet marine griffé à fines rayures, pure laine, col blanc classique et cravate de soie, chaussures bordeaux au cuir brillant qui se coordonnent à la serviette de cuir posée sur l'épaisse moquette d'un vert éclatant, Jim est tranquillement assis dans un fauteuil de cuir derrière son imposant bureau en orme massif, à consulter un dossier tout en savourant un cappuccino de chez Starbucks. Il relève la tête et sourit en apercevant Sandy Reynolds.

– Bonjour, Mademoiselle Reynolds. Vous allez bien ?

– Très bien, et vous ?

Granger hoche la tête.

– Ça va. Alors où en êtes-vous avec le dossier Cardenas ? demande-t-il sans plus de préambule.

– Le dossier du FBI est assez étoffé : Eduardo Cardenas, surnommé « le Lézard », fait face à des accusations de production de méthamphétamine cristallisée, de trafic de cocaïne et d'avoir conspiré pour faire entrer la drogue aux États-Unis. Il serait le dirigeant du cartel de Tijuana, célèbre pour sa façon de tuer ses rivaux et de trancher la gorge de ses ennemis. Le ministère de la Justice américain a mis sa tête à prix pour 5 millions de dollars.

– Et les preuves du FBI sont solides ?

– C'est justement là le problème. Au mois de mars dernier, les autorités mexicaines, en collaboration avec la DEA, ont opéré une saisie des biens sur la propriété de Cardenas à Tijuana, dont 205 millions de dollars en liquidités, surtout des coupures de 100 $, cachés dans les garde-robes, derrière des faux murs et dans des valises. Ils ont également saisi un autre 2 millions dans d'autres devises telles que des euros, pesos et dollars de Hong Kong. Ils ont aussi confisqué un fusil automatique AK-47 et plusieurs armes de poing, incluant un pistolet, desquels les numéros de série ont été effacés.

Sandy fait une pause, le temps de retrouver un document dans l'épaisse chemise contenant les détails du dossier.

— Les autorités mexicaines ont également procédé à une perquisition sur les lieux de l'une des usines de transformation de produits chimiques d'une compagnie bidon nommée Unimed appartenant à Cardenas. Ils ont saisi 19 tonnes d'un produit chimique contenant de la pseudoéphédrine, un élément essentiel dans la composition de la *meth*.

— Tout ce que vous me décrivez là n'est que purement circonstanciel, Sandy. Rien ne permet de relier ces sommes d'argent ni ces produits chimiques au commerce de la drogue.

— En effet. On pourrait l'accuser d'importation illégale de produits chimiques au Mexique, mais pas aux États-Unis.

— Donc, si je comprends bien, votre cause repose uniquement sur le témoignage d'une vedette de la pornographie.

Granger affiche un léger sourire en coin puis ajoute :

— La partie adverse se fera un plaisir de démolir la crédibilité de votre témoin.

Sandy sent l'affolement la gagner. Elle lance à Granger un regard accusateur.

— Vous saviez que cette cause était perdue d'avance, n'est-ce pas ?

— Pas du tout. Ce que je sais, c'est que vous aviez besoin d'un bon coup de pied au derrière afin de vous obliger à réagir, à sortir de votre torpeur. À vous entendre, vous vouliez de nouveaux défis. Eh bien voilà, vous en avez un. À vous d'y faire face. Vous savez, Sandy, la gloire et la célébrité ne viennent pas toutes seules ; elles exigent beaucoup de travail, et surtout la volonté de réussir. Avez-vous ce qu'il faut pour réussir ? Posez-vous la question, Sandy.

Lorsqu'il voit que Sandy a presque les larmes aux yeux, il se lève et appuie sa main sur son épaule.

– Je ne suis pas votre ennemi, Sandy. N'oubliez jamais cela. Je suis là pour vous aider. N'hésitez pas à faire appel à moi en tout temps.

Sandy Reynolds sort du bureau de Granger, mi-rassurée par son attitude généreuse envers elle, mi-décontenancée par le défi que son patron vient de lui lancer. Il faut qu'elle gagne cette cause ; sa carrière est en jeu. C'est également le moment pour elle d'aller chercher de l'aide parmi les ennemis jurés de Cardenas, et elle a déjà un nom en tête.

18

Manhattan, New York

Ils atterrissent à LaGuardia en fin d'après-midi. Le voyage depuis Montréal lui a paru interminable et pourtant, Angela n'en conserve pas grand souvenirs. La nuit commence à tomber lorsqu'ils arrivent enfin devant l'entrée de l'immeuble en pierre grise aux allures néogothique du sanctuaire du Pennsylvania Avenue que le FBI parraine.

Ils se butent contre une porte fermée, mais un déclic suit de près le coup de sonnette de Karen. Ils pénètrent tous les trois dans un vaste vestibule, où l'éclairage tamisé et un parquet et un comptoir de marbre donnent l'impression de se trouver à la réception d'un hôtel haut de gamme. Un grand gaillard à la carrure de culturiste, le genre d'individu qu'on n'a pas envie de croiser la nuit dans une ruelle sombre, les reçoit avec un sourire courtois mais ferme planté sur les lèvres. Il entraîne Karen et les deux autres à sa suite jusqu'au bureau d'accueil.

La réceptionniste, une femme d'un âge avancé avec les cheveux gris en chignon et des lunettes à montures d'acier perchées sur un petit nez pointu, vérifie méticuleusement leur identité. Après quelques appels téléphoniques, elle tend un badge de visiteur à Angela et lance un regard réprobateur à Karen en lui signifiant qu'elle est responsable de son invitée.

Karen explique patiemment à Angela qu'elle doit porter le badge en permanence, de façon visible, sinon elle risque de déclencher une pléthore d'alarmes électroniques sur son passage. Après avoir parcouru une suite interminable de corridors derrière le culturiste, tous aussi étroits les uns que les autres, ils atteignent la chambre que Karen lui a réservée avec beaucoup de difficulté en faisant valoir sa position en tant qu'assistante directrice de l'OCDESF et l'urgence de la situation auprès de la directrice de l'établissement.

– Nous y voilà, dit le gardien en indiquant la porte de la chambre avant de tourner les talons.

Angela veut se plaindre de la petitesse et du manque de confort de cette chambre qu'on lui impose, mais elle se retient. Elle sent qu'il en faudrait peu pour se mettre Karen et DaSylva à dos. Et c'est la dernière chose qu'elle souhaite en ce moment.

DaSylva lui souhaite bonne nuit avant de se retourner pour reprendre le corridor en sens inverse derrière Karen, qui affiche un air exaspéré.

Angela s'installe tant bien que mal dans la pièce plutôt exiguë qui va lui servir de chambre pour un certain temps. Elle détaille l'ameublement de la petite pièce, qu'elle pourrait qualifier de spartiate : un bureau, une chaise, un lit de camp comme on en trouvait dans les prisons du comté et une armoire pour accrocher le peu de vêtements que contient son sac de voyage en toile.

Combien de temps serait-elle cloîtrée telle une religieuse en pénitence dans cette maison d'hébergement sécurisée ? Elle n'en sait rien. Cette situation ne lui plaît guère, car cela lui rappelle trop le temps de sa jeunesse où elle était placée au collège des Carmélites de Santa Barbara. Ses résultats médiocres et les constantes rencontres avec la direction du collège privé où elle était inscrite avaient finalement poussé ses parents à lancer la serviette et à l'envoyer au collège des Carmélites, qui allaient prétendument lui enseigner la discipline et un savoir-vivre dont elle semblait tout ignorer. Ç'avait été un désastre complet. Plutôt que de s'assagir, Angela avait réagi de façon contraire face à une trop stricte autorité et s'était braquée contre les sœurs en leur rendant la vie difficile. Celles-ci avaient finalement dû se rendre à l'évidence : Angela Perez était une délinquante de la pire espèce et elles n'en viendraient jamais à bout. Aussi l'avaient-elles renvoyée chez ses parents avec la recommandation de consulter un psychologue au plus vite. Mais voilà une tout autre histoire, et Angela préfère oublier cet épisode peu reluisant de sa vie.

Non, cet endroit ne lui plaît vraiment pas et la rend nerveuse. D'autant plus qu'elle a dû placer Riki dans un chenil, « en attendant », lui a dit Karen. En attendant quoi, Angela n'en sait rien. Après avoir ingurgité quelques cachets, elle finit par s'endormir.

* * *

Il est passé 21 h lorsque Karen arrive à son appartement de Chelsea dans le Midtown West sur la 23e Rue entre les 8e et

9e Avenues. Elle habite ce loft depuis qu'elle a été affectée au bureau de New York, il y a maintenant un peu plus d'un an. La fenêtre de sa chambre donne sur la cathédrale Saint-Patrick, et celle du salon sur l'Empire State Building, Times Square et, au loin, Jersey City. Toutefois, le spectacle impressionnant de toutes ces lumières qui brillent comme des étoiles scintillantes un soir de pleine lune ne l'attire pas. Elle est vidée et n'a qu'une seule chose en tête : prendre une longue douche chaude et aller se coucher.

Elle accroche son holster sur un guéridon et passe dans sa chambre pour se dévêtir. Karen décroche un peignoir en tissu-éponge molletonné rose bonbon d'un des crochets de la penderie et l'emporte dans la salle de bain. Avant d'entrer dans la douche, elle s'observe dans le miroir sur pied pendant quelques secondes, et bien que ces derniers temps elle ait négligé ses séances de jogging, Karen constate qu'elle a encore sa silhouette de mannequin qui fait tourner les têtes. Elle passe sous la douche et laisse longuement couler le jet relaxant sur sa nuque tendue à l'extrême.

À sa sortie de la douche, toutes les tensions accumulées semblent s'être évanouies et elle ressent un petit creux. Elle passe son peignoir et se rend jusqu'à la cuisine, où elle ouvre la porte du réfrigérateur. La lasagne congelée accompagnée d'un verre de Chianti fera l'affaire; enfin, faute de mieux.

Karen Newman, responsable de l'un des plus gros départements de répression criminelle du FBI, se retrouve toute seule à manger un plat congelé par une belle soirée d'été. *Dodo, boulot, resto, quelle belle vie je mène!* songe-t-elle. Dans ce métier, il faut se méfier de tout le monde, même de ses proches collaborateurs. L'appât du gain et la corruption sont monnaie courante dans le milieu où elle évolue. Encore le mois dernier, un sénateur des États-Unis ainsi que plusieurs membres d'un important cabinet d'avocats ont été reconnus coupables de corruption par le ministère de la Justice. L'un des avocats était Steve Grant, son ancien ami de cœur, qu'elle fréquentait depuis deux années ; elle n'avait pourtant jamais soupçonné qu'il collaborait avec ledit sénateur pour blanchir l'argent des mafiosos de la Grosse Pomme. Comme quoi, aussi expérimentée soit-elle à décortiquer le comportement humain, elle n'est pas à l'abri des erreurs de jugement.

Elle et Steve s'étaient rencontrés lors du procès d'un mafioso qu'elle avait blessé à la jambe alors qu'il tentait de s'enfuir après avoir abattu un garde de sécurité de la banque Chase Manhattan. Steve représentait le mafioso et, lorsqu'il s'était approché du box pour l'interroger, leurs regards s'étaient croisés et Karen avait eu le coup de foudre pour lui. Elle était tombée amoureuse de lui parce qu'il était beau, grand, élégant, cultivé, et… ambitieux. Elle avait compris trop tard que son ambition était démesurée.

Elle avait imaginé l'avenir qu'ils pourraient construire ensemble : une maison confortable pour sa famille, une école privée pour ses enfants et une place proéminente dans la haute société new-yorkaise. Mais Steve était rapidement devenu associé principal chez Ernst, Talbot and Young, et ses ambitions avaient vite pris le dessus sur les désirs de Karen. Il ne voulait pas d'enfants, car, disait-il, il ne serait jamais là pour s'en occuper. Son salaire dans les six chiffres ne lui suffisait plus, car il voulait se lancer dans la politique. Belle excuse !

En plus, il s'attendait à ce que Karen l'épaule dans ses projets alors que les désirs de cette dernière n'avaient plus aucun intérêt pour lui. Chaque fois qu'elle émettait une idée, il la balayait du revers de la main, comme si son opinion ne valait rien. À un point tel qu'elle en était venue à douter d'elle-même. Le point de rupture était arrivé quand elle avait lu en première page du *New York Times* qu'il était impliqué dans une affaire de blanchiment d'argent pour la pègre. Elle avait alors perdu toutes ses illusions et décidé de le quitter, quelques jours seulement avant qu'il ne soit inculpé pour détournement de fonds et blanchiment d'argent.

Mais était-ce une raison valable pour vivre en ermite, ou simplement une excuse pour se défiler, pour ne pas s'impliquer dans une relation où elle risquait d'être à nouveau déçue et qui pourrait la blesser ? Il s'agissait peut-être bien de la deuxième option. Mais personne dans son entourage immédiat ne l'attirait vraiment. DaSylva ? Il est son coéquipier et un ami fidèle depuis des années, mais rien de plus. Quant aux agents affectés aux enquêtes sur lesquelles elle travaille, ils sont tous formés selon le même moule, et peu de choses les concernant éveillent sa fibre sensuelle.

Et maintenant, il y a Harris. Oui, Harris, qui représente tout ce qu'elle abhorre chez un homme : il est prétentieux, trop sûr de lui-même, un séducteur invétéré… mais beau comme un adonis. Ils n'ont pratiquement rien en commun, et Karen a l'impression que sous ses apparences de frondeur, il cache quelque chose. Elle ne saurait dire quoi sans mieux le connaître, et elle n'est pas certaine de le vouloir ; il lui rappelle trop son ex-conjoint ambitieux.

Tout en picossant dans son plat de lasagne, Karen jette un coup d'œil à travers la large baie vitrée du salon. La nuit étoilée coiffe les lumières multicolores de Manhattan et sur l'autre rive du fleuve, Jersey City brille de tous ses feux.

Accablée par le silence, elle place *An Innocent Man,* un CD de Billy Joel comprenant la chanson *Uptown Girl,* dans le lecteur et se réconforte en se disant que les choses pourraient être pires et que, comme Angela, elle pourrait n'avoir pratiquement plus de raison de vivre.

19

Le lendemain matin, et en dépit de huit heures d'un sommeil chimique presque comateux, Angela a le sentiment de ne pas avoir fermé l'œil de la nuit. Elle se lève dans une demi-obscurité pour se diriger à l'aveuglette vers la salle de bain attenante à son minuscule réduit et se heurte le gros orteil sur le pied du lit. Elle lâche un juron et entre dans la pièce en boitillant. Elle ôte son grand t-shirt de nuit et se prépare à se glisser sous la douche lorsqu'elle aperçoit sa silhouette émaciée dans le miroir au-dessus du lavabo. Ses yeux sont creux et cernés. Elle est devenue trop mince, on voit ses côtes, et ses cheveux sont ternes et, comme elle, sans vie. Angela secoue la tête. Comment a-t-elle pu en arriver là ?

Elle passe sous la douche, et les larmes qu'elle a retenues depuis son départ de Montréal s'entremêlent avec le jet d'eau fraîche qui pulse sur elle. Une fois sortie de la douche, elle passe un jeans et un t-shirt et se dirige vers la cafétéria du refuge ; elle doit parcourir une suite interminable de corridors entre sa chambre et la grande salle, où Karen et DaSylva l'attendent déjà.

Elle se joint à eux et après s'être servis, ils s'attablent tous les trois non loin d'une large baie vitrée. La salle à manger est encore presque déserte, à l'exception d'une avocate et sa cliente qui saluent Angela avec affabilité alors qu'elle passe près d'eux chargée de son plateau.

Angela entame ses œufs brouillés et son bacon avec avidité. C'est le seul repas digne de ce nom qu'on lui a offert jusqu'ici, sans compter les arachides, les croustilles et le soda qu'on lui a servis dans l'avion.

Karen parle en premier.

— Bien dormi ?

— Pas trop mal, considérant le réduit dans lequel vous m'avez enfermée.

Karen secoue la tête en affichant un air de frustration. Elle en a assez des récriminations de cette enfant gâtée et décide de ne plus la ménager.

— Allons, allons, Angela. N'exagérons rien. Ce n'est peut-être pas le quatre étoiles auquel vous êtes habituée, mais c'est beaucoup mieux qu'une place réfrigérée à la morgue, non ?

DaSylva, qui semble vraiment mal à l'aise, en profite pour prendre une gorgée de café noir avant de déclarer sur un ton neutre :

— De toute façon, ce n'est que provisoire, Angela. On va bientôt vous trouver autre chose.

Angela lui lance un regard dubitatif.

— Comme quoi ? demande-t-elle en jetant un air de défi à Karen. Un comptoir réfrigéré dans un marché d'alimentation pour bien me conserver jusqu'au procès, c'est ça ?

DaSylva s'apprête à répondre qu'elle est déjà bien conservée de toute façon lorsque le cellulaire de Karen entonne l'air d'*Only the Good Die Young*, une chanson de Billy Joel.

20

Laval, banlieue de Montréal

En ouvrant les yeux, il constate grâce à l'affichage numérique du réveil qu'il est 5h04. Les quelques heures de sommeil agité ne lui ont pas procuré de véritable repos. D'horribles pensées nocturnes lui rongent le cerveau. Il s'est réveillé avec l'image de Carlos et de son petit sourire méprisant qui s'évapore soudainement pour faire place à la vision de Jessica, qu'il imagine dans une pièce sombre, subissant les supplices inimaginables de ses tortionnaires, jusqu'à ce que ceux-ci l'abandonnent dans un endroit isolé où elle passe plusieurs jours avant qu'on ne la retrouve morte au bout de son sang. La cause de ses angoisses, Harris ne l'ignore pas, est que son ex-amoureuse s'est retrouvée bien malgré elle dans cette situation précaire, et ce, par sa faute à lui.

Au petit matin, il se lève, courbaturé, des poches sous les yeux, et prend une longue douche chaude pour chasser les sueurs froides de cette nuit cauchemardesque. Peu de temps après, il se retrouve dans son bureau de l'édifice Place Ville Marie avec quelques heures d'avance sur son horaire habituel.

Harris s'affale dans le fauteuil en cuir qui fait face à son ordinateur, mais il se rend compte qu'il est trop bouleversé pour reprendre le travail. Il n'arrive pas à chasser ces visions de torture et de mort et fixe l'écran sans toutefois voir ce qui y figure. Combien de personnes allaient devoir mourir avant qu'il ne mette la main sur ce salopard de Carlos ?

Alors qu'il essaie de clarifier ses idées et de trouver une solution à son problème, il est brutalement sorti de sa rêverie lorsqu'on cogne à sa porte. C'est sa patronne, l'inspectrice en chef Jamie Curtis, qui veut savoir pourquoi il ne lui a pas remis son rapport concernant l'arrestation de Cardenas. Il se creuse les méninges pour inventer rapidement une explication plausible, et tout ce qu'il trouve à dire, c'est qu'il a eu un contretemps ; que son auto ne démarrait plus et qu'il a dû la faire remorquer au garage. Il ne fallait surtout pas que sa patronne sache qu'il avait frôlé la mort de près et qu'elle lui retire l'affaire.

Bien qu'elle ne semble pas gober l'excuse d'Harris, Curtis n'insiste pas. Elle sait très bien que s'il lui cache quelque chose, il ne lui en parlera pas tant qu'il n'aura pas décidé que c'est le temps de le faire. Puis, elle le regarde d'un air perplexe en fronçant les sourcils.

– Est-ce que ça va ? Tu as l'air d'avoir vu un fantôme, Marc. Un problème ?

– Non, aucun. Je suis juste un peu fatigué. Je dors mal ces temps-ci.

– C'est pour ça que tu es arrivé de si bonne heure au bureau ?

Marc hoche la tête en guise de réponse.

— Ça fait un bon moment que tu n'as pas pris de vacances, Marc. Pourquoi ne prendrais-tu pas quelques jours de congé ?

Harris hoche la tête à nouveau.

— Peut-être bien. Je ne sais pas. Je vais y penser.

— C'est ça, penses-y. Tu me donneras ta réponse quand tu me remettras ton rapport. N'oublie pas, hein ? Il me le faut sur mon bureau avant la fin de la journée.

— OK, répond Harris sans grand enthousiasme.

Dès qu'elle est partie, il saisit son téléphone portable et compose fébrilement le numéro de Karen Newman à New York. Après trois sonneries, il s'impatiente.

— Allez, réponds ! lance-t-il en tapant impatiemment sur son bureau avec un stylo en attendant.

Après cinq sonneries, le répondeur se déclenche, et il laisse un message lui demandant de le rappeler dès que possible, c'est urgent.

Le soir même de sa rencontre avec le tueur, après s'être servi un demi-verre de ce que l'autre lui avait laissé au fond du flacon de cognac, il avait bien essayé de la joindre à plusieurs reprises, mais il était également tombé sur son répondeur. *Peut-être qu'elle n'est pas encore retournée au bureau,* pense-t-il. Reloger Angela devait occuper tout son temps. De toute façon, il n'a pas d'autre choix que de patienter.

Au bout de vingt minutes, alors qu'il pianote sans aucun but sur le clavier de son ordinateur portable, Harris sursaute lorsque la sonnerie de son BlackBerry résonne dans la pièce. Il l'ouvre et entend avec soulagement la voix de Karen.

— Karen Newman. Est-ce que je pourrais parler à…

— Salut Karen, ça va ?

— Ça va. Mais vous, vous m'avez semblé stressé lorsque j'ai écouté votre message. Quelque chose ne va pas ?

— J'ai des mauvaises nouvelles, dit-il nerveusement.

Il lui résume en quelques mots sa rencontre avec Carlos et la menace qui plane sur Jessica. Karen l'écoute attentivement, sans dire un mot, jusqu'à ce qu'il ait terminé.

— Vous avez une chance inouïe d'être encore en vie, inspecteur Harris, dit-elle simplement. Et je suis vraiment désolée pour votre ex-petite amie. Mais je ne vois pas vraiment ce que je peux faire pour vous aider.

Elle soupire. C'est une autre raison qui confirme son désir de ne pas s'attacher à lui : il peut disparaître de sa vie du jour au lendemain. Karen fronce les sourcils.

— Vous auriez dû mieux surveiller vos arrières, comme je vous l'avais recommandé lors de notre dernière rencontre, inspecteur Harris, conclut-elle avec une certaine froideur.

Harris éloigne le combiné de son oreille et le regarde d'un air incrédule. Il ne comprend pas pourquoi Karen a cette attitude froide et distante envers lui.

— Je ne comprends pas, dit-il sur un ton agacé. Tu ne m'as jamais rien dit de tel lors de notre dernière rencontre. Je crois que c'est plutôt moi qui t'ai recommandé d'être prudente, de « faire attention à toi », pour me citer moi-même.

Il fait une pause pour se calmer.

— Et je croyais que nous nous étions mis d'accord pour ne plus nous vouvoyer, et voilà que ça recommence. Pourquoi es-tu si distante avec moi, tout à coup ?

— Ah, vous... tu ne vas pas recommencer avec ces conneries, Marc.

— Premièrement, ce ne sont pas des conneries, et deuxièmement, je crois que nous sommes dus pour avoir une sérieuse conversation, toi et moi.

En réaction à cette remarque, Karen affiche un petit sourire. Elle comprend qu'il n'est pas prêt à lâcher prise, et même si elle affirme le contraire, ça fait bien son affaire.

— Enfin, ce qui importe, c'est que malgré ta négligence, il ne te soit rien arrivé de grave, dit-elle. Et je le répète, tu devrais surveiller tes arrières.

— Et c'est tout ! s'exclame Harris sur un ton offusqué. « Désolé, inspecteur Harris, mais je ne peux rien pour vous. Maintenant que j'ai attrapé mon gros poisson, je n'ai plus besoin de vous. Débrouillez-vous tout seul ! »

En même temps que le silence, un froid s'installe entre les deux. Karen réfléchit à la situation et après quelques instants, prend une décision.

— D'après mes dossiers et ceux d'Interpol, je peux te dire que le tueur à gages auquel nous avons affaire se prénomme Carlos, et qu'il est recherché par à peu près toutes les polices du monde et…

Karen s'interrompt en milieu de phrase.

— Et quoi ? lui demande Harris, soudainement intrigué par cette interruption.

— Et personne jusqu'ici n'a vécu assez longtemps pour l'identifier.

— Pourquoi me racontes-tu ça ? Quel est le rapport avec mon problème ?

Karen se donne un instant pour réfléchir aux implications de ce qu'elle est sur le point de lui proposer. Sa vie sera encore plus en danger. Elle soupire de nouveau lorsqu'elle sent le poids de la décision sur ses épaules. Elle n'a pas le choix ; si elle veut capturer Carlos, il faut tout d'abord l'identifier et ensuite diffuser son signalement, en espérant que cela permettra de l'attraper avant qu'il n'élimine son seul témoin.

– Dis-moi, Marc, saurais-tu décrire l'apparence de Carlos à notre dessinateur pour qu'il en fasse un portrait-robot ?

– Probablement. Je crois bien que oui. Même s'il faisait plutôt sombre dans la pièce, je n'oublierai jamais sa boule de billard et la lueur diabolique qui brillait dans son regard. Pourquoi ?

– Parce que tu es le seul à avoir vu Carlos de près et être demeuré en vie pour en parler.

– Oh, wow. Vous me rassurez beaucoup, agente spéciale Newman.

Bien malgré elle, Karen sourit. Mais il n'y a pas de quoi se réjouir pour ce qu'elle est en train de faire.

– Alors, ça t'intéresse ?

– J'avoue que la perspective d'être à l'origine du seul portrait existant de Carlos ne m'enchante pas beaucoup, et…

– Et quoi ? l'interrompt brusquement Karen, qui s'impatiente. Je ne vois pas pourquoi tu refuserais de collaborer à la capture d'une crapule telle que Carlos.

– Et moi, je ne vois pas pourquoi je le ferais. Ça ne règle pas mon problème ni celui de Jessica, bien au contraire.

– Si on attrape Carlos grâce à ta description, nous lui proposerons une sentence réduite s'il nous dit où se trouve la fille.

– Premièrement, ce n'est pas « la fille » ! Son nom, c'est Jessica Martz. Et deuxièmement, qu'arrivera-t-il si vous ne le capturez pas ? Il tuera sûrement Jessica pour se venger et mon tour suivra incessamment.

Karen s'attendait à ça. Et elle ne peut blâmer Harris pour son refus, car elle sait bien qu'il a raison.

— Oui, je sais. Je ne veux pas te mentir, ça pourrait effectivement se produire. Mais je n'ai rien d'autre à te proposer pour l'instant.

Le silence s'installe à nouveau. Harris réfléchit à son tour. Au bout de quelques secondes, il lui vient une idée.

— Et si on donnait à Carlos ce qu'il veut ? demande Harris avec circonspection.

— Tu veux rire, Marc. Ça signifierait que nous n'aurions plus rien contre Cardenas ; plus aucune preuve, nada, rien. Et nous aurions fait tout ça pour rien. Non, il n'en est pas question.

— Nous ne sommes pas obligés de lui donner les *vraies* preuves, Karen. Il suffit de lui fournir quelque chose de vraisemblable, un document vidéo que seul Cardenas pourra identifier comme étant un faux.

Karen ne répond pas. Elle réfléchit au pour et au contre de la proposition d'Harris. Plus elle y pense, et plus ç'a du sens.

— Oui, ça tient la route, Marc. Nous allons donc procéder comme ça.

— Alors nous sommes d'accord. Quand nous verrons-nous pour finaliser ça, Karen ? Chez moi ou chez toi ?

— Ah Marc ! Arrête ton spectacle ! Ça suffit.

Comme elle n'entend qu'un rire étouffé en guise de réponse, elle continue :

— Je te réserve une chambre à l'hôtel Intercontinental et tu prends le premier vol disponible pour LaGuardia. Dès que tu atterris, tu me donnes un coup de fil et je passe te prendre. D'accord ?

— D'accord ! À bientôt ! répond Harris avant de raccrocher.

DaSylva, qui l'a observée tout au long de sa conversation téléphonique, lance un regard interrogateur à Karen, mais ne dit toutefois rien.

Bien qu'il se taise, Karen lit sur son visage qu'il brûle d'envie de lui poser des questions, donc elle lui résume brièvement sa conversation avec Harris. Lorsqu'elle a terminé, elle se rend compte que l'expression interrogative de DaSylva s'est graduellement transformée en une moue dubitative.

– Allez, dis-le, Frank. Qu'est-ce qui te tracasse ?

– Pourquoi ? dit-il simplement.

– Pourquoi quoi ? demande-t-elle en lui jetant à son tour un regard interrogateur.

– Pourquoi est-il toujours vivant ? Ça ne correspond pas au profil de Carlos. Jusqu'ici, il n'a laissé aucun témoin en vie.

– Comme je te l'ai déjà expliqué, il veut qu'Harris lui dise où Angela cache les preuves en échange de la libération de son ex. Et il sait que nous ne le laisserons pas approcher d'Angela. Qu'est-ce que tu veux de plus comme explication ?

DaSylva regarde Karen droit dans les yeux et opine.

– Ouais, tu penses la même chose que moi, n'est-ce pas ? dit Karen. C'est sûrement un piège et…

Ils échangent tous deux des regards inquiets.

– … il a sûrement mis le téléphone portable d'Harris sur écoute. Carlos se sert tout simplement de lui pour retracer notre témoin et les preuves qu'elle cache, complète DaSylva tout en observant Angela, qui attaque goulûment ses pommes de terre rissolées, dégustant chaque bouchée avec une évidente satisfaction. Et dès qu'il aura trouvé ce qu'il cherche...

– Je crois que nous n'avons pas vraiment le choix, dit Karen. Nous devons reloger le témoin au plus tôt, avant que Carlos ne lui fasse la peau.

DaSylva opine à nouveau.

– Et qu'est-ce qu'on fait pour Harris et son ex ?

– Harris ?

Karen lui fait un clin d'œil.

– Je m'en occupe personnellement. En ce qui concerne son ex, je connais quelqu'un au B.C.N. qui pourrait nous aider à la retrouver. Je vais m'informer.

Merde ! pense DaSylva en se dirigeant vers la sortie. Ils ne sont pas encore au bout de leurs peines avec ces deux-là. Cette histoire est loin d'être terminée.

21

Manhattan, New York

Karen et DaSylva l'entraînent jusqu'au parc de stationnement souterrain de l'immeuble. Aucun des deux ne sourit. De toute évidence, Angela n'est pas dans leurs bonnes grâces en ce moment. Ils se dirigent vers une BMW 335i garée à peu de distance de l'ascenseur qu'ils viennent de quitter. DaSylva ouvre la portière arrière et fait signe à Angela de s'y installer.

Angela hoche la tête et s'installe sur la banquette. DaSylva referme la portière et va s'asseoir au volant. Karen, assise à côté de lui sur le siège passager, est en grande conversation sur son cellulaire avec un des deux agents qui ont pris en charge Cardenas lors de son arrivée à LaGuardia pour l'amener au pénitencier de Rikers Island.

— Tout s'est bien déroulé ?

Elle hoche la tête en attendant la réponse de l'agent et se tourne vers DaSylva.

— Doug te fait dire d'en profiter, chanceux, que la prochaine fois, c'est lui qui prend en charge la fille.

DaSylva sourit avant de démarrer.

– Prends bien soin de ce salopard, Doug. Bien le bonjour à Lisbeth de ma part. Bye.

Mis à part le léger chuintement des pneus sur la chaussée, le silence règne à l'intérieur de la BMW alors qu'ils s'éloignent du sanctuaire. Angela regarde en direction de l'immensité ombragée du centre-ville et voit dans le ciel d'un bleu limpide quelques nuages blancs et cotonneux qui s'effilochent. Elle a un mauvais pressentiment à l'approche de ces immenses gratte-ciel où s'entassent des milliers d'individus de toutes sortes. Elle se sent perdue dans l'anonymat de cette agglomération ; personne ne verserait une larme si jamais elle venait à disparaître. *Sauf peut-être ma sœur,* songe-t-elle avec regret. Ou peut-être pas.

La circulation est dense, comme d'habitude, surtout à cause de l'afflux de touristes en cette saison estivale. La marée humaine régulière se croise sur les trottoirs étriqués des grandes artères. Après avoir longé la voie express de Brooklyn Queens pendant un certain temps, la BMW tourne à droite sur Park Avenue et s'engouffre peu après dans le parc de stationnement souterrain d'un immeuble haut de gamme. DaSylva trouve un espace libre et se gare.

Tous les trois sortent du véhicule pour se diriger vers l'ascenseur qui les amène au 5e étage. Le corridor est tapissé d'une moquette épaisse et ponctué de plusieurs portes fermées. Karen s'approche de la cinquième et sort une clé de sa poche de veston. Elle ouvre, et ils s'introduisent dans l'appartement.

L'étroit vestibule mène à un salon de dimension moyenne complètement inondé par les chauds rayons de soleil provenant de la vaste baie vitrée donnant sur le mur extérieur. L'ameublement a une touche moderne de bon goût : une causeuse tendue de cuir noir avec un divan assorti placé à angle droit, et en face, un téléviseur haute définition à écran plasma de 42 pouces, le tout reposant sur un parquet de chêne reluisant de propreté.

Angela et DaSylva suivent Karen dans l'appartement. Outre le salon, il comprend une salle de bain sobrement décorée dans les tons de marine et sable, une cuisinette extrêmement bien équipée attenante à la salle à manger, une grande chambre avec un lit immense, et une plus petite qui fait office de bureau. Angela se tourne vers Karen.

— C'est votre appartement ? s'enquiert-elle, curieuse.

— Non, c'est une location, lui répond sèchement Karen. Il y a de quoi manger dans le réfrigérateur, mais si vous voulez, on peut commander un mets préparé.

Soudain, ils entendent des grognements, puis des hurlements dans le vestibule. Tous les trois se retournent d'un seul geste pour voir un coursier apparaître sur le pas de la porte avec une cage de transport à l'intérieur de laquelle se trémousse le Poméranien.

— Riki ! s'exclame Angela en accourant vers son animal favori.

Le coursier lui tend la cage et elle s'empresse de libérer le petit chien qui, au grand désespoir des deux agents, se met à courir partout dans l'appartement. Dès que Karen a signé le bon de livraison, le jeune livreur tourne les talons et reprend l'ascenseur.

Le retour de Riki procure un regain d'énergie à Angela, qui sent son estomac crier famine. Elle se tourne vers DaSylva en affichant son plus séduisant sourire.

— Finalement, dit-elle, je crois que je vais profiter de votre offre. J'ai faim.

– Vous avez le choix : pizza, tacos, hamburgers, nouilles chinoises, il y a de tout dans le coin, propose DaSylva en lui décochant un regard de collégien en chaleur.

Angela a remarqué qu'il la suit du regard depuis qu'ils ont quitté Montréal, et elle aime ça. Elle se sent flattée par l'attention qu'il lui accorde. Ça fait tellement longtemps qu'un homme ne s'est intéressé à elle, et pas seulement pour le sexe. Un profond soupir lui échappe. C'est vrai qu'elle est grande, mince, et qu'avec ses longs cheveux blonds ondulés retombant en cascade sur ses épaules, et ses yeux verts, elle a toujours attiré les regards masculins, mais en général, ils perdent toute notion de verticalité.

Elle regarde DaSylva avec admiration : c'est un homme solide, à la forte personnalité et, ce qui ne gâche rien, au look d'enfer. Et la cerise sur le gâteau : il a bien réussi dans la vie en tant qu'agent du FBI, ce qui la change des petits revendeurs et proxénètes qu'elle croise habituellement sur son chemin. Angela se pose la question : pourquoi un homme comme lui s'intéresse-t-il à elle ? Comme, après réflexion, elle ne trouve pas de réponse satisfaisante, elle préfère ne pas trop s'attacher à lui de peur d'être déçue, comme elle l'a si souvent été.

– Je ne voudrais pas paraître égoïste, mais si vous êtes d'accord, dit-elle en jetant un regard interrogateur en direction de Karen, je préférerais un chiche-taouk.

– Va pour un chiche-taouk, dit Karen en lançant un regard amusé à DaSylva.

DaSylva sort un téléphone portable de sa poche et compose le numéro du restaurant Amir le plus près pour passer la commande. Quand il a terminé, il tend le téléphone cellulaire à Angela. Celle-ci fronce les sourcils et saisit l'appareil d'une main hésitante.

— Pour vous, lui dit DaSylva. J'ai programmé le numéro de Karen et vous n'avez qu'à peser sur l'étoile, puis faire le 7 pour que nous accourions aussitôt.

Cette remarque lui vaut un regard de reproche de Karen.

— *Presque* aussitôt, corrige-t-elle.

Elle lui fait signe de se rapprocher d'elle et se penche pour lui murmurer à l'oreille :

— Tu sais, Frank, ce n'est pas parce qu'elle ressemble à un ange qu'elle en est forcément un.

DaSylva la regarde d'un air ébahi.

— Je le sais bien. Pourquoi me dis-tu ça, Karen ? demande-t-il innocemment tout en sachant fort bien de quoi il en retourne.

C'est vrai qu'il la trouve jolie, avec sa cascade de cheveux blonds, ses grands yeux verts et ses longues jambes effilées. Une bouffée de rage l'envahit lorsqu'il songe au fumier qui a placé une bombe dans son appartement. *Il ne perd rien pour attendre, celui-là !* se dit-il en serrant les poings.

À l'instant même, le BlackBerry de Karen se met à résonner de sa mélodie préférée et elle le sort de sa poche. Elle voit qu'il s'agit de Marc Harris et l'ouvre avec empressement.

— Déjà là ? Vous avez…

Elle se reprend.

— Tu as fait vite, Marc.

— En effet. J'ai cru comprendre que c'était urgent, que nous n'avions pas de temps à perdre, répond-il sur un ton légèrement sarcastique chargé de sous-entendus.

Karen ne croit pas qu'il serait bon de relever la remarque, pour l'instant. *Plus tard, on verra,* se dit-elle.

– C'est parfait, dit-elle. Je passe te prendre à la porte de l'aile B-12 dans une vingtaine de minutes.

– Je t'attends, réplique Harris avant de raccrocher.

Un léger sourire illumine le visage de Marc. Il ne l'a pas laissé paraître au téléphone, mais il a très hâte de la revoir. Son petit air défiant, son humour décapant, mais surtout, son sourire enjôleur lui manquent.

Karen se tourne vers DaSylva.

– C'est Marc Harris. Je vais le chercher à l'aéroport, il m'attend.

Elle sent qu'ils l'observent alors qu'elle se dirige vers la sortie.

– Vous vous partagerez le chiche-taouk. Et soyez sages. Ne faites rien que je ne ferais pas moi-même, précise-t-elle en haussant un sourcil et en affichant un sourire spontané. Bye bye.

Alors qu'elle referme la porte derrière elle, leurs rires étouffés lui arrachent un sourire. *L'amour ! Il peut aussi bien entraîner que stopper un être humain dans sa chute,* songe-t-elle en se dirigeant vers l'ascenseur.

22

Il est planté là, sur le trottoir face à l'aire de stationnement étagée de l'aéroport, l'air renfrogné, attendant impatiemment son arrivée, avec pour tout bagage un sac à dos et une mallette qui contient son ordinateur portable. *C'est donc long !* s'impatiente Harris en regardant défiler les taxis qui déposent et font monter leurs passagers sans discontinuer. Il est brutalement tiré de sa réflexion lorsqu'une BMW s'arrête sec devant lui avec un crissement de pneus.

Karen presse sur la touche pour baisser la vitre du côté passager et lui crie :

— Est-ce que je peux vous déposer quelque part, Monsieur ?

Harris dépose ses bagages sur le siège arrière et s'installe à l'avant. Dès qu'il est assis sur le siège passager, il boucle sa ceinture. *Maudit qu'elle est belle,* pense-t-il en la regardant démarrer.

— Tu es arrivée vite, dit-il pour meubler la conversation même s'il ne le pense pas.

Karen le regarde et lui fait un clin d'œil.

— Je croyais que nous n'avions pas de temps à perdre ! dit-elle sur un ton légèrement sarcastique.

Harris pouffe de rire.

– Alors, tu ne me fais plus la tête ?

Elle lui jette un regard discret.

– Je ne vois pas de quoi tu veux parler, lui répond-elle d'un air amusé.

La BMW gris métallisé change de file pour rejoindre les voies d'entrées congestionnées de la Brooklyn Queens Expressway. Harris jette un regard à l'extérieur pour s'apercevoir qu'ils ne se dirigent pas vers la série de grands hôtels du centre-ville, mais plutôt en direction des tours à appartements de Chelsea, dans Midtown West.

– Où allons-nous ? s'enquiert-il en l'observant du coin de l'œil.

Karen klaxonne à plusieurs reprises lorsqu'un 4x4 freine brutalement devant elle, lui bloquant le passage. Elle parvient à le contourner et accélère en faisant un doigt d'honneur au conducteur du RAV4.

– Chez moi, répond-elle finalement.

Harris hausse les sourcils d'étonnement. Elle vient encore une fois de le désarçonner. *On ne doit pas s'ennuyer avec cette fille-là !* songe-t-il en voyant la circulation de part et d'autre défiler à toute vitesse.

En emmenant Marc chez elle, elle s'apprête à commettre ce qui, si on exclut ses déboires avec son premier conjoint, sera probablement la plus grosse bêtise de sa vie. Pire encore : elle en est parfaitement consciente !

Elle sent qu'il la regarde d'un air surpris sans toutefois dire un mot, se demandant ce qui a bien pu motiver cette décision. Devinant sa pensée, elle se surprend à lui lancer une explication saugrenue qu'elle vient juste d'improviser.

– J'ai déjà dépassé mon budget alloué au logement des témoins avec Angela, et il n'y a plus de place dans les hôtels du coin à cause du congrès des républicains. J'ai pensé que vous… que *tu* n'y verrais pas d'objection.

– Aucune. Sauf que… je vois très bien selon votre expression et le ton de votre voix, agente Newman, que vous mentez comme vous respirez, répond Marc du tac au tac. Je peux lire sur votre visage comme dans un livre ouvert.

– Et en plus d'être séduisant, on est fin psychologue, Monsieur Harris.

Elle ne peut réprimer un petit rire d'adolescente, comme celui qu'elle a eu la première fois qu'elle a embrassé un garçon quand elle était au secondaire. *La plus grosse erreur de ma vie !* se dit-elle en secouant la tête.

Après avoir bifurqué sur la 23e Rue, Karen s'engouffre dans le parc de stationnement souterrain du Chelsea Village, l'immeuble de 10 étages en brique rouge où elle habite. Elle gare la BMW dans son espace réservé et se tourne vers Marc, qui n'a presque rien dit durant le reste du trajet. Elle le dévisage.

– Est-ce que ça va ? lui demande-t-elle sur un ton inquiet.

Il se tourne vers elle en lui jetant un regard circonspect.

– Oui, ça va, répond-il même si c'est faux afin de ne pas l'embêter inutilement avec ses visions cauchemardesques.

Karen sort du véhicule et lui fait signe de l'accompagner. Harris la suit du regard pendant un court instant avant de lui emboîter le pas. Même si elle peut être exaspérante à l'occasion, il songe qu'il est définitivement devenu dépendant de son charme irrésistible. Ils atteignent le 10e étage et

Karen sort sa carte magnétique pour ouvrir. Elle entre dans le vestibule et lorsqu'elle se retourne pour refermer, elle voit Marc qui est resté planté là, dans l'embrasure de la porte, hésitant.

– Tu n'as vraiment pas bonne mine, déclare-t-elle en l'observant de près. Allez, entre.

– Merci, dit-il en s'avançant lentement dans le hall d'entrée.

– Tu es cerné jusqu'aux oreilles et on dirait que ça fait plusieurs jours que tu n'as pas dormi.

Elle fait une pause et le toise de nouveau.

– Et un bon rasage ne te ferait pas de tort.

Il la regarde d'un air défait.

– Quand même, est-ce que je suis si moche que ça ?

– Oui, se contente-t-elle de dire.

Lorsqu'il ouvre la porte de la garde-robe d'entrée pour y accrocher son veston, Marc découvre son reflet dans le miroir de plain-pied qui y est fixée. Sur le coup, il croit voir quelque chose de nouveau dans son propre regard, quelque chose qui ne s'y trouvait pas la dernière fois qu'il s'est regardé dans une glace. Comme un genre de malaise, d'inquiétude. *Est-ce là le reflet de la peur ? Peut-être bien.* Il se dit que, après ce qu'il vient de vivre, c'est un peu normal. Avant d'être enquêteur pour la SQ, il avait travaillé sur des centaines d'affaires où il organisait des descentes et saisies de drogue, mais jamais ça ne l'avait conduit dans la direction où celle-ci l'amenait et à faire face à un tueur à gages. Oui, c'est bien la peur qu'il lit dans son regard. Une sensation nouvelle pour lui qui, jusqu'ici, s'en croyait à l'abri. Mais il vient juste de se rendre compte qu'il y a toujours plus fort que soi dans la vie, et qu'il n'est pas invincible.

Karen le prend par la main et l'entraîne dans le salon, qui se trouve juste à côté de la cuisine. Tout en indiquant un divan de cuir brun qui longe le mur du fond, elle lui demande d'y déposer ses bagages.

— C'est un divan-lit, très confortable, dit-elle avec un petit sourire.

Harris pose son regard sur elle, ses yeux verts étincelants, ses mèches auburn nouées en queue de cheval et ses longues jambes élancées. Karen retire sa veste suédée gris anthracite, défait son holster pour le déposer sur un guéridon et grimpe les quelques marches qui mènent à la mezzanine et aux chambres.

Marc dépose ses bagages sur le plancher de chêne et se laisse tomber sur le divan, profond et confortable. Il regarde autour de lui. La pièce n'est pas très grande, mais accueillante. Près du mur qui lui fait face se trouve un téléviseur ACL de 52 pouces posé sur une console. Un foyer au gaz d'allure contemporaine couvre l'autre extrémité de la pièce. À sa gauche, la porte d'entrée fait face au vestibule et à l'escalier qui mène à la mezzanine et aux chambres.

Karen revient peu de temps après, en jeans et chemisier de coton et polyester fleuri. *Elle m'a comme ensorcelé,* pense Harris en l'observant. Il est complètement obnubilé par son charme et sa beauté naturelle. Cependant, il ne comprend toujours pas son changement d'attitude. Karen se plante devant lui, les mains sur les hanches, et lui jette un regard critique en secouant la tête.

— Peut-être qu'un petit remontant pourrait te redonner des couleurs. Qu'en penses-tu ?

Harris hoche de la tête en guise de réponse.

— J'ai du Chianti, du scotch et des glaçons, ou du beurre d'arachides. Qu'est-ce que tu préfères ? dit-elle d'une voix enjôleuse.

Sa voix interrompt Marc dans ses pensées pour le ramener à la réalité. Tout se déroule trop vite dans sa tête, et comme il n'est pas certain d'avoir bien entendu sa question, Harris répond la première chose qui lui vient à l'esprit.

— Ça ira.

Karen secoue la tête. Elle a deviné juste. Marc n'est vraiment pas dans son état normal. Il y a quelque chose qui le préoccupe, mais elle ignore ce que c'est. Elle ne le connaît pas depuis assez longtemps pour en tirer quoi que ce soit, et son orgueil de mâle mal placé l'empêche de se confier à elle. Elle devra user de ses charmes pour en arriver à lui faire avouer ce qui ne va pas, pense-t-elle.

— Excuse-moi un instant, veux-tu ? dit-elle en se dirigeant vers la cuisine pour lui confectionner un double Jack Daniel's sur glace. En attendant, fais comme chez toi.

Après avoir allumé la télévision, Harris enlève son veston, sa cravate, retire ses chaussures et s'allonge sur le divan. En fermant les yeux, il tente de chasser son angoisse de son esprit en pensant à Karen, et comme par miracle, toute la tension accumulée ces derniers jours, jumelée avec le décalage horaire, se relâche d'un seul coup. Mais Marc ne veut surtout pas fausser compagnie à son hôtesse et essaie tant bien que mal de combattre le sommeil et d'ouvrir les yeux. Toutefois, ses paupières lourdes de fatigue se referment et il tombe endormi après seulement quelques secondes d'un combat qui est perdu d'avance.

À son retour au salon, Karen constate avec amusement qu'il s'est endormi devant la télé. Résistant à l'envie de le réveiller, elle cale le whiskey qu'elle lui a préparé et remonte d'un pas incertain jusqu'à la chambre à coucher. *Décidément, les hommes sur lesquels je jette mon dévolu tombent comme des mouches,* se dit-elle avec nostalgie.

* * *

Le lendemain matin, avant de s'en aller, Karen jette un regard discret dans le salon, où Marc dort profondément sur le canapé, enroulé dans la couverture qu'elle a posée sur lui avant de monter se coucher, la tête posée sur un coussin. Elle songe d'abord à lui laisser un message, puis s'arrête en chemin avant d'avoir atteint le bloc-notes. La lumière de la pièce donne un reflet doré à sa peau cuivrée et adoucit ses traits. Même lorsqu'il est endormi, Karen le trouve séduisant et elle ne peut s'empêcher de s'asseoir sur l'accoudoir rembourré du divan pour lui caresser les cheveux.

Lorsqu'il ouvre et lève les yeux, elle est là, face à lui, qui sourit.

— Comment te sens-tu ? demande-t-elle.

— Super, dit-il de sa voix ensommeillée qui met à dure épreuve la volonté de Karen d'aller à son rendez-vous.

Il la regarde dans les yeux.

— Désolé de t'avoir faussé compagnie hier soir.

Son sourire s'élargit lorsqu'elle voit son regard plein de désir.

— Ne t'en fais pas pour ça.

Puis, son sourire disparaît et elle soupire.

— Il faut que j'y aille.

– Où ça ? demande-t-il.

– J'ai un rendez-vous avec Sandy Reynolds, la substitut du procureur. Nous avons à discuter de certains aspects du dossier Cardenas.

Harris hoche la tête.

– Viens là, dit-il en attrapant sa main. Tu es sûre que tu ne peux pas remettre ça à plus tard ?

Elle secoue la tête en voyant qu'il l'observe de ses yeux brillants.

– Ce n'est que partie remise, dit-elle en relâchant sa main.

Elle a juste envie de rester là, de refermer ses bras autour de son cou et de l'embrasser tendrement. À contrecœur, elle s'écarte du divan et lui presse l'épaule avant de se diriger vers la sortie. Karen hésite avant de refermer. Elle se retourne et voit qu'il la regarde d'un air déçu.

Idiote ! se dit-elle en claquant la porte derrière elle.

23

Vogue
990, Avenue of the Americas
Manhattan, New York

Le photographe de *Vogue* se concentre afin de ne pas rater la séance photo du modèle de la couverture du mois, Sonia Perez. Le très célèbre Bruno Reversi ne peut tout simplement pas se permettre la moindre erreur. La photo de couverture d'un magazine aussi prestigieux que *Vogue* ne devrait être rien de moins que parfaite ; sa réputation en dépend. La fille est vraiment jolie, ce qui facilite son travail. Il zoome, prend des gros plans, et revient sur des rapprochés, tamise l'éclairage, fait varier la pose de Sonia, mais rien ne fonctionne. Bruno se demande pourquoi il n'arrive pas à trouver l'angle idéal, quand la solution lui apparaît soudain très clairement : ce n'est pas l'angle, le choix de la lentille, l'éclairage, ni la magnifique robe rouge en soie de Chine de chez Dior que porte Sonia qui clochent ; c'est l'expression corporelle du modèle. Il manque un je-ne-sais-quoi dans son regard, son faciès, et son attitude en général.

Bruno la regarde en plissant des paupières.

— Alors, ma petite Sonia, quelque chose te tracasse ?

Sonia affiche un drôle d'air, comme étonnée qu'il s'en soit rendu compte. Elle aime bien Bruno. Plutôt extravagant dans ses manières et sa façon de s'habiller, il est assez attachant, comme le sont la plupart des homosexuels de la Grosse Pomme qu'elle a rencontrés jusqu'ici. Et après quelques semaines à le côtoyer au travail, le célèbre photographe est devenu son confident. Elle le regarde qui fait semblant d'examiner la lentille de sa caméra en souriant.

— Je ne veux pas en parler, Bruno.

— De quoi est-ce que tu ne veux pas parler, ma chérie ? insiste Bruno. Allez, raconte-moi.

Sonia pousse un long soupir. Elle sait très bien qu'il ne va pas abandonner aussi facilement. Bruno est très tenace ; c'est l'une de ses plus grandes qualités, et en même temps, lorsque ça tourne presque à du harcèlement, son plus grand défaut.

— Ce n'est rien. Il s'agit seulement de ma sœur.

— Tu as une sœur, toi. Pourquoi ne m'en as-tu jamais parlé ?

— Parce que je ne suis pas très fière d'elle. C'est une conne et une droguée. Elle a le don de se fourrer dans des situations impossibles.

— Et qu'est-ce qu'elle a fait pour que tu sois bouleversée à ce point ?

— Tu as entendu parler du procès de Cardenas qui va bientôt se tenir à Manhattan ?

— Cardenas, le baron de la drogue mexicain ? Oui, bien sûr, tout le Manhattan ne parle que de ça.

Il lui lance un regard interrogateur.

— Quel rapport avec ta sœur? Au fait, tu ne m'as pas dit son nom.

Sonia a la larme à l'œil. Angela a plusieurs défauts et aucun jugement, mais elle est tout de même sa sœur, la seule famille qui lui reste. Mais elle n'arrive pas à se faire à l'idée qu'après tout ce qu'il lui a fait vivre, elle se soit encore une fois foutue dans la merde à cause de ce damné Cardenas. *Elle n'apprendra donc jamais!*

— C'est Angela, et elle est le seul et unique témoin de l'accusation.

Bruno hausse les sourcils et prend un air inquiet.

— Holà! Je comprends pourquoi tu t'inquiètes pour elle, ma belle.

Il se rapproche d'elle et lui met la main sur l'épaule. Il la regarde dans les yeux en affichant un air grave.

— Et qu'est-ce que tu comptes faire?

Elle retourne son regard.

— Que veux-tu dire?

— Dis-moi si je me trompe : ça fait longtemps que vous ne vous êtes pas adressé la parole, toi et Angela, n'est-ce pas?

Elle acquiesce.

— Alors qu'est-ce que tu attends, grande sotte, pour prendre le téléphone et lui dire que tu l'aimes, avant qu'il ne soit trop tard?

Il hésite un moment avant de continuer.

— Tu sais, j'avais un frère que j'aimais, mais lui, comme mon macho de père, ne voulait rien savoir des homosexuels. Nous avons été des années sans nous parler, jusqu'au jour où j'ai décidé de marcher sur mon orgueil de mâle et de lui téléphoner pour prendre de ses nouvelles. Mais il a changé de numéro et lorsque j'ai rejoint ma mère afin d'obtenir son nouveau numéro, elle m'a appris qu'il était mort dans un accident de voiture. Ne fais pas la même erreur que moi, chérie. Tu pourrais le regretter pour le reste de tes jours.

Sonia voit qu'elle ne s'est pas trompée, Bruno est un être d'une grande sensibilité, et c'est pour cela qu'ils se sont liés d'amitié. Il vient de lui faire réaliser que, sur un simple coup de tête, elle aurait pu passer à côté de quelque chose qui n'a pas de prix.

Bruno hoche la tête.

– Allez, vas-y ma belle, les photos peuvent attendre à demain.

Elle lui donne une bise sur la joue et se dirige vers la salle d'essayage pour enlever la longue robe rouge au décolleté plongeant. *Le rouge,* pense-t-elle, *la couleur du sang.* Un mauvais présage. Son intuition lui dit qu'elle doit faire vite.

24

Bureau de la substitut du procureur
État de New York

Karen se présente à la Cour de Justice du 500 Pearl Street et prend l'ascenseur jusqu'au 12e étage. Le bureau de la substitut du procureur, Sandy Reynolds, a à peu près la grandeur d'un réduit qu'utiliserait le concierge de l'immeuble pour remiser ses brosses, balais et divers produits de nettoyage. Elle détaille l'ameublement plutôt spartiate qui le compose : un bureau en fibres de bois composite, standard, qu'on retrouve dans la plupart des bureaux de fonctionnaires municipaux, une petite bibliothèque assortie, un siège en cuir noir (pour elle) et deux chaises empilables de vinyle gris au cadrage d'aluminium comme on en trouve souvent dans les salles d'attente réservées aux visiteurs. Un étroit classeur gris métallique est installé contre le mur derrière le bureau. Seul un diplôme encadré pare le mur d'une teinte de beige terne, et elle a posé sur son bureau un ordinateur portable.

À son arrivée, Reynolds est en grande conversation avec un homme assez baraqué, en costume gris bon marché. Elle ne peut voir son visage, car il lui tourne le dos, mais dès qu'elle fait son entrée, il se retourne et elle le reconnaît aussitôt : Harlan Cohen, le directeur adjoint de la DEA. À 51 ans, avec son 1 mètre 85 et ses 115 kilos, Cohen est une force de la nature. Titulaire de deux diplômes en criminologie, ex-marine ayant combattu dans la guerre du Golfe, Cohen a été recruté par le ministère de la Justice pour régler les cas que l'on pourrait qualifier de « spéciaux », et il s'avère que Cardenas est l'un d'eux.

– Que fait-il ici ? demande Karen en désignant Cohen.

Installée derrière son bureau, Reynolds lui jette un regard réprobateur, consulte sa montre pour souligner qu'elle est en retard et, sans même se lever pour l'accueillir, fait signe à Karen de s'asseoir. Elle soupire.

– Il est ici à la demande du procureur, répond-elle sèchement.

Cohen jette un regard hautain à Karen avant d'ajouter :

– En effet, mon pote, Jim Granger, m'a demandé de vous donner un coup de main, ajoute le directeur adjoint avec un air suffisant. Il semblerait que votre dossier ne soit pas assez étoffé pour faire condamner Cardenas, alors que j'aurais peut-être de mon côté des documents compromettants à vous offrir pour le compléter.

Cohen feuillette une copie de l'intégralité du dossier Cardenas, qui est posée devant lui : les rapports de la DEA, du FBI, de ses propres enquêtes, des photos, des enregistrements, et des documents signés par d'anciens associés de Cardenas, maintenant décédés ou incarcérés.

Karen le fixe du regard et retourne son sourire faussement complaisant.

— Et quel intérêt a la DEA à le faire condamner ? Vous n'espérez tout de même pas faire une importante saisie de drogue !

Plutôt bourru, Cohen est aussi très direct et ne se perd jamais en conjectures.

— Cardenas nous nargue impunément depuis des années avec son trafic de stupéfiants, déclare Cohen en la détaillant avec arrogance. Maintenant qu'on l'a dans le collimateur, on veut s'assurer qu'il en prendra pour le maximum.

Reynolds fait semblant de consulter le dossier du FBI, qu'elle doit sûrement connaître par cœur, pense Karen, pour ensuite lui jeter un regard interrogateur.

— Comme vous devez sûrement vous en douter, agente Newman, si je vous ai fait venir, c'est pour savoir où vous en êtes avec le témoin.

— Tout ce que je peux vous dire, c'est qu'on a déjà attenté à sa vie, et qu'ils ne vont sûrement pas en rester là.

— Par *ils*, vous faites allusion à l'accusé, Eduardo Cardenas, et à ses hommes de main, je présume.

Comme ce n'est pas vraiment une question, mais plutôt une affirmation, Karen se contente d'acquiescer.

— Avez-vous des preuves que c'est bien lui qui a commandité cet attentat ? s'informe Cohen d'un ton méfiant.

— Aucune, dit Karen sur un ton de dépit. Mais qui d'autre voulez-vous que ce soit ?

Cohen revient à la charge.

— Donc, vous n'avez absolument rien qui relie Cardenas à cet attentat ni aux meurtres des parents de votre témoin ?

Karen secoue la tête en guise de réponse.

— Qu'en est-il des preuves que votre témoin prétend posséder ? s'informe Reynolds. Vous les a-t-elle remises ?

Karen s'agite sur sa chaise, non seulement par inconfort, mais également parce qu'elle se sent mal à l'aise de ne pas avoir encore récupéré ces preuves sur lesquelles repose l'accusation.

— Le témoin m'a affirmé qu'elles sont en lieu sûr, dit-elle d'une voix mal assurée.

Cohen secoue la tête en signe d'incompréhension.

— En lieu sûr ? s'exclame-t-il sur un ton cassant. Qu'attendez-vous pour les récupérer ? Que le tueur de Cardenas s'en saisisse et les détruise ?

Karen n'aime pas le ton accusateur du directeur adjoint de la DEA. Elle lui répond d'un ton aussi sec.

— Non, mais ce sont uniquement ces preuves qui ont gardé Angela en vie jusqu'ici. Vous ne voulez pas qu'on élimine notre unique témoin avant que le procès ait lieu, n'est-ce pas ?

Reynolds jette un regard interrogateur à Cohen, comme pour avoir son accord, mais celui-ci demeure silencieux. Elle se lève de derrière son bureau et va fermer la porte qui est demeurée ouverte. Elle retourne s'asseoir et regarde Karen d'un air sévère.

— Ce que je vais vous révéler doit demeurer strictement entre nous. Vous ne devez en glisser mot à personne. Ai-je votre parole ?

— Bien sûr, répond Karen sur un ton mielleux en affichant un regard interrogateur.

— Angela n'est plus notre seule témoin, dit Reynolds sur un ton dramatique.

Karen ne s'attendait pas du tout à cela et ne cache pas sa frustration.

— Qui d'autre ?

Reynolds hésite avant de répondre.

— À votre demande, le bureau a fini par retrouver la sœur d'Angela, Sonia Perez.

Karen manque de tomber à la renverse.

— Comment se fait-il que je n'en aie pas été informée avant ?

— En réalité, c'est elle qui nous a contactés tout récemment lorsqu'elle a pris connaissance dans les journaux de la tenue d'un procès contre Cardenas.

— Est-elle au courant que sa sœur est le témoin principal dans cette affaire ?

Reynolds fronce les sourcils. Elle est carrément mal à l'aise de s'être laissée entraîner dans cette conversation.

— Bien sûr.

Karen lui lance un regard interrogateur.

— Pourquoi n'est-elle pas entrée en contact avec sa sœur ?

— Je le lui ai suggéré, mais j'ignore pour quelle raison, elle ne semblait pas vraiment souhaiter renouer contact.

Visiblement contrariée, Reynolds referme le dossier brusquement et lui jette un regard cinglant.

— Il est donc primordial que vous récupériez ces preuves, sur-le-champ, et quoi qu'il en coûte, conclut la substitut du procureur sur un ton menaçant. Me suis-je bien fait comprendre ?

Karen s'apprête à lui répondre qu'elle n'est pas son valet de service lorsque son téléphone mobile se met à jouer son air préféré. Elle ouvre son BlackBerry et voit sur l'afficheur que l'appel provient du téléphone portable que DaSylva a remis à Angela pour les rejoindre en cas d'urgence. Alors qu'elle le porte à son oreille, la communication est brutalement coupée. Elle tente de la rétablir, mais n'y parvient pas ; à chaque nouvelle tentative, elle reçoit le même message alarmant en guise de réponse : « L'abonné que vous tentez de joindre n'est pas en mesure de vous répondre. Si vous voulez laisser un message… » Quelque chose ne va pas. Elle doit faire vite.

Elle et Cohen se lèvent et sortent en courant du bureau de Reynolds sans même la saluer, et ils se ruent vers l'ascenseur. Durant les quelques secondes que dure la descente, elle en profite pour rejoindre DaSylva, qui est au bureau en train de remplir le rapport d'enquête. Elle lui apprend qu'Angela est en danger et lui demande de la rejoindre à l'appartement.

– Pourvu qu'on arrive à temps, finit-elle par dire avant de sortir en trombe de l'ascenseur pour se diriger vers le parc de stationnement intérieur.

25

Il se gare devant le parc adjacent, un pâté de maisons plus loin que l'immeuble de 10 étages en brique rouge. Il met pied à terre et, dans l'ombre du balcon d'une maison en rangée de Park Avenue qu'un lampadaire illumine partiellement, observe les alentours. Il aperçoit DaSylva qui descend les marches et s'adresse à l'un des deux policiers affectés à la surveillance de l'appartement d'Angela en faction dans l'auto-patrouille. Peu après, l'agent du FBI hèle un taxi et quitte les lieux.

Carlos voit la silhouette d'Angela apparaître à la fenêtre de son appartement du 5e étage, puis disparaître. C'est bien là ; il ne s'est pas trompé. L'appel de cet idiot d'Harris lui a permis de trianguler la location du BlackBerry de Karen Newman. Après, les suivre, elle et sa cible, à partir du refuge de Pennsylvania Avenue, a été un jeu d'enfant.

Il traverse la rue d'un pas vif et se dissimule dans l'ombre que projettent les autres immeubles voisins, parvient à se rendre incognito jusqu'à celui où habite sa cible, gravit les marches et s'introduit dans le hall d'entrée. Le hall est brillamment éclairé et d'une propreté irréprochable : la mosaïque imbriquée du carrelage luit comme un miroir et les murs beiges sont immaculés. L'immeuble doit être entretenu par un concierge consciencieux, se dit-il en observant la série de cases postales.

De l'intérieur, il jette un regard du côté de l'auto-patrouille pour s'assurer que ses occupants n'ont pas remarqué sa présence et, faisant mine de fouiller dans sa poche à la recherche de ses clés, profite de la sortie d'un voisin pour retenir la porte qui donne accès à l'ascenseur menant aux étages avant qu'elle ne se referme.

Il choisit encore une fois d'utiliser l'escalier plutôt que l'ascenseur, à la fois pour la discrétion et pour sa santé.

Lorsqu'il parvient au 5e étage, Carlos regarde à gauche et à droite afin de s'assurer qu'il est bel et bien seul, se dirige vers la cinquième porte et entreprend de crocheter la serrure.

Angela est sur le point de se mettre au lit lorsqu'elle entend un bruit suspect en provenance de l'entrée. Un genre de cliquetis métallique. Comme si quelqu'un essayait d'ouvrir. Elle s'approche à pas feutrés et ne peut d'abord rien distinguer dans l'obscurité. Bientôt, dans l'éclairage diffus d'un lampadaire de la rue qui filtre au travers de la baie vitrée du salon, il lui est possible de distinguer une ombre au bas de la porte d'entrée de l'appartement. Quelqu'un s'affaire à crocheter la serrure.

Angela commence à paniquer. Elle est prise au piège dans cet appartement et n'a qu'une seule façon de s'en sortir. Elle retourne dans la chambre et en tâtonnant, trouve et presse l'interrupteur mural. La lampe de chevet diffuse instantanément un éclairage tamisé, et elle se met fébrilement à la recherche du téléphone portable que Frank lui avait confié. Où a-t-elle bien pu laisser ce damné téléphone ?

Tout à coup, elle croit entendre un autre bruit provenant du vestibule, différent du premier. Soudain, elle comprend qu'il s'agit d'un craquement. Un intrus vient de s'introduire chez elle et marche sur le parquet de bois franc. Elle n'en revient pas. Comment cet homme a-t-il pu la retrouver ? Elle entend Riki s'agiter dans sa cage et espère qu'il n'attire pas trop son attention.

Son pouls bat tellement à plein régime qu'Angela a l'impression qu'elle est dans une discothèque comme au temps de ses études collégiales et que ses tympans vont exploser sous le martèlement des basses. Son instinct lui dicte qu'elle doit à tout prix retrouver le damné mobile, que sa vie en dépend.

Elle cherche toujours ce satané téléphone lorsque sa vision périphérique enregistre une forme sombre en mouvement se dirigeant droit vers elle. Elle se retourne brusquement, résolument prête à affronter l'intrus.

L'obscure silhouette se transforme rapidement en un homme de grande taille et de carrure athlétique, en jogging noir. Lorsqu'elle aperçoit l'armoire à glace, la terreur s'empare d'Angela et elle pousse un cri d'épouvante qui se réverbère entre les murs de l'appartement. Elle fixe son agresseur, comme hypnotisée. Son regard parcourt tour à tour ses yeux noirs, qui reflètent une cruauté infinie, son crâne luisant, son nez de boxeur et sa mâchoire carrée. C'est encore lui, Carlos, l'homme de main de Cardenas.

Elle tente désespérément de s'échapper, mais de larges mains la saisissent rudement et elle se retrouve plaquée contre l'homme. Le souffle coupé, elle essaie de crier, mais elle en est incapable. Elle est complètement à sa merci ; il le sait et elle aussi.

— Où croyais-tu aller comme ça ? la gronde Carlos avec une note de satisfaction dans la voix.

D'une geste vif, surprenant pour un homme de cette taille, il la plaque contre le mur. Il relâche momentanément sa prise pour sortir son arme et appuyer le canon sur sa tempe.

— Cette fois, tu ne m'échapperas pas, lance-t-il, le visage fendu d'un horrible sourire. Pas de bruit. Inutile de crier, personne ne viendra à ton secours, lui souffle-t-il à l'oreille sur un ton acerbe en faisant glisser le bout du canon sur sa nuque.

Angela ne bouge pas. La peur la paralyse ; elle est pétrifiée. Quand il pointe son arme sur elle, son cœur s'arrête un instant. Durant les périodes les plus sombres de ces dernières années, alors que tout allait mal, elle avait cru qu'elle n'avait plus peur de mourir, qu'elle s'en moquait. Mais, indubitablement, ce n'était plus le cas. Elle justifie sa réaction en se disant que n'importe quelle personne sensée serait terrifiée à l'idée de prendre une balle.

— Où sont-elles ? demande-t-il d'un ton rageur.

Le cœur battant à tout rompre, elle fait semblant d'ignorer ce dont il parle.

— Je ne sais pas de quoi tu parles.

Il lâche un petit rire ridicule, et d'un geste brutal lui relève le menton et la fixe de son regard cruel.

— Ne fais pas l'innocente, pétasse. Tu sais très bien de quoi je parle. Où les as-tu cachées ?

— Caché quoi au juste ? lui demande-t-elle d'une voix incertaine.

Il sait qu'elle ment ; Angela peut le lire dans ses yeux.

Brûlant d'impatience, il fixe sur elle un regard qui en dit long sur sa détermination à obtenir ce qu'il veut.

— Appuyer sur la détente me procurerait un réel plaisir, mais je ne suis pas là pour te tuer, indique-t-il sur un ton qui laisse planer le pire tout en secouant son arme. Mais il ne faudrait pas me donner le moindre prétexte.

Il braque le Glock sur son visage.

— Je vais te poser la question une dernière fois.

Angela baisse les yeux. Elle n'a jamais autant fait travailler ses méninges qu'elle le fait maintenant afin de trouver un moyen de se sortir de ce merdier. Une parade lui vient tout à coup à l'esprit. Elle voûte ses épaules en se penchant vers lui, l'obligeant à s'éloigner légèrement. Comme prévu, l'homme s'écarte de quelques centimètres. C'est suffisant pour qu'elle puisse relever le genou droit brusquement et voir son agresseur se tordre de douleur, plié en deux, se tenant les bijoux de famille à deux mains après avoir laissé tomber son arme par terre.

Elle réussit à se libérer. Angela se met à courir à toutes jambes, telle une sprinteuse olympique qui veut à tout prix arriver première à la ligne d'arrivée. Alors qu'elle se rue dans la cuisine, elle l'entend crier, et son cœur se met à battre à un rythme fou.

— Tu vas me payer ça, sale pute !

Elle jette un coup d'œil par-dessus son épaule et voit qu'il s'est déjà lancé à sa poursuite. Lorsqu'elle entend ses chaussures marteler le carrelage tout près derrière elle, l'adrénaline lui donne un regain d'énergie. Elle a l'impression de traverser la cuisine en cinquième vitesse, comme dans un film en accéléré, ne distinguant que les vagues contours des objets qui s'y trouvent. Elle fonce vers la salle à manger et contourne la table en hurlant à gorge déployée.

La taille de l'homme le défavorise et il dérape sur les tuiles de céramique de la cuisine alors qu'il tend le bras pour l'attraper avant qu'elle ne passe dans l'autre pièce. Il bute dans la table en merisier en poussant un grognement de douleur. Le répit d'Angela est cependant de courte durée et son agresseur plonge en avant sur la table et glisse jusqu'à elle pour arriver à saisir par-derrière un pan de sa chemise de nuit. Il la tire vers lui et elle tombe à la renverse, s'étalant de tout son long sur les carreaux de céramique de la salle à manger. Il l'a de nouveau capturée.

– Je t'ai dit que tu ne m'échapperais plus, se moque Carlos en la chevauchant.

Angela étouffe sous son poids. Elle se rend compte que dans cette position, elle est foutue. Elle n'a aucune chance de lui échapper à nouveau.

– Maintenant, fini les petits jeux, poupée, dit-il tout en la retenant par son chemisier fleuri.

Il se penche vers elle et la fixe de son regard cruel.

– Ou bien tu me dis immédiatement où elles se trouvent et je repars sans te faire de mal, où je te jette en bas du 5e étage et je cherche moi-même jusqu'à ce que je trouve.

De sa poigne de fer, il resserre son chemisier au ras du cou jusqu'à ce que son visage rougisse. Les battements de son cœur et son pouls s'accélèrent, et sa respiration devient saccadée.

– Tu me fais mal, gémit-elle d'une voix étranglée.

– Alors, qu'est-ce que ce sera ? La liste et la vidéo, ou la descente en vrille jusqu'en bas ?

Lorsqu'il voit qu'elle respire difficilement, Carlos relâche sa poigne. Il ne veut surtout pas qu'elle meure ; pas tout de suite, en tout cas. Il faut qu'elle parle avant. Ça lui évitera de passer l'appartement au peigne fin pour retrouver ces damnées preuves.

Le cellulaire se met soudainement à débiter sa ritournelle tirée de la trame sonore de *Casino Royale*. Carlos tourne la tête en direction du bruit : la chambre à coucher. Angela en profite pour lui décocher un solide crochet de la droite à la mâchoire et un coup de coude dans les testicules avant de se retourner sur elle-même avec une vigueur et une vivacité dont elle ne se serait jamais crue capable. Momentanément déstabilisé, Carlos bascule. Angela lui administre quelques coups de pied à la tête et à la poitrine avant de se relever et de repartir en courant vers la chambre à coucher.

Durant tout ce temps, le cellulaire n'a pas cessé de diffuser sa litanie. Tout en courant à fond de train, Angela prie pour qu'il n'arrête pas avant qu'elle n'atteigne son but. Et c'est exactement ce qui se produit à la minute où elle entre dans la chambre. Plus un son. *Merde,* se dit-elle. *Cette fois, je suis vraiment foutue.* Elle entend Carlos qui approche en courant et elle se saisit de la lampe de chevet, pour s'en servir comme une arme et se défendre. C'est à ce moment qu'elle l'aperçoit : le mobile est là, par terre, à ses pieds. Elle laisse tomber la lampe et empoigne le BlackBerry pour aussitôt presser l'étoile et le 7, tel que Frank le lui avait recommandé.

Carlos se rue dans la chambre, et lorsqu'il voit qu'elle tient le cellulaire, il se jette furieusement sur elle tel un fauve sur sa proie et lui arrache le téléphone portable des mains. Il balance le BlackBerry de toutes ses forces sur le mur le plus proche, où il se fracasse en mille morceaux. Ensuite, il empoigne Angela à bras-le-corps pour l'entraîner vers le couloir qui mène à la porte arrière de l'appartement.

Angela s'est muée en furie et se débat de toutes ses forces, donnant des coups de pied et de poing à l'aveuglette, l'atteignant au torse, au visage et dans les tibias, mais rien n'y fait : il continue irrémédiablement dans sa progression vers le balcon de la mort. Elle est sur le point de céder et de lui dire où sont cachées les preuves lorsqu'il s'arrête net. On martèle la porte d'entrée à coups de poing.

– FBI, ouvrez immédiatement, ou nous enfonçons la porte !

Angela est bouche bée pendant un court instant, n'en croyant pas ses oreilles. Puis, une fois remise de sa stupéfaction, elle se remet à crier de plus belle.

– Au secours ! Au secours ! Aidez-moi !

– Ferme-la ! crache Carlos d'un ton rageur en la frappant au visage du revers de la main, ce qui a pour effet de la propulser sur le mur et de l'assommer à moitié. Surtout, ne crois pas que tu vas t'en tirer comme ça, salope.

Il lui lance un regard meurtrier. Comme il n'a pas l'autorisation de la tuer avant d'avoir obtenu les preuves, il décide de remettre ça à plus tard.

– Ce n'est que partie remise, lance-t-il en pivotant sur ses talons avant de sortir en flèche de l'appartement.

Un bruit de tonnerre suivi d'un épouvantable craquement en provenance de la porte d'entrée retentit soudain. Puis, il est suivi d'un second, et la porte s'ouvre à la volée pour venir cogner durement contre le mur du vestibule. Angela, que ses jambes menacent de trahir, se dirige vers l'entrée en titubant pour finalement venir s'effondrer dans les bras de Karen, qui était accourue vers elle.

— Où est-il ? demande Karen en remettant son arme dans son holster.

Angela pointe vers l'arrière, et Karen fait signe à DaSylva et aux deux autres policiers en uniforme qui le suivaient d'y aller. Ils se précipitent immédiatement dans le couloir menant à l'arrière en levant leurs armes. Karen entend les pas hâtifs des trois hommes dans le couloir, puis dans l'escalier de secours. Ils sont arrivés trop tard. Carlos a descendu l'escalier à la hâte et disparu parmi le dédale de ruelles qui s'étirait à l'arrière des immeubles voisins.

Karen aide Angela, qui tremble encore de peur, à s'asseoir sur le divan du salon. Angela pousse un soupir lorsqu'elle voit Frank qui franchit calmement le seuil de la porte brisée pour se diriger vers elles. Il semble soulagé qu'elle n'ait rien. Leurs regards se croisent, et la tension qui tout à l'heure raidissait le cou d'Angela cède graduellement. C'est la troisième fois qu'elle passe à deux doigts de la mort.

— Il a disparu, dit-il finalement en s'adressant à Karen.

Puis, il se tourne vers Angela, l'air inquiet.

— Ça va ?

Quand il voit qu'elle tremble, DaSylva s'approche et passe un bras autour de ses épaules. Il ressent de l'affection pour cette fille, et elle l'intrigue. Il la considère plusieurs secondes alors que, encore sous le coup de l'émotion, elle enfouit son visage contre son torse en essayant de se calmer.

Puis, comme si elle prend soudainement conscience de l'ambiguïté de la situation, Angela le repousse et, l'air sincèrement agacée, s'adresse à Karen.

– Il était à peu près temps que vous arriviez ! lance-t-elle sur un ton agressif. Qu'est-ce que vous foutiez ? J'ai failli y laisser ma peau !

Désemparé par son ton un peu trop cassant, DaSylva la regarde d'un air incrédule.

– Vous n'êtes pas la seule que nous devons protéger Angela, vous savez, dit-il finalement. Vous devriez plutôt nous remercier de vous avoir sauvé la vie.

Karen non plus n'en croit pas ses oreilles. Elle secoue la tête. *Heureusement que l'ingratitude ne tue pas, car si c'était le cas, Angela serait sûrement morte depuis longtemps*, pense-t-elle avec un léger sourire à la commissure des lèvres. Son sourire s'efface cependant lorsqu'elle aperçoit un des agents qui s'approche en tenant la cage du satané cabot d'Angela. Cette dernière relève la tête et s'arrête net de pleurer à la vue de Riki. Dès qu'on le libère de sa cage, le Poméranien saute sur les genoux de sa maîtresse et vient se nicher confortablement entre elle et DaSylva, qui essayait de consoler la belle Angela.

Karen lui lance un regard acerbe.

– Et les preuves ? lui demande-t-elle. Vous ne les lui avez pas données, j'espère ?

Angela lui jette un regard vexé.

– Bien sûr que non ! s'exclame-t-elle. Pour qui me prenez-vous ? Je ne suis quand même pas conne à ce point-là !

Karen la fixe d'un air sévère.

– Il serait à peu près temps de nous les remettre, Angela.

Angela lui jette un regard de défi.

— Pourquoi là, maintenant ? Pourquoi pas au tribunal demain ?

— Parce que tant que vous êtes en leur possession, vous êtes une cible de choix pour Carlos.

— D'accord, je vous les donne. Mais vous n'oubliez pas votre promesse, n'est-ce pas Karen ?

Karen la regarde d'un air étonné.

— Quelle promesse ?

— Vous m'avez promis de vous occuper de ma sœur et de Riki si jamais il m'arrivait quelque chose.

— Oui, oui, d'accord, lui jette Karen avec une lueur d'impatience dans les yeux.

— Ne vous inquiétez pas, Angela. Il ne vous arrivera rien, la rassure DaSylva.

Angela affiche soudain un air sévère alors qu'elle saisit Riki et lui enlève son collier pour le tendre sèchement à Karen.

— Elles sont là, vos preuves.

— Si c'est une blague, Angela, je ne la trouve pas drôle, lance Karen, de mauvaise humeur.

— Ce n'est pas une blague, Karen, déclare Angela, offusquée. Elles sont dans une clé USB que j'ai insérée dans le collier.

Karen secoue la tête en examinant le collier. Elle se tourne vers DaSylva en affichant un air incrédule.

— Eh bien, je n'en reviens pas. Elles étaient là, sous notre nez, durant tout ce temps, autour du cou de ce sale cabot, et nous ne nous en sommes jamais doutés.

DaSylva regarde Angela et lui sourit. Puis, il fait un clin d'œil à sa collègue.

– Pas aussi bête qu'elle veut bien nous le faire croire, n'est-ce pas Karen ?

Karen opine et se dirige vers la sortie, le collier en main. Avant de franchir le seuil de la porte, qui pend sur ses gonds, elle se retourne et fait signe à DaSylva de la suivre.

– Allez, viens, Casanova, il faut tout de suite aller porter ça à la substitut du procureur, ça presse. Elle en a besoin pour bien préparer sa cause.

Puis, elle fait signe de la main à Angela.

– Bye, et à demain Angela.

Celle-ci, encore sous le choc, retourne faiblement son salut.

– Ouais, c'est ça, à demain. Si je suis encore en vie ! marmonne-t-elle en se dirigeant vers la chambre à coucher.

26

Après s'être douché et rasé, Harris décide qu'il a une faim de loup et se dirige vers la cuisine, où il se plante devant la porte ouverte du réfrigérateur. La vue du Chianti, du fromage mozzarella et des légumes — botte de carottes, pied de céleri, persil, tomates et poivrons rouges — lui suggère de mijoter une sauce à l'italienne. Il se tourne vers le garde-manger et constate qu'il contient tout ce qu'il faut pour confectionner une lasagne : l'ail, les pâtes, ainsi que l'huile d'olive.

Il se sert un verre de vin, qu'il boit en cuisinant. Il ne reste que quelques minutes avant que la lasagne soit prête lorsqu'il entend le bruit des clés dans la serrure de la porte d'entrée. Il se dit que ça doit être Karen qui revient de son rendez-vous avec la substitut du procureur.

— Hum, ça sent bon, dit Karen dès qu'elle met pied à l'intérieur de l'appartement.

Elle se dirige vers la cuisine et s'approche lentement de Marc. Karen sourit lorsqu'elle voit qu'il porte son tablier à fleurs favori arborant l'inscription « SORTEZ DE MA CUISINE » qu'elle a acheté lors de l'une de ses rares excursions au bazar de la 21e Rue.

— Les fleurs te vont bien, dit-elle sur un ton coquin.

Elle se rapproche et lui pose une petite bise sur la joue.

Il lui retourne son regard amusé.

— Je mérite plus que ça, dit-il en la saisissant par la taille.

Tout en affichant un petit sourire espiègle, elle le repousse à bout de bras.

— Ah oui, comment ça ? demande-t-elle sur un ton aguichant.

— La bouffe d'un grand chef, ça vaut son pesant d'or, tu ne crois pas ? demande-t-il en se pressant contre elle.

— Ça dépend, dit-elle sur un ton faussement hautain. Il faut d'abord voir s'il s'agit effectivement d'un mets de premier choix.

Elle l'éloigne de nouveau et, après avoir retiré son veston, va s'asseoir à table et attend qu'il la serve.

Harris sort la lasagne du four et la pose sur le plan de travail. Il lui sert une coupe de vin rouge et place une gerbe de persil sur les deux portions qu'il vient de tailler dans la lasagne pour les déposer dans les assiettes.

— Voilà, dit-il sur un ton officiel. Madame est servie.

Tout en se régalant de la lasagne et en dégustant le Chianti, Karen met Marc au courant des derniers événements. Le sourire de Marc s'efface pour laisser place à un air de frustration. Il est étonné d'apprendre qu'Angela a une nouvelle fois été victime d'un attentat ; il est d'autant plus surpris d'apprendre que Carlos est l'agresseur. Il n'a pourtant pas informé Carlos d'où se trouvent les preuves, même si c'est ce qu'il est censé faire. Comment a-t-il retrouvé Angela ? Il pose la question à Karen, qui lui répond sans hésiter que c'est sûrement parce qu'il a mis son téléphone portable sur écoute.

— Si ça te paraît tellement évident, c'est parce que tu étais déjà au courant. Pourquoi est-ce que tu ne me l'as pas dit ?

Elle secoue la tête en avalant une bouchée.

— Parce que j'avais seulement une intuition, et que je ne voulais pas t'alarmer inutilement.

— Alors, maintenant que le procureur a ses preuves, notre plan est à l'eau, c'est ça ? demande Harris en arborant un regard défaitiste.

— Pas du tout, rétorque Karen. À l'instant où on se parle, l'avocat de Cardenas doit déjà avoir averti Carlos qu'on les a. Donc, ça renforce notre crédibilité à lui offrir les vraies preuves en échange de la… euh, Jessica, c'est bien ça ?

Harris lui sourit.

— Oui, c'est bien ça. Et où en sont vos techniciens avec la fausse vidéo ?

— Elle sera prête demain, dans le courant de la journée. Mais nous n'en aurons peut-être pas besoin.

Harris lui jette un regard interrogateur.

— Comment ça ?

— Eh bien, commence Karen d'un ton neutre, j'ai contacté un ami au B.C.N., Alejandro Féras, que j'ai connu à l'académie du FBI, afin de savoir s'il n'aurait pas eu vent de quelque chose.

— Et ? demande Harris, anxieux de connaître la suite.

— Et il m'a dit que, bien sûr, il est au courant pour Jessica et qu'il va tout mettre en œuvre pour la retrouver. J'attends son appel ; c'est tout ce que j'ai pour l'instant.

– Pourquoi ne me l'as-tu pas dit avant ?

– Parce que je ne voulais pas te créer de faux espoirs.

Un silence lourd s'installe avant que Karen ne reprenne la parole.

– Au sujet de Carlos : mon dessinateur attend toujours ta visite pour faire son portrait-robot.

– Désolé, s'excuse Harris. Je me suis rendormi après ton départ. J'irai demain à la première heure. Ça te va ?

– Le plus tôt on pourra faire circuler son portrait, le mieux ce sera. J'ai assez hâte de lui mettre la main au collet.

– Et moi donc ! s'exclame Harris.

Karen plisse les sourcils en le détaillant, puis hoche la tête.

– En tout cas, tu as bien meilleure mine qu'hier soir.

– Encore une fois, je suis désolé de t'avoir faussé compagnie, Karen.

Tout au long de la conversation, Marc hoche la tête et boit les paroles qui sortent de ses lèvres roses et douces. Il essaie de ne pas trop la fixer du regard pour ne pas la mettre mal à l'aise, mais c'est plus fort que lui. Il est complètement subjugué par ses battements de cils, ses regards baissés, son magnifique sourire et son esprit vif comme l'éclair.

– C'est délicieux. Vraiment, tu ferais un bon chef.

Au grand étonnement de Marc, elle se lève de table et vient s'asseoir sur ses genoux.

– Maintenant, le dessert, dit-elle lascivement en déposant un baiser dérobé sur sa joue.

Elle renverse la tête en arrière, lui offrant sa gorge. Il dépose sur son cou, ses lèvres et le lobe de son oreille une série de petits baisers brûlants qui ne font qu'attiser un peu plus son désir. Les lèvres de Marc sont chaudes, fermes, affamées, et dès l'instant où elles se posent sur les siennes, Karen les goûte avec la même intensité fébrile. Immédiatement, elle aime le goût de Marc. Ça fait des années (depuis le départ de Steve) que personne ne l'a embrassée et qu'elle n'a pas eu de contact physique avec un homme.

Marc sent son désir s'enflammer. Il la serre contre lui, savourant la douce tiédeur de ses lèvres pulpeuses. Sa main furète sous sa blouse de soie. Un frisson lui parcourt la colonne lorsqu'il caresse ses seins doux et fermes.

Elle sent durcir les pointes de ses seins, le plaisir l'électriser. Les mains de Marc descendent le long de son dos, la plaquant contre lui. Elle lui caresse la nuque et glisse ses doigts dans ses cheveux. Elle l'embrasse avec passion en retirant sa chemise, et il retire sa blouse avec une telle précipitation que quelques boutons roulent sur le sol.

Karen se lève et l'entraîne vers la chambre à coucher du premier étage. Pendant qu'elle descend lentement la fermeture à glissière de son jeans, il déboutonne sa jupe, qu'il laisse tomber sur l'épaisse moquette de la chambre. Il glisse hors de son pantalon et l'attire sur le lit. L'instant d'après, elle sent ses lèvres qui déposent un chapelet de baisers sur ses seins, son ventre, ses hanches et le long de sa cuisse. Puis, il retire sa petite culotte et sa main se glisse entre ses cuisses, où elle entame un délicieux va-et-vient jusqu'à ce qu'une lamentation monte de la gorge de Karen.

Enfin, il est en elle. De nouveau, leurs lèvres se retrouvent et dans un ultime baiser, son dos se cambre et elle rejette la tête en arrière en gémissant. Elle est encore au sommet du plaisir lorsque, dans un grognement sourd, il jouit en elle.

Ils se comportent comme deux affamés qui ont été privés de plaisir sexuel depuis tellement longtemps qu'ils n'arrivent pas à se satisfaire. Mais l'ardeur de leurs ébats a bientôt raison d'eux, et Marc roule sur le côté d'épuisement, les cheveux et le corps humides de transpiration. Sans parler, ils laissent la fatigue s'écouler lentement de leurs corps entrelacés. Puis, c'est Marc qui reprend la parole en premier.

– Il était temps, dit-il en caressant de ses doigts ses longs cheveux aux mèches cuivrées.

Elle le fixe d'un regard sévère.

– Ne te fais pas d'illusion. Je ne suis pas une fille facile et les histoires d'un soir ne m'intéressent pas. Si jamais il te vient à l'idée de me plaquer après ce que nous venons de faire, le menace-t-elle en le regardant droit dans les yeux, je te colle un procès !

– Aucune crainte, je fuis les procès comme le feu, dit-il en affichant un petit sourire satisfait.

Karen éclate de rire. Elle roule sur lui.

– Tant mieux, car tu n'as encore rien vu. Le meilleur est à venir.

27

À sa sortie du Condé Nast Building de Times Square, Sonia traverse la rue puis s'engage dans une allée pour se rendre au coin de Lexington Avenue, où se trouve le magasin Bloomingdale's ; il est plus facile d'y trouver un taxi. Le chauffeur, un jeune homme aux cheveux blonds et au look de surfeur, la reconnaît immédiatement. Il se tourne vers elle.

— Vous ne seriez pas…

Il hésite durant une fraction de seconde.

— … le célèbre mannequin du magazine *Cosmopolitan* ?

— *Vogue*, dit-elle sèchement.

— Ah oui, c'est vrai, *Vogue*, dit-il en déclenchant le compteur. Où allons-nous ?

Elle lui donne l'adresse que la substitut du procureur lui a donnée et s'affale sur le siège. Sonia ferme les yeux et instantanément, les images du meurtre de ses parents lui reviennent à la mémoire. L'estomac noué, la gorge serrée, elle regarde sans les voir les façades des maisons de style colonial de ce quartier huppé de Manhattan qui défilent derrière la vitre. Elle ne remarque pas plus la circulation intense, ni les arbres pleins de bourgeons qu'arbore Central Park à ce temps-ci de l'année.

Bien qu'il y ait une auto-patrouille garée à proximité, le blondinet ignore le panneau interdisant le stationnement et se gare directement devant l'entrée de l'immeuble à appartement en brique rouge de 10 étages ; elle donne sur une allée circulaire bordée d'arbres à l'avant.

— Vous y êtes, dit-il en se retournent.

Les paroles du chauffeur la tirent de sa rêverie et elle paie la course avant de sortir du véhicule. Dès qu'elle est descendue, le taxi démarre en trombe, un peu avant que l'un des deux policiers s'extirpe de l'auto-patrouille et lui lance un regard noir.

Alors qu'elle s'apprête à gravir les quelques marches menant à la porte d'entrée de l'immeuble, Sonia aperçoit le policier qui vient vers elle. Il l'apostrophe en lui demandant de s'identifier. Elle sort son porte-monnaie de son sac à main et lui présente ses papiers d'identification. Il y jette un rapide coup d'œil et les lui remet en lui disant :

— Pas de problème Mademoiselle Perez, vous pouvez monter.

Après la visite impromptue de Carlos hier soir, Angela est sur les nerfs et sursaute lorsqu'elle entend la sonnerie de la porte d'entrée. Qui peut bien se présenter à cette heure-ci ? Puisqu'ils l'ont laissé monter, il s'agit sûrement de quelqu'un du FBI. Personne d'autre ne sait où elle habite, sauf peut-être le psychologue qu'on lui a assigné à son arrivée à New York, et elle n'est vraiment pas d'humeur à se faire psychanalyser.

— Si c'est lui, je le vire séance tenante ! marmonne-t-elle en s'approchant nerveusement de l'interphone et en pesant sur la touche « Parler ». Oui ? Qui est là ? demande-t-elle sur un ton bourru avant de peser sur la touche « Écoute ».

Il y a un instant de silence puis, alors qu'Angela est sur le point de relâcher la touche, elle entend une voix qui lui semble étrangement familière.

— C'est moi, Sonia.

Angela est tellement étonnée qu'elle en oublie de peser sur la touche déclenchant l'ouverture de la porte d'entrée. L'instant d'après, la sonnerie résonne de nouveau ; cette fois, elle s'empresse d'ouvrir.

Lorsqu'elle voit sa sœur apparaître sur le seuil de la porte, l'émotion est tellement forte qu'Angela se fige sans rien dire, incapable de prononcer un seul mot. C'est Sonia qui entame la conversation.

— Alors, est-ce que tu m'invites à entrer, ou quoi ?

Angela finit par réagir et la guide vers le salon.

Sonia la toise des pieds à la tête et fronce les sourcils lorsqu'elle aperçoit les yeux cernés de sa sœur.

— Alors, comment vas-tu, Angela ?

— Ça pourrait être pire, lui répond celle-ci en l'invitant à s'asseoir.

— Je sais. Maître Reynolds m'a appris que tu as encore une fois bien failli y rester.

Angela écarquille les yeux.

— Tu connais la substitut du procureur, toi ? Comment ça se fait ?

— Ce serait trop long à t'expliquer. Disons simplement que je me suis portée volontaire pour témoigner contre Cardenas lorsque j'ai appris qu'on lui faisait un procès pour la drogue et le meurtre de nos parents. C'est maître Reynolds qui m'a appris que tu étais leur unique témoin et que mon témoignage pourrait certainement aider à le faire mettre en prison.

– Tu as quelque chose sur Cardenas qui pourrait le faire condamner ?

– Oui. J'ai vu Carlos, l'assassin de nos parents, quitter la Villa del Bravo juste avant de constater leur décès.

Il y a un moment de silence alors que leurs regards se croisent et qu'Angela toise sa sœur d'un air défait.

– Je… je l'ignorais. Ç'a dû être un choc terrible pour toi quand tu les as découverts… morts tous les deux, finit-elle par dire, la larme à l'œil. Donc, ça fait longtemps que tu le sais.

– Longtemps que je sais quoi ? demande Sonia, intriguée par le sous-entendu de la question.

– Bien… qu'ils sont morts.

– Oui, pas toi ?

Nouveau moment de silence.

Quelque chose la turlupine, pense Sonia en retenant ses pleurs. Sans grand étonnement, elle voit Angela qui revient à la charge.

– Comment peux-tu être sûre que c'était bien lui ?

– Carlos ? Je l'ai reconnu sur un portrait-robot que la substitut du procureur m'a montré.

– Mais ça ne prouve pas que c'est Cardenas qui l'a engagé.

Angela paraît réfléchir pendant un court instant.

– Il m'a pourtant juré qu'il n'y était pour rien ; que c'était notre papa qui était devenu trop gourmand et qui essayait de le détruire.

– Et tu as cru ce salopard ?

Sonia secoue la tête, n'en croyant pas ses oreilles.

— Pauvre conne ! Ce n'est pas pour l'argent que notre père voulait avoir la peau de Cardenas, pas du tout.

Angela se fige, stupéfaite.

— Et pourquoi d'autre, alors ?

— La dernière fois que nous nous sommes vus, papa et moi, c'est lorsque nous nous sommes croisés dans le corridor de la clinique de désintoxication alors qu'il revenait de te rendre visite. Tu te souviens de ce jour-là, n'est-ce pas ?

Angela hoche la tête avec une certaine amertume. C'était la dernière fois qu'elle avait vu son père. Elle n'avait pas compris à l'époque, lorsque, la larme à l'œil, il lui avait dit qu'il allait mettre fin à ce cauchemar. Maintenant, ses paroles prenaient un tout autre sens. Si seulement elle avait pu savoir ce qui allait se produire, les choses se seraient sûrement passées différemment. Mais il est trop tard. Une bonne minute s'écoule avant que la voix de Sonia ne la sorte de ses visions cauchemardesques.

— Angie, tu m'écoutes ?

Elle fait signe de la tête que oui.

— Comme je le disais, cette fois-là, papa s'est confié à moi. Il m'a tout raconté : comment il comptait faire payer Cardenas pour t'avoir rendue dépendante de la *meth* et avoir fait de ta vie un enfer. Il m'a raconté comment il allait lui faire perdre des millions en dénonçant son commerce de drogue à la DEA et faire mettre son cousin « El Jimmy » en prison afin qu'il sache lui aussi ce que c'était que de ne plus pouvoir côtoyer un être cher.

Les larmes embuent à nouveau les yeux d'Angela, qui fixe le vide. Puis, elle sèche ses larmes et regarde sa sœur, interloquée.

— Il a fait tout ça uniquement pour moi ?

Sonia retourne son regard.

– Eh oui. Papa haïssait encore plus Cardenas que toi et moi le haïssons, Angie. C'est d'ailleurs ce qui a causé sa perte. J'ai bien essayé de le faire changer d'idée, mais il ne voulait rien savoir. Il n'avait qu'une seule idée en tête : se venger de lui.

Angela détaille sa sœur comme si elle la voyait pour la première fois. Elle est assise sur le canapé, ses longues jambes effilées serrées l'une contre l'autre, mises en valeur par une paire d'escarpins à talons hauts. Son tailleur de femme active souligne la féminité de son corps. Elle constate avec étonnement que Sonia a conservé sa silhouette et la plupart de ses expressions de jeune fille. Quelques mèches échappées de son chignon encadrent son visage et font particulièrement ressortir la finesse de ses traits et de ses grands yeux verts. *Ça lui donne un air séduisant et fragile à la fois,* pense Angela, *l'innocence faite femme. Belle comme jamais. Aucun homme digne de ce nom ne doit pouvoir lui résister.*

Et l'espace d'un instant, Angela aussi se revoit plus jeune : une jeune *señorita,* belle comme un cœur et naïve comme deux, qui croit encore aux princesses et chevaliers servants, avec un large sourire et toute la vie devant elle.

– Angie, tu es toujours là ?

L'instant d'après, avec les paroles de Sonia, le sombre nuage du destin balaie de son souffle ces images de bonheur et elles s'évaporent pour ne laisser qu'un immense vide dans son cœur d'enfant et faire place à la dure réalité de sa pitoyable existence. Angela se ressaisit et fixe sa sœur avec un regard empreint de nostalgie.

– Et toi, tu as l'air en pleine forme. Qu'est-ce que tu deviens ? s'informe-t-elle.

Sonia lui rend son regard.

— Moi ? On pourrait dire que ça va. Je fais un travail que j'aime, et je suis en bonne santé.

— As-tu un copain ?

Sonia s'efforce de prendre un air nonchalant mais ne parvient pas à cacher son agacement à Angela, qui ne la quitte pas des yeux.

— Je ne voulais pas être indiscrète, Sonia. Si tu ne veux pas répondre, c'est correct comme ça. Je comprends.

— Non, ça va. Tu sais comment c'est. Les gars intéressants, ou bien ils sont mariés, ou bien ils sont homosexuels. Moi, j'ai un copain et il est homosexuel. De toute façon, en ce moment, le sexe est le dernier de mes soucis.

Elle regarde sa sœur d'un air nostalgique.

— Tu te souviens, Angie, du ranch de papa, à Zihuatanejo, quand nous faisions des promenades à cheval dans les sentiers montagneux jusqu'à Ixtapa ?

Angela hoche la tête avec un large sourire aux lèvres.

— Oui, je m'en souviens très bien. Et après la balade à cheval, nous allions nous baigner à la Playa… comment elle s'appelait déjà, cette plage ?

— La Playa Linda. Mais nous n'y allions pas seulement pour nous baigner, dit-elle avec un petit sourire moqueur. Les jeunes professeurs de plongée et les animateurs musclés et bronzés à la perfection y étaient également pour quelque chose !

Toutes les deux éclatent d'un rire franc. *Ça fait du bien de rire à nouveau*, pense Angela.

— Qu'est-ce que tu dirais d'y retourner ? demande Sonia sur un ton nostalgique.

Angela lui lance un regard interrogateur.

– Quand ça ? Maintenant ?

Angela voit les traits de sa sœur se tendre.

– Non, dès que le procès sera terminé. Il faut d'abord faire payer ce salaud.

– Tu penses vraiment que ce salopard de Cardenas sera inculpé pour meurtre ?

Sonia fait une moue dubitative.

– Comme moi, tu ne fais pas confiance au système de justice, n'est-ce pas Angie ?

Elle la regarde droit dans les yeux.

– Honnêtement, crois-tu que ton témoignage et tes preuves vont le faire condamner ?

Angela secoue la tête.

– Pas vraiment, non. Mais l'agente Karen Newman le croit, elle, et c'est ce qui compte.

– Le FBI ! s'exclame Sonia. Je ne crois pas qu'ils sont plus dignes de confiance que les autres.

– Moi, oui, affirme Angela sans hésiter. Elle et Frank m'ont déjà sauvé la vie au moins trois fois depuis que je les connais, et ça me suffit.

Le visage de Sonia se durcit, son regard s'assombrit. Elle demeure songeuse pendant un moment, le regard dans le vide. Elle revoit encore une fois le sourire froid qui est apparu sur le visage du tueur alors qu'elle croisait son regard dans le sentier qui menait à la villa de ses parents. Maintenant, tout ce qu'elle a à faire, c'est tuer un homme, et la vie pourra reprendre comme avant ; enfin presque. Bien sûr, cela ne ramènera pas leurs parents, mais ça éliminera Cardenas de leur vie à jamais.

– On n'est jamais aussi bien servi que par soi-même, déclare finalement Sonia. Aussi, j'ai décidé de faire le travail moi-même.

Le visage d'Angela trahit une réelle anxiété.

– Que vas-tu faire ? demande-t-elle à sa sœur cadette en la regardant fixement.

Sonia lui jette un regard déterminé.

– Ça serait trop long à expliquer ; disons simplement que je vais m'arranger pour que ce salaud disparaisse de notre vie à tout jamais.

– Tu ne vas pas faire une bêtise, n'est-ce pas Sonia ? l'interroge Angela d'une voix tremblante d'émotion. Je ne pourrais pas supporter qu'il t'arrive quelque chose.

– Ne t'en fais pas pour moi, Angie. Je me suis toujours bien tirée d'affaire jusqu'ici, tu le sais, et je ne vois pas pourquoi ça changerait.

Leurs regards se croisent et Angela peut lire dans les yeux de sa jeune sœur une détermination qu'elle-même n'a jamais eue. Elle lui jette un regard admiratif. Elle sait très bien que Sonia réussit tout ce qu'elle entreprend. Sonia a toujours été frondeuse et ne manque pas de cran. Dès son jeune âge, et d'un seul coup d'œil réprobateur, elle pouvait faire détourner le regard du gars le plus endurci de l'école et remettre un garçon un peu trop entreprenant à sa place.

– Bon, c'est bien beau tout ça, dit Sonia en se levant d'un trait pour se diriger vers la sortie, mais je dois retourner au travail. Nous nous verrons au tribunal.

Angela l'accompagne jusqu'à l'entrée.

– Fais attention à toi, Sonia. Tu es la seule famille qui me reste.

Sonia la serre dans ses bras et dépose un baiser sur sa joue.

– Toi aussi, fais attention. Surtout, pas de folies. Fie-toi à moi.

Elle la regarde droit dans les yeux.

– Ne t'en fais plus avec Cardenas. Je te l'ai dit, je m'en occupe. Bye Angie.

Puis, elle tourne les talons et disparaît dans l'ascenseur. Angela reste plantée là, sur le seuil de la porte, à fixer le vide, en priant Dieu pour que rien n'arrive à sa jeune sœur.

28

Centre de détention de Rikers Island
New York

Le gardien, Kyle Brenner, un solide et grand gaillard de 1 mètre 85 à la mine renfrognée, s'approche de sa cellule et l'ouvre.

– Hé Cardenas, tu as de la visite. Amène-toi.

– Qui ça ? demande Cardenas sur un ton indifférent.

– Ton avocate, espèce de trou du cul, répond Brenner sur un ton hargneux. Je me demande ce qu'elle peut bien te trouver. Ça doit te coûter la peau des fesses pour qu'elle accepte de s'occuper de toi, espèce de pourriture. Une chose est sûre, je ne lui ferais pas de mal si j'étais seul avec elle.

Cardenas le toise d'un air moqueur.

– Dans tes rêves. Tu ne t'es pas regardé dans une glace dernièrement, espèce de sale con.

Brenner lui assène un coup de matraque dans les côtes. Bien qu'il fasse l'objet de nombreuses plaintes auprès de la direction de l'établissement, Brenner ne se gêne pas pour maltraiter les prisonniers d'origine hispanique qui ont le malheur de tomber sous sa poigne de fer. Il les déteste, tout simplement. Depuis qu'un revendeur latino-américain est entré chez sa sœur et l'a poignardée à plusieurs reprises pour une poignée de dollars, il a pris ce boulot en se jurant de faire payer ces crapules. Et il s'en donne à cœur joie avec Cardenas depuis son incarcération.

– Hé, je vais me plaindre à la direction, s'écrie Cardenas.

Brenner, un sourire fendu jusqu'aux oreilles, lui assène un autre coup de bâton en le poussant dans l'étroit corridor menant à la salle des visites.

– Ta gueule ! Avance, tas de merde.

Cardenas lui jette un regard noir avant d'entrer dans le carré des visites et d'aller s'asseoir derrière la paroi de verre blindé qui le sépare de son avocate. Vêtu d'une combinaison orange, ses cheveux châtains tirés en queue de cheval, il se tient droit sur son siège, la respiration bien égale, très calme. Les récents événements ne semblent pas avoir affecté outre mesure son attitude. Il est à l'aise, comme s'il s'apprêtait à échanger de vieux souvenirs devant une *cerveza*. Il pose sur l'avocate un regard glacé au fond duquel elle croit discerner une lueur meurtrière. Finalement, il lui jette un air condescendant avant de décrocher l'écouteur.

– Alors, maître Diaz, j'espère que vous m'apportez de bonnes nouvelles.

Carmen Diaz secoue la tête et inspire profondément. Rester calme ne sera pas facile.

– J'ai bien peur que non, dit-elle. Non seulement le témoin principal de l'accusation se porte-t-il toujours bien et les preuves n'ont-elles pas été détruites, mais l'accusation a réussi à dénicher un nouveau témoin. Votre envoyé spécial a échoué sur toute la ligne.

Cardenas écume de colère. Il ne se départait que rarement de son masque de glaciale impavidité, mais là, ça dépassait les bornes. Il se penche en avant et la dévisage d'un air meurtrier.

— Vous voulez dire que Carlos a raté son coup et que la *puta* d'Angela est toujours en vie ?

Le ton est tranchant comme la lame d'un couteau bien affûté.

— J'avais dit qu'il fallait l'éliminer définitivement !

Il secoue la tête.

— Carlos est pourtant le meilleur qui soit pour ce genre de travail. Je ne comprends pas ce qui a bien pu se passer.

Elle hésite un instant.

— Le témoin est sous surveillance rapprochée, répond nerveusement l'avocate.

Cardenas la regarde d'un air contrarié. Puis, il plisse les yeux.

— Et qu'est-ce que c'est que cette histoire de nouveau témoin ? De qui s'agit-il ?

— De la sœur cadette d'Angela, Sonia Perez.

— Et ce n'est que maintenant que vous m'en informez ! Mais qu'est-ce que vous foutiez au juste ? Vous étiez censée m'informer de ce genre de détail ; c'est pour ça que je vous paie grassement. Pourquoi ne l'avez-vous pas fait ? demande Cardenas sur un ton agressif.

Elle affronte son regard. Carmen Diaz s'est appliquée à ne plus être dérangée par ce regard menaçant, certaine qu'il l'a travaillé pour en faire une arme d'intimidation.

— Tout simplement parce que je l'ignorais, répond-elle sans broncher.

Cardenas la fixe de nouveau de son regard cruel. Elle lui tape royalement sur les nerfs et il s'en débarrasserait séance tenante s'il était ailleurs qu'ici, mais il ne peut pas ; il a besoin d'elle pour faire ses petites commissions.

– Il ne faudrait plus que cela se reproduise, sinon je n'ose penser à ce que mes collaborateurs pourraient faire à votre famille.

Diaz avance le torse vers la vitre qui les sépare et lui renvoie un regard d'acier qui ne laisse rien paraître de son intimidation.

– Inutile de me menacer, *señor* Cardenas, réplique Diaz avec un regard aussi menaçant que celui de son client. Pensez plutôt à ce que vous allez faire de Carlos lorsque le FBI lui mettra la main au collet, car j'ai l'impression que cela ne saurait tarder. Voulez-vous que j'assume sa défense ?

– Pour quoi faire ?

– Pour l'empêcher de témoigner contre vous. Le procureur lui fera sûrement une offre de peine réduite s'il accepte de dénoncer son commanditaire.

– Carlos connaît les conséquences d'une telle dénonciation ; il n'oserait jamais le faire.

– Peut-être bien, dit l'avocate, sauf qu'il a le FBI à ses trousses et que s'ils l'attrapent, il fera face à la peine capitale. Le couloir de la mort, ça fait réfléchir le plus endurci des criminels, vous savez.

Il serre les lèvres. Pour la première fois, il semble moins sûr de lui.

– Ça va, j'ai compris. Faites passer le message à Carlos ; qu'il s'arrange pour que je sorte d'ici au plus vite, j'ai des comptes à régler.

Après que Diaz lui a fait signe qu'elle en a terminé, Brenner, qui pour des raisons de sécurité et de confidentialité est demeuré de l'autre côté de la porte du box durant toute la durée de l'entrevue, hoche la tête et s'approche de Cardenas.

— Les visites sont terminées, dit-il sèchement. Allez hop ! on se bouge, Cardenas. J'ai pas que ça à faire, moi.

En se levant pour quitter la pièce, Cardenas regarde l'avocate avec un petit sourire narquois.

— Au revoir, maître Diaz, dit-il sur un ton moqueur. Prenez bien soin de votre vieille mère. J'espère qu'elle se rétablira vite.

Carmen Diaz le regarde d'un air méfiant et serre les poings, puis elle se lève à son tour et attend qu'on l'accompagne hors du box.

— Espère de vipère ! marmonne-t-elle en attrapant son manteau sur le dossier de la chaise.

Une fois à l'extérieur, elle sort son téléphone portable de sa poche de veston et compose le numéro de Carlos.

De retour dans sa cellule, Cardenas constate qu'il a du courrier. Il prend la carte postale qu'un gardien a dû déposer là, durant son absence, sur la tablette près du minuscule évier dont il se sert pour faire sa toilette le matin, et l'examine de plus près. D'un côté, il y a un magnifique paysage des environs de la station balnéaire mexicaine d'Acapulco, et de l'autre, en dessous de la description du paysage, un message lui est adressé.

Alors, Eduardo, on se paie des vacances aux frais des contribuables américains !

Je voulais juste te rappeler que nous avions une entente et que tu ne l'as pas respectée. Mon ami Jim Granger, du bureau du procureur, aimerait bien en savoir plus sur tes activités. À moins que tu préfères que je vende la mèche, un virement dans mon compte serait très apprécié. Bonnes vacances !

C.

Tel un enragé, Cardenas déchire la carte postale en mille morceaux avant de s'exclamer :

– Espèce de sale traître, je vais t'en payer des vacances… en enfer !

29

Les représentants des deux parties entrent, suivis de Cardenas et ses deux gardiens, puis du juge Alexander Caldwell. Le magistrat s'adresse aux candidats sélectionnés d'un ton qui ne laisse planer aucun doute sur le sérieux de ses intentions.

– Douze d'entre vous seront convoqués comme jurés, et six seront retenus comme remplaçants. Il en va de votre devoir civique et moral d'exercer cette fonction. Quiconque refusera de se plier à ce devoir de citoyen sera accusé d'entrave à la bonne marche de la justice et sera passible d'emprisonnement.

Le juge Caldwell fait une pause et observe la réaction des candidats au jury. Puis, il pose son regard sur les deux avocates.

– Maître Reynolds, maître Diaz, reprend le juge Caldwell en se tournant vers elles. Je suis persuadé que vous êtes toutes deux anxieuses de poser quelques questions à ces braves gens.

Les deux avocates lui lancent un petit sourire en coin avant de faire signe au greffier de procéder.

Les jurés sont appelés un par un devant elles : pour une large part, il s'agit de mères célibataires, de petits entrepreneurs de la construction et de salariés de petites entreprises privées.

Cardenas ne semble pas vraiment préoccupé par cette procession de candidats. Les yeux dans le vide, il pianote inlassablement des doigts sur la table devant lui, attendant impatiemment que cet ennuyeux défilé tire à sa fin. Un seul des candidats semble momentanément attirer son attention : un homme au teint basané, à la barbe et aux cheveux noirs, et aux épaules carrées qui lui jette un regard furtif en se rendant devant le juge et les représentants des deux parties.

Au final, des cinquante personnes présentes, il ne demeura que les dix-huit jurés sélectionnés. Alors qu'ils se dirigent vers la sortie, Cardenas sourit lorsqu'il voit que parmi eux se trouve le travailleur de la construction solidement bâti à la barbe et aux épais cheveux noirs.

30

Felipe « Carlos » de Cordoba est parvenu à pénétrer dans le palais de justice sans éveiller l'attention de qui que ce soit en présentant tout simplement la convocation que lui a procurée Carmen Diaz. Il n'a eu qu'à falsifier le nom, l'adresse et la photo du destinataire et à se placer au bout de la file d'attente des jurés en affichant une mine aussi sombre que la plupart des autres candidats.

Alors que les autres patientent dans la salle des jurés pendant que l'huissier égrène les numéros des personnes convoquées, Carlos sort de la pièce et se rend aux toilettes situées à quelques pas de l'ascenseur qui mène à l'étage du tribunal. Une fois à l'intérieur, il prend le temps de se laver les mains en attendant que le garde de sécurité qui s'y trouve sorte.

Dès que la porte se referme sur le grand gaillard, Carlos soulève le couvercle du cabinet de toilette et y dépose le 9mm qu'il a scellé avec soin dans un sac de plastique. Avant de quitter les toilettes, il se contemple à nouveau dans le miroir. Un sourire furtif passe sur ses lèvres alors qu'il examine son postiche d'épais cheveux noirs et sa fausse barbe.

Il consulte sa montre. Il doit retourner dans la salle des jurés s'il veut être choisi. Mais ses craintes se dissipent dès qu'il remet les pieds dans la salle. Il se retient pour ne pas éclater de rire lorsqu'il voit les efforts que déploient tous ces gens afin de trouver un prétexte pour ne pas siéger au procès de Cardenas.

À sa sortie du palais de justice, Carlos se dirige vers un resto-bar du quartier de Hell's Kitchen, dans Manhattan. Accoudés au comptoir, un verre à la main, Miguel Sandoval et Diego Ramirez, les deux anciens gardes du corps de Cardenas, suivent un match de soccer opposant leur équipe nationale, le Mexique, au Brésil. Carlos s'installe à l'une des rares tables libres et les deux acolytes se lèvent pour aller le rejoindre.

– Ça fait un bail, Carlos, dit Sandoval en prenant place devant lui.

– Je ne m'en plains pas, répond sèchement Carlos.

– Toujours aussi sympathique, Carlos, réplique Sandoval avec arrogance.

Carlos fixe celui-ci d'un regard dur.

– On n'est pas ici pour socialiser. En plus, si ça ne dépendait que de moi, vous seriez tous les deux en train de bouffer des pissenlits par la racine, sales traîtres.

– Holà, on se calme, Carlos, lance Ramirez.

Diego lui jette un regard méfiant.

– On t'a déjà expliqué qu'on n'a pas le choix. C'est Mike le sale traître, pas nous.

– Harris, corrige Carlos.

– Quoi, Harris ? demande Sandoval.

– Mike n'est pas son vrai nom ; c'est Marc Harris, de la SQ.

– Comment sais-tu ça ?

— J'ai mes sources, répond Carlos sèchement.

Puis, il jette un regard autour de lui, avant de déclarer :

— En tout cas, vous me faites perdre mon temps. Ce n'est pas pour ça que je vous ai fait venir ici. Je voulais être sûr que vous aviez bien suivi mes instructions.

— Pour qui tu nous prends ? demande Sandoval. Des amateurs ?

Carlos pousse un soupir d'impatience. *Non, des sales traîtres,* est-il sur le point de répliquer, mais il se ravise. Ça ne sert à rien de s'obstiner avec ces deux-là.

— Exactement, répond-il plutôt sur un ton tranchant en leur jetant un regard de glace. Vous avez trouvé le fourgon comme demandé ?

— Ouais, répond Sandoval.

Il regarde Ramirez avec un petit sourire en coin.

— Sauf qu'il y a juste un problème.

Carlos le regarde avec méfiance.

— Lequel ?

— On ne sait pas trop si tu vas aimer la couleur.

Sur ce, les deux acolytes pouffent de rire.

— Idiots, se contente de dire Carlos en secouant la tête.

Il lance un regard noir à Sandoval avant de lui demander sèchement :

— Et la bombe, elle est en place ?

Les deux acolytes hochent la tête en même temps.

— On l'a placée dans la boîte postale au coin de la 21e Rue et de Ditmars Boulevard, comme demandé, répond Sandoval. Ça devrait faire un joli feu d'artifice.

— Ouais, et il ne faudrait pas poster un colis à cet endroit, complète Ramirez en souriant. Il ne se rendra probablement pas à destination !

Ils éclatent tous les deux de rire, comme si c'était la blague du siècle.

Carlos fait une moue de dégoût et regarde sa montre. Il leur fait signe.

– Maintenant, nous allons synchroniser nos montres. À 17h pile, je vous envoie le signal et vous vous pointez devant l'entrée de service de la 21e Rue. Compris ?

– Ouais, ouais, ça va, on a compris, rétorque Ramirez sur un ton bourru.

Il n'a pas apprécié la réaction négative de Carlos par rapport à sa blague.

Carlos se lève et quitte le restaurant aussi discrètement qu'il y est entré, sous les encouragements et les braillements de protestations des partisans pour leur équipe préférée.

– Je n'aimerais pas l'avoir comme ennemi, celui-là, marmonne Sandoval en finissant son verre.

Ramirez hoche de la tête.

– Ouais, moi non plus ! Il n'a aucun sens de l'humour !

31

Cour de justice
Comté de Manhattan, New York

Alors qu'ils escortent Angela jusqu'au tribunal à travers une interminable succession de corridors, Karen se rend compte que DaSylva n'a d'yeux que pour leur témoin et elle se met à rire. Celui-ci quitte la belle Angela des yeux et lance un regard interrogateur à Karen.

— Quoi ? Qu'est-ce qu'il y a ?

— Qu'est-ce qui t'attire le plus chez elle, dis-moi ? demande Karen aussi sérieusement que possible en se retenant de pouffer de rire.

— Pourquoi tu me demandes ça ?

— Parce que tu n'arrêtes pas de reluquer ses seins et ses fesses depuis tout à l'heure.

Karen remarque ses joues soudainement empourprées et sourit.

— Simple curiosité, dit-il sur un ton désinvolte. Je me demandais tout bonnement si ce sont des vrais, ou s'ils sont gonflés au collagène, ou bien encore si ce sont des implants. Qu'en penses-tu ?

Karen secoue la tête et pousse un soupir résigné.

– Ce que j'en pense, c'est que je ne peux pas croire qu'à ton âge, tu fantasmes encore sur les gros seins. Tu as l'air d'un collégien en chaleur. C'est à cause des hommes comme toi que les plasticiens font des affaires en or, commente Karen sur un ton sarcastique.

– Et alors ? C'est normal de vouloir savoir jusqu'à quel point elle est authentique lorsqu'on veut apprendre à connaître une personne.

– Ouais, ouais, n'essaie pas de m'entourlouper avec tes histoires d'authenticité. Reprends-toi, Frank, tu es en mission. Si tu es incapable de te concentrer, je vais devoir faire appel à quelqu'un d'autre pour m'épauler.

DaSylva la regarde d'un air offensé.

– Ça va, ça va, j'ai compris. Inutile d'en faire toute une histoire, Newman.

Lorsqu'elle se rend compte qu'ils sont arrivés à destination, Karen se détourne de son collègue pour détailler d'un œil critique leur témoin extrêmement gâté par la nature. Elle songe que sa tenue est complètement inappropriée pour une cour de justice : un haut rose bonbon extrêmement serré avec un décolleté plongeant qui ne cache rien de son opulente poitrine, une mini-minijupe suédée couleur sable, également très ajustée, et une veste en daim très moulante.

Même si elle a une opinion plutôt mitigée d'Angela, Karen décide que c'est son devoir de l'aider à faire meilleure impression auprès du juge et des jurés. Elle retire sa veste bleu marine de coupe plus classique et la tend à Angela.

– Tenez, mettez ceci, suggère-t-elle.

Angela regarde la veste d'un air dégoûté.

— Vous rigolez ? Jamais je ne porterai une telle horreur.

— Écoutez, Angela, le jury devant lequel vous allez témoigner ne doit pas avoir de mauvais préjugé à votre égard. Accoutrée comme vous l'êtes, ça m'étonnerait qu'il ait une haute opinion de vous. À mon avis, il serait bon que vous cachiez un peu votre poitrine, surtout dans le but de ne pas vous attirer la méfiance des membres féminins du jury.

Angela baisse les yeux et examine son décolleté plongeant, puis elle les ramène sur Karen.

— Vous croyez ?

Karen opine.

Angela enlève à regret sa veste en daim et prend celle de Karen pour l'enfiler. Outre le fait qu'elle aurait pu bénéficier d'un léger ajustement à la poitrine, elle aurait pu lui aller à la perfection. Alors qu'elle enfile à son tour la veste en daim ajustée, Karen se rend compte avec étonnement que, mis à part les seins bonnet C, la pin-up et elle sont presque de la même taille.

Karen tourne la tête et se met à rire lorsqu'elle voit que DaSylva a remarqué que les seins d'Angela s'agitent un peu alors qu'elle enfile la veste. *Maudits hommes, tous les mêmes,* se dit-elle en souriant. *Sauf qu'on ne pourrait pas s'en passer, même si on le voulait.*

Elle reporte son regard sur Angela et remarque son air anxieux.

— Prête ?

Angela se crispe.

— Je crois bien que oui.

— Il faut en être sûre, Angela ; sinon, mieux vaut laisser tomber.

— Que je laisse tomber ? Pour que ce salaud de Cardenas s'en tire blanc comme neige après ce qu'il a fait ? Il n'en est pas question.

— Alors, vous êtes vraiment décidée, Angela ?

— Ouais, je suis décidée. Je veux qu'il crève cet enculé !

Satisfaite de sa réponse, Karen la regarde de nouveau dans les yeux.

— Dans ce cas, allons-y !

* * *

Détenu dans des quartiers à haute sécurité spécialement aménagés pour lui dans la prison du comté de Manhattan, Eduardo Cardenas rejoint la cour de justice par un passage souterrain la reliant au centre de détention, encadré par deux marshals fédéraux de carrure imposante. Ses deux gardes l'escortent jusqu'à la salle d'audience du 4e étage, où se tient le procès, en prenant l'ascenseur au niveau du garage. Là-haut, une demi-douzaine de gardes de sécurité attendent, dispersés à intervalles réguliers autour de la pièce.

Quand il entre dans la cour du juge Caldwell, menotté et portant un costume griffé en tweed gris à fines rayures, une chemise de soie bleu pâle, une cravate jaune, avec ses cheveux et sa barbe fraîchement coupés, le baron de la drogue ne ressemble aucunement au criminel notoire que tous s'attendent à voir. Au contraire, il pourrait aisément passer pour le citoyen ordinaire que l'on croise dans la rue ou que l'on côtoie dans le supermarché du coin. La salle d'audience, toute lambrissée de chêne, est pleine à craquer ; il sourit.

Tandis que les deux armoires à glace le mènent à son avocate, Cardenas ralentit et prend le temps de saluer cordialement la substitut du procureur au passage. Sandy Reynolds le regarde sans broncher. Elle n'est pas d'humeur à plaisanter ; elle vient de passer une heure dans le bureau de Granger à répéter son réquisitoire, et elle a toujours l'impression, comme un arrière-goût, de s'être fait piéger par le procureur.

Avant de s'asseoir près de son avocate, il se retourne et balaie la salle d'un regard à la fois hautain et curieux, comme s'il cherchait quelqu'un dans l'assistance. L'ombre d'un instant, ses yeux se posent sur Angela, assise dans la rangée derrière l'assistante du procureur, et son petit sourire en coin se transforme en un rictus amer ; son regard luit d'une lueur de vengeance meurtrière.

Une fois assis, il écoute son avocate, Carmen Diaz, une jeune femme élégante aux cheveux et yeux noirs, lui murmurer d'un air sévère quelques mots à l'oreille. Puis, il se met à sourire de manière désinvolte, comme un touriste en vacances qui n'a rien à se reprocher et qui ne doit faire face qu'à une simple accusation de conduite dangereuse, plutôt qu'aux accusations criminelles pour lesquelles il risque de croupir en prison le reste de ses jours, ou pire.

La porte de côté s'ouvre et le juge Alexander Caldwell fait son entrée.

— Veuillez vous lever pour le juge Alexander Caldwell, annonce la greffière, une femme d'âge mûr aux cheveux grisonnants arborant des petites lunettes rondes.

Caldwell, un homme dans la cinquantaine aux tempes grisonnantes et au visage sévère, indique à l'assistance de se rasseoir. Le col de sa chemise fraîchement pressée, qu'on aperçoit par-dessus sa robe, est fuchsia, et sa cravate rayée en satin est d'un rouge éclatant. Il adresse un geste à la greffière, qui se dirige vers la chambre du jury.

— Faites entrer les jurés.

Dès que c'est fait et qu'ils sont installés, il se tourne vers l'avocate de la couronne.

— Êtes-vous prête, maître Reynolds ?

L'avocate sent des fourmillements parcourir sa colonne vertébrale tandis que 200 paires d'yeux se tournent vers elle.

— Je suis prête, Votre Honneur.

Sandy Reynolds se lève de derrière la table de l'accusation et fait quelques pas vers le banc des jurés. Elle marque un temps de pause avant de s'adresser à eux et d'entamer le réquisitoire le plus important de sa carrière.

— Mesdames et Messieurs du jury, l'accusation a l'intention de démontrer hors de tout doute raisonnable que l'accusé ici présent, Eduardo Cardenas, est coupable de meurtre au premier degré sur la personne de Ricardo Perez ainsi que sur son épouse, Angelina Mondego Perez.

Reynolds montre du doigt un chevalet sur lequel repose un agrandissement photographique de Ricardo Perez souriant, fêtant son 62e anniversaire avec son épouse, Angelina. Les jurés étudient l'image avec attention.

— Le 20 mars 2008, continue Reynolds, Ricardo Perez, éleveur de chevaux de race, et son épouse, Angelina, sont assassinés dans leur villa de Ciudad Juárez. Ce jour-là, un homme au crâne rasé et au regard dissimulé par des lunettes de soleil s'est introduit dans leur résidence et leur à tiré deux balles dans la tête.

Reynolds indique à nouveau le chevalet sur lequel son assistante a placé des clichés des cadavres ensanglantés pris par les *federales* mexicaines sur les lieux du crime. Quelques jurés détournent la tête de dégoût.

— Ce que prétend le ministère public, poursuit la substitut du procureur, et qui sera confirmé par notre témoin-clé, c'est que l'accusé, Eduardo Cardenas, a donné l'ordre direct de l'exécution de M. et Mme Perez et choisi lui-même le meurtrier, qu'il a ensuite rétribué sous forme pécuniaire à partir du produit de son commerce illicite de drogue. Quel est donc le motif de ce double meurtre ? Pourquoi devait-il éliminer les Perez ? Parce que Cardenas, qui fait l'objet d'une enquête judiciaire menée conjointement par le gouvernement mexicain et celui des États-Unis pour importation illégale de produits chimiques entrant dans la composition de la méthamphétamine cristallisée, une drogue qui fait de plus en plus de ravages à travers le monde, a simplement craint que les Perez, qui sont au fait de son commerce, ne le dénoncent aux autorités.

L'avocate fait une pause pour laisser aux jurés le temps de bien assimiler toutes les informations qu'elle leur débite.

— Ne soyez pas dupes, Mesdames et Messieurs du jury ; ceci n'est que la pointe de l'iceberg. Ce ne sont malheureusement pas là les seuls meurtres que l'accusé a à son actif. Il est également recherché au Mexique pour les mêmes motifs, c'est-à-dire qu'il a brutalement fait éliminer plusieurs de ses compétiteurs. Nous vous épargnerons ici l'horreur des détails.

Elle fait signe au juge qu'elle a terminé sa présentation. L'avocate de la défense se lève aussitôt et s'avance devant le banc des jurés.

— Mesdames et Messieurs du jury, l'intention de la défense est de démontrer que son client, Eduardo Cardenas, sous de fausses accusations, est victime d'une machination œuvrée entièrement par les sœurs Perez, dans le but ultime de le discréditer aux yeux de la loi et de reprendre possession des biens qu'il a acquis, légalement, lors du décès de leurs parents.

Diaz fait un large sourire aux jurés et au magistrat avant de retourner à sa place.

— Faites entrer votre témoin, maître Reynolds.

Reynolds fait un signe à Angela, et alors qu'elle s'avance timidement vers le banc des témoins, Cardenas se tourne d'un bloc pour lui jeter un regard menaçant qui en dit long sur ses intentions. Leurs regards se croisent, et lorsqu'elle voit qu'il plisse des yeux avec son petit sourire en coin, lève ses mains menottées et pointe son index vers elle comme s'il s'agissait d'une arme, Angela en a froid dans le dos.

Reynolds s'avance vers le box des témoins.

— Veuillez décliner votre identité, Mademoiselle.

— Mon nom est Angela « Crystal »... pardon, Angela Perez.

— Dites-nous, Mademoiselle Perez, quel genre de travail faites-vous ?

— Je suis actrice dans des films pornos, dit-elle le plus sérieusement du monde en observant la réaction de la salle. Ne me regardez pas comme ça ! s'exclame-t-elle en voyant tous les regards centrés sur elle, ce qui déclenche une série de rires étouffés parmi l'assistance.

Reynolds lui fait signe de ne pas s'énerver et enchaîne avec la question suivante.

– Quelles autres fonctions exerciez-vous en dehors de votre métier d'actrice ?

– J'étais escorte et je recrutais des clients pour Cardenas.

– De quel genre de clients s'agissait-il ?

– Bien, ceux qui sont sur la liste que je vous ai donnée. Vous ne l'avez pas lue ?

Plusieurs personnes dans l'assistance s'esclaffent. Reynolds se retient pour ne pas rire également. Le juge Caldwell lui adresse un air de reproche.

– Maître Reynolds, veuillez demander à votre témoin de se contenter de répondre aux questions.

– Bien, Votre Honneur.

Elle se tourne à nouveau vers Angela, et après lui avoir demandé de ne plus faire de commentaires, Reynolds poursuit l'interrogatoire.

– Pour quelle raison recrutiez-vous des clients pour monsieur Cardenas ?

– Bien, pour la drogue et le sexe, voyons, dit Angela avec un haussement d'épaules.

Nouvel éclat de rire dans l'assistance.

– Vous affirmez donc que l'accusé ici présent, Eduardo Cardenas, vendait de la drogue et procurait des escortes à vos employeurs, dont vous nous avez fourni la liste ci-présente ?

– Oui.

Reynolds se tourne vers la greffière et lui tend la liste.

– Veuillez enregistrer cette liste comme pièce à conviction numéro un.

Reynolds se tourne de nouveau vers Angela.

– Pourquoi ne l'avez-vous pas dénoncé avant ?

Angela se tasse sur son siège, visiblement mal à l'aise.

– Parce que le sale menteur a promis de ne pas toucher à ma famille si je faisais ce qu'il demandait.

– Et qu'est-ce qui a changé depuis ? lui demande Reynolds.

D'un geste nerveux, Angela rejette ses cheveux en arrière et lance un regard meurtrier à Cardenas.

– Il n'a pas tenu parole, et mes parents sont morts, exécutés par son homme de main, Carlos.

– Objection, Votre Honneur, s'exclame l'avocate de la défense. Tout ceci n'est que pure spéculation. Rien ne permet de relier mon client à ces meurtres.

– C'est ce que nous avons l'intention de démontrer, Votre Honneur, dit Reynolds.

– Objection refusée, dit le juge Caldwell d'un ton sec. Poursuivez, maître Reynolds.

– Nous en avons terminé avec notre témoin, Votre Honneur.

Le magistrat se tourne vers l'avocate de la défense.

– Votre témoin, maître Diaz.

L'avocate de la défense adresse un sourire aux jurés avant de déclarer :

– Nous n'avons pas de question, Votre Honneur. Nous croyons que l'accusation, faute de preuves, a déjà suffisamment démontré le manque de crédibilité de son témoin.

Le juge Caldwell se penche vers le microphone.

— Dans ce cas, dit-il, nous allons faire relâche pour le déjeuner.

Après avoir rappelé à tous de revenir à 13 h précises, il se lève et sort du tribunal.

* * *

De retour du lunch, Eduardo Cardenas se tasse sur sa chaise, se demandant quand cessera cette comédie ridicule qui l'ennuie au plus haut point. Son impatience croît à mesure que se rapproche le moment où le juge se penchera sur le microphone pour ajourner la session jusqu'au lendemain.

— Maître Reynolds, veuillez faire avancer votre témoin, dit le magistrat, qui brûle lui aussi d'impatience d'en finir.

Reynolds fait signe à l'un des deux gardes postés de chaque côté de la porte d'entrée du tribunal, et il se retourne pour aller chercher Sonia Perez.

La jeune femme qui s'avance dans l'allée menant au box des témoins, une jolie blonde dans le début de la vingtaine, yeux verts et longues jambes élancées, ressemble à s'y méprendre à sa sœur, Angela, sauf pour deux détails importants : les traits rajeunis de son visage et l'intensité de son regard. Un léger murmure parcourt l'assistance alors qu'elle progresse vers le box des témoins ; plusieurs personnes ont reconnu le modèle qui figure sur la page couverture de l'édition de *Vogue* ce mois-ci.

Alors qu'elle prend place dans le box, son regard menaçant s'attarde un instant sur l'homme qui a commandé l'assassinat de ses parents, et on peut y lire une haine farouche, une détermination qui ne laisse planer aucun doute sur ses intentions. Si elle avait une arme, Sonia n'hésiterait pas à lui tirer deux balles dans la tête, comme l'avait fait l'homme de main de Cardenas pour ses parents.

— Veuillez décliner vos nom et occupation, lui demande maître Reynolds.

— Sonia Perez, mannequin.

— Vous affirmez, Mademoiselle Perez, avoir vu le meurtrier quitter la scène du crime.

Reynolds lui tend le portrait-robot de Carlos, que Marc Harris a décrit à l'artiste du FBI.

— Est-ce bien cet homme que vous avez vu sortir de la villa de vos parents avant de constater leur décès ?

Sonia examine le portrait avec de la haine dans les yeux et elle acquiesce. Elle n'oubliera jamais ce visage en lame de couteau, ces yeux noir d'encre qui reflétaient une incroyable cruauté, et ce crâne rasé. Oui, c'est bien lui, l'assassin de ses parents.

— Oui, c'est bien l'écœurant de chien sale qui a assassiné mes parents, déclare-t-elle avec véhémence, ce qui provoque quelques rires dans l'assistance.

Reynolds reprend le portrait de Carlos et le tend à la greffière.

— Veuillez l'enregistrer comme pièce à conviction numéro deux. Veuillez noter que le témoin a formellement identifié Carlos comme l'assassin de Ricardo et Angelina Perez.

— Objection, Votre Honneur, proclame l'avocate de la défense. Tout ceci n'est qu'une pure perte de temps et un gaspillage éhonté de l'argent des contribuables. L'accusation n'a toujours pas démontré qu'il y a un lien entre mon client et l'assassin des Perez.

Comme pour appuyer les paroles de son avocate, Cardenas hoche énergiquement la tête.

– C'est ce que nous allons démontrer, Votre Honneur, dit Reynolds avec une note d'impatience dans la voix.

– Objection refusée, dit le juge Caldwell en s'adressant à maître Diaz. Votre témoin.

L'avocate de Cardenas hoche la tête.

– Mademoiselle Perez, avez-vous en votre possession et pouvez-vous produire une preuve quelconque que l'assassin de vos parents, le dénommé Carlos que vous venez d'identifier, était effectivement à l'emploi de mon client, Eduardo Cardenas, lorsque les meurtres se sont produits ?

Sonia pousse un profond soupir et détourne les yeux.

– Non, je n'ai rien ! dit-elle avec irritation. Mais qui d'autre voulez-vous que…

Diaz lui coupe la parole.

– C'est bien ce que nous croyions, rétorque-t-elle en hochant la tête de satisfaction. Je n'ai plus de questions, Votre Honneur.

Le magistrat se tourne vers Sonia.

– Merci, Mademoiselle Perez. Vous pouvez disposer.

Sonia se lève et sort du box en dardant Cardenas d'un regard noir. Celui-ci la salue d'un hochement de tête, et alors qu'elle est sur le point de sortir de la salle, elle se retourne et le voit qui sourit. Elle dirige toute sa fureur silencieuse sur l'horrible fils de pute.

– Tu peux rire tant que tu veux, espèce d'ordure, murmure-t-elle en claquant la porte. Je jure que j'aurai ta peau.

Dès qu'elle est sortie, le magistrat interrompt l'interrogatoire et reporte la fin des témoignages au lendemain. Avant de se lever, le juge Caldwell s'adresse aux marshals.

– Vous pouvez emmener l'accusé.

Cardenas, qui ricane en silence, se dresse aussitôt sur ses jambes, prêt à se laisser emmener à sa cellule sans opposer de résistance. Deux des agents présents lui mettent les menottes et l'escortent jusqu'à l'ascenseur du couloir. Un troisième garde les y attend et, dès que la porte s'ouvre, il la maintient ouverte le temps qu'ils entrent.

32

Carlos suit la file qui se dirige vers la salle des jurés pendant un moment puis bifurque soudainement vers les toilettes. Il n'y a personne à l'intérieur et il s'empresse de soulever le couvercle de la cuve pour récupérer son arme. Il déballe le Glock du sac de plastique qui l'enveloppe, et après avoir vérifié son fonctionnement, le glisse dans la poche intérieure de son veston.

Il sort des toilettes et se hâte d'atteindre l'extrémité est du corridor qui mène à la sortie de secours et se précipite dans l'escalier. Après avoir descendu à la course les trois étages qui mènent au sous-sol et au garage, il se retrouve à quelques pas des portes de l'ascenseur. Deux autres gardiens lui tournent le dos et se tiennent face à l'ascenseur, anticipant l'arrivée de Cardenas. *Grossière erreur de leur part*, se dit Carlos. Les deux marshals, surpris par sa présence, n'ont pas le réflexe de dégainer à temps. Carlos sort le pistolet de la poche de son veston et fait feu à deux reprises. Les deux hommes s'écroulent en même temps que le *ding* de la cabine de l'ascenseur, arrivée à sa destination, se fait entendre.

Là-haut, dans le QG de la sécurité, lorsqu'il voit sur un écran de contrôle les deux gardiens s'effondrer, le garde responsable de la sécurité déclenche immédiatement l'alarme. Mais il est déjà trop tard. Dès que la porte s'ouvre, Carlos fait feu sur le premier marshal qui s'interpose entre Cardenas et la sortie. Le coup l'atteint en plein front, le propulsant contre la paroi arrière de la cage d'ascenseur, le long de laquelle il s'écroule lourdement en laissant une trace écarlate. Le tir suivant atteint le garde qui se tient à droite de Cardenas en pleine poitrine, et il s'effondre à son tour sur le sol de la cabine avec un grognement rauque.

Le garde à la gauche de Cardenas a réussi à dégainer son arme, mais avant même qu'il puisse la braquer sur Carlos, il reçoit une balle entre les deux yeux et tombe lui aussi le long de la paroi arrière de l'ascenseur. Carlos se penche sur le deuxième garde et le traîne sur le seuil de la porte pour empêcher cette dernière de se refermer. Il détache ensuite les clés des menottes de sa ceinture et libère Cardenas.

— Dépêchons, ordonne Carlos.

Il enfonce sa casquette des Yankees sur la tête du baron de la drogue, qui sourit à pleines dents et lui pose une paire de lunettes de soleil sur le nez.

— Les flics vont bientôt rappliquer. Il faut sortir d'ici au plus vite.

Alors que les deux hommes se ruent vers la rampe d'accès du parc de stationnement souterrain, le claquement d'une arme automatique résonne derrière eux. Une balle siffle à l'oreille de Carlos, le manquant de peu. Il pivote sur lui-même et aperçoit une forme sombre brandissant une arme près de la sortie de secours au fond du stationnement.

Il riposte d'un tir qui projette l'agent sur le mur de béton, le long duquel il glisse en le tachant de son sang. Les deux hommes s'engouffrent dans l'étroit couloir qui mène à la sortie du garage.

D'une main ferme dans le dos, il pousse Cardenas à hâter le pas. En quelques secondes, ils se retrouvent sur la 21e Rue, où le fourgon postal les attend. Alors qu'ils approchent du camion, une explosion se fait entendre et le sol se met à trembler sous leurs pieds. Carlos sourit ; les deux autres ont bien fait leur travail. Une diversion qui devrait bloquer la circulation au coin de Ditmars et de la 21e Rue pour leur donner le temps de filer en douce.

Autour d'eux, les passants se mettent à pousser des cris de panique et on peut entendre au loin les sirènes de police et d'ambulance qui se rapprochent rapidement. Carlos ouvre d'un geste sec la porte coulissante et pousse Cardenas à l'intérieur du fourgon postal. Diego appuie sur l'accélérateur aussitôt que la portière se referme, et le camion démarre dans un crissement de pneus. Après avoir bifurqué sur la 495, ils croisent quatre voitures de police qui filent à toute allure en sens inverse.

Comme prévu, Diego se rend dans la gare de triage des colis postaux de la PostNet sur la 6e Avenue, parmi une rangée d'autres fourgons similaires. Tous les trois descendent rapidement du camion et se dirigent vers une Cadillac STS gris métallique garée à proximité ; Miguel est assis au volant. Dès qu'ils sont installés, Miguel démarre en trombe et file vers le Lincoln Tunnel, qui les mènera dans l'État du New Jersey, où le FBI n'aura pas encore eu le temps de mettre en place les mesures nécessaires au contrôle de l'accès aux aéroports.

Cependant, il y a un contrôle à l'entrée du tunnel. Deux voitures de patrouille bloquent partiellement l'accès au tunnel, et leurs équipes inspectent les véhicules au passage. Miguel ralentit et se tourne vers Carlos, qui est assis à l'arrière en compagnie de Cardenas.

– Qu'est-ce qu'on fait ? demande-t-il nerveusement.

– Rien, dit Carlos. Contentez-vous de faire ce que le flic demande. Compris ?

Miguel hoche la tête.

– Ouais, ça va, on a compris, dit-il en échangeant un regard inquiet avec Diego, assis à sa droite.

Un des policiers munis d'un gilet pare-balles et d'une mitraillette en bandoulière s'approche du véhicule et fait signe à Miguel de baisser sa vitre.

– Permis de conduire et certificat d'immatriculation, demande le policier, un jeune type dans la vingtaine aux bras et aux épaules musclés qui doit s'entraîner régulièrement.

Miguel lui présente ses papiers : un excellent faux permis de conduire de l'État du New Jersey et un certificat d'immatriculation en béton pour la Cadillac volée. Le policier les examine rapidement et les rend à Miguel. Il se penche vers l'intérieur pour comparer les visages des occupants de la voiture avec la photo du fuyard qu'on lui a transmise. Il s'apprête à demander à Cardenas de retirer ses lunettes de soleil lorsque le conducteur du VUS qui les suit, un lourdaud qui n'arrête pas de vociférer à cause du retard que ça lui occasionne, se met à klaxonner d'impatience. Le policier relève la tête et lui lance un regard noir. Il fait signe à Miguel de passer avant de se diriger vers l'autre véhicule en affichant un air meurtrier.

Miguel remonte sa vitre et s'éloigne en respectant scrupuleusement la limite de vitesse permise. Quelques minutes plus tard, une fois passée la zone de contrôle, la circulation se fait moins dense et ils traversent le tunnel sans encombre. La Cadillac s'engage ensuite sur la 495 et bifurque sur la 17 en direction de l'aéroport Teterboro, où un jet privé les attend.

À leur arrivée, comme il l'a anticipé, Carlos constate que l'aéroport n'a pas encore été mis sous surveillance et la sécurité n'a pas été renforcée.

— Attendez dans la voiture, ordonne-t-il.

Il ouvre la portière pour se diriger vers le bureau des douanes et entre en conversation avec l'agent qui s'y trouve. Carlos glisse une enveloppe dans les mains du douanier, et ce dernier s'empresse de lui remettre les passeports estampillés en le remerciant pour sa généreuse contribution au fonds de retraite des employés des douanes américaines.

— On s'en est sortis ? s'informe Cardenas à son retour.

Carlos lui jette un regard méprisant.

— Pas encore, dit-il avant de retirer un BlackBerry de sa poche de veston.

Il presse quelques touches avant de le tendre à Cardenas.

— Il faut d'abord régler la question de mes honoraires. Vous pourrez quitter le pays dans quelques minutes, dès que le transfert de la somme sur laquelle nous nous sommes entendus sera effectué vers ce numéro de compte.

Cardenas lui rend son regard et sourit.

— Sauf qu'il y a un os. Vous n'avez pas rempli votre part du contrat. Elle respire toujours et, en plus, sa sœur en rajoute.

Il fixe le tueur à gages droit dans les yeux.

– Et il y a autre chose que vous devez faire pour moi si vous voulez mériter votre salaire.

Carlos plisse les yeux.

– Quoi ?

Cardenas lui tend la photocopie du permis de conduire de l'agent Harlan Cohen de la DEA que son contact lui a remis en prison. Carlos regarde la photocopie du coin de l'œil. Il saisit le document en prenant soin de ne pas plier la photo, et le glisse dans sa poche.

– Cohen est devenu trop gourmand… beaucoup trop gourmand, et il en sait trop sur mes activités. Il m'a fait passer le message en prison qu'il va fabriquer des preuves et les remettre au procureur si je ne lui verse pas 5 millions d'euros dans un compte numéroté en Suisse. Il devrait pourtant savoir qu'on ne me menace pas impunément sans en subir les conséquences. Il faut lui clouer le bec une fois pour toutes, à ce sale con. Mais il ne faut pas que la DEA fasse le lien avec moi. Ça doit avoir l'air d'un accident. Je veux que vous en fassiez une priorité. Si vous acceptez, la moitié maintenant et le reste à la fin du contrat, comme c'est prévu.

Carlos garde le silence pendant un instant, le dardant de ses yeux noirs, puis il hoche la tête.

– On est d'accord, uniquement parce que je n'ai pas rempli ma part du contrat. Pour ça, je supprime Cohen pour le même prix.

Cardenas acquiesce et prend l'appareil. Il entre le code d'accès qui lui permet de transférer 250 000 € de son compte à celui de Carlos.

– Voilà ! C'est fait. Maintenant, est-ce qu'on peut y aller ?

Carlos hoche la tête. Il sort du véhicule et se dirige vers la rampe d'accès destinée aux voyageurs. De la baie vitrée, il aperçoit le Citation V qui attend sur la piste d'atterrissage. Dès que les trois autres le rejoignent sur la passerelle, il leur tend les faux passeports et indique la porte d'embarquement numéro neuf.

— Bon voyage ! s'exclame-t-il sur un ton enjoué.

Puis, il se met à sourire. Un sourire cruel qui ne laisse rien présager de bon pour ses futures victimes.

33

La radio branchée sur le canal de la cellule de crise du FBI crépite. La voix de l'agent spécial responsable de l'équipe détachée sur place résonne dans les haut-parleurs de la BMW 335i de Karen.

— L'alerte maximale a été donnée. Tous les tunnels et les ponts pour sortir de Manhattan ont été bloqués. Ils ne devraient pas pouvoir quitter l'île.

— Et qu'en est-il du fourgon postal repéré par le policier qui contrôlait la circulation au coin de la 21e Rue ? demande-t-elle.

— On l'a retrouvé dans la cour du PostNet sur la 6e Avenue. Une unité d'intervention est en train d'inspecter le véhicule, mais il semble que jusqu'ici ils n'ont trouvé aucun indice qui puisse nous permettre de savoir dans quelle direction ils s'en vont.

— Et qu'est-ce que vous avez sur le véhicule de rechange ? demande Karen, préoccupée par l'absence d'indices.

— Les caméras de surveillance de PostNet montrent trois individus suspects s'engouffrant dans une Cadillac STS gris métallique garée de l'autre côté de la rue. Nous avons transmis le signalement du véhicule aux équipes d'intervention et un policier affecté à l'entrée du Lincoln Tunnel a déclaré avoir laissé passer un véhicule correspondant à cette description avec quatre passagers à son bord, mais aucun d'eux ne correspondait au profil de l'individu recherché.

— Il a probablement un déguisement. Est-ce que vous avez bouclé les aéroports des environs ?

— Pour LaGuardia, c'est déjà fait, et une équipe vient juste de boucler Newark. Il ne reste plus que Teterboro, mais nous manquons d'effectifs.

— Trouvez-moi un hélico et je m'en occupe.

— Pas de problème, on en a déjà un dans les airs. Je vous mets en communication avec le pilote.

Karen rejoint DaSylva à l'héliport et ils s'envolent vers Teterboro. Un quart d'heure plus tard, ils débarquent à l'aéroport. Un homme de grande taille, dans la quarantaine, à la carrure d'un joueur de football s'approche d'eux et se présente.

— Ken Logan, chef de la sécurité.

Il les invite ensuite à le suivre jusqu'à son bureau. Dès qu'ils sont à l'intérieur, Karen lui demande s'il a repéré Cardenas et ceux qui l'accompagnent.

Logan secoue la tête.

— Le seul départ que nous n'avons pu contrôler à temps est le Citation en partance pour Mexico.

— Je présume que les passeports des passagers ont été contrôlés avant qu'ils n'embarquent.

— Bien sûr.

— De qui s'agissait-il ?

Logan consulte son ordinateur et se met à sourire.

— Fernando Rodriguez et ses deux assistants, Diego Sanchez et Miguel Féras. Monsieur Rodriguez est bien connu ici, car il voyage régulièrement entre le Mexique et les États-Unis par affaires. Il fait souvent un arrêt à Teterboro pour visiter une vieille tante qui habite dans le New Jersey avant de retourner au Mexique.

Une vieille tante mon œil, pense Karen. *Il s'agit sûrement de son revendeur !*

Karen s'approche de l'ordinateur et se met à pianoter sur le clavier. Une photo de Cardenas apparaît sur l'écran. Elle montre la photo à Logan.

— Est-ce bien monsieur Rodriguez ?

— Le douanier pourrait le confirmer mieux que moi, mais je crois que c'est bien lui.

Karen lui lance un regard de dégoût et se tourne vers DaSylva.

— On l'a raté ! dit-elle d'une voix empreinte de colère et de déception.

Elle s'apprête à quitter le bureau de Logan lorsqu'un détail lui vient à l'esprit. Elle se tourne à nouveau vers Logan, qui affiche l'air de celui qui ne comprend plus rien à ce qui se passe.

— Vous avez bien dit que Cardenas… je veux dire, Rodriguez, voyageait avec ses deux assistants, c'est bien ça ?

Logan fait signe que oui. Karen se tourne vers DaSylva avec un regard interrogateur.

— L'équipe qui a retrouvé le fourgon postal a bien mentionné que la vidéo montrait *trois* individus suspects qui s'engouffraient dans une Cadillac STS où les attendait un quatrième individu, assis au volant ?

– Oui, et le policier du tunnel mentionne bien qu'il y avait *quatre* individus dans la Cadillac, répond DaSylva, perplexe.

Il hoche la tête et fronce légèrement les sourcils. DaSylva vient lui aussi de réaliser qu'avec le conducteur, ça fait un total de quatre. Quatre passagers auraient donc dû prendre l'avion. Il en manque un.

– Tu crois que le quatrième individu est Carlos ?

Karen sort de sa poche de veston une copie du portrait-robot que Marc Harris a aidé à confectionner et la tend à Logan.

– Est-ce que vous reconnaissez cet homme ?

Logan secoue la tête.

– Non, je ne l'ai jamais vu auparavant.

– Vous êtes bien sûr qu'il ne s'agit pas d'un des deux assistants de Rodriguez ? demande DaSylva.

Logan examine le portrait attentivement et secoue la tête de nouveau.

– Je ne pourrais pas le jurer, mais je crois bien que non. Comme je vous l'ai déjà dit, le douanier…

– … pourrait mieux nous informer que vous à ce sujet. Oui, oui, on a compris, l'interrompt DaSylva sur un ton moqueur.

– On s'occupera de son cas, à votre douanier, un peu plus tard. Pour l'instant, nous avons d'autres priorités, conclut Karen en tournant les talons.

Logan fronce les sourcils d'étonnement lorsqu'il voit Karen et DaSylva sortir en trombe de son bureau pour se rendre à l'hélicoptère qui les attend patiemment sur la piste d'atterrissage.

Une fois dans les airs, une moue de concentration s'affiche sur le visage de Karen. Après un moment, elle se tourne vers DaSylva.

— Cet emmerdeur de Carlos est retourné finir le boulot. Angela et sa sœur sont plus que jamais en danger de mort.

DaSylva opine.

— On va l'avoir, cet enculé ! lance-t-il sur un ton rageur.

Exaspérée, Karen serre le poing et frappe la vitre de plexiglas de l'hélicoptère. Elle bout de rage. Elle regarde les gratte-ciel de Manhattan se rapprocher à toute allure sans vraiment les voir, son regard fixé au loin. C'est le visage cruel de Carlos qu'elle voit, en train d'abattre Angela et sa sœur de deux balles dans la tête sous ses yeux, et elle ne peut rien faire. Soudain, la sonnerie de son BlackBerry se fait entendre en sourdine derrière le bruit assourdissant des rotors de l'hélicoptère. Elle le récupère dans la poche de son veston et l'ouvre.

— Newman.

— J'ai un message à vous transmettre de la part du lieutenant-détective Alejandro Féras de la Policía Federal en Brasil, dit la voix à l'autre bout.

— Allez-y, dit-elle, à la fois anxieuse et perplexe.

— « Nous avons repéré la fourgonnette et bouclé le périmètre. L'occupant du 26B ne répond pas à nos appels. Aucun indice que l'otage se trouve effectivement à cet endroit. Preuves insuffisantes afin d'obtenir un mandat de perquisition. Quelles sont vos instructions ? »

— Très bien. Merci, dit-elle à la réceptionniste avant de fermer le portable.

Ce message lui rappelle Marc et elle fait la moue. Il ne va pas être content d'apprendre ça. Elle craint sa réaction impulsive, mais elle se doit de le lui transmettre.

Deuxième partie

34

Après avoir décrit les traits caractéristiques de Carlos à l'artiste du FBI, Harris en est toujours à accaparer l'appartement de Karen, et même si elle a affirmé qu'elle se plaisait en sa compagnie, il en éprouve un malaise. Il ne se sent pas à sa place dans cette grande métropole et son travail lui manque. Il erre dans l'appartement depuis plusieurs heures, passant d'une pièce à l'autre sans but et vient juste de prendre la décision de lui annoncer son départ imminent, lorsque la sonnerie de son téléphone portable se fait entendre. Il le sort de sa poche en plissant les sourcils avec un air interrogateur.

— Harris ?

— C'est Karen. Comment ça va ?

— Très bien. Et toi ? répond Harris sur un ton méfiant.

— Bien, merci. Écoute, Marc. J'ai une bonne et une mauvaise nouvelle à t'apprendre.

— C'est au sujet de Jessica, c'est ça ? Dis-moi qu'elle n'est pas morte !

— Elle n'est pas morte, du moins je ne crois pas. Te souviens-tu m'avoir dit que lors du bref échange que tu avais eu avec Jessica elle t'a mentionné une fourgonnette blanche ?

Eh bien, le B.C.N. a repéré la camionnette des ravisseurs; semble-t-il qu'il contient son téléphone portable, muni d'un GPS. Il a dû tomber de sa poche lorsqu'ils l'ont jetée sans ménagement, « garrochée », pour employer tes propres termes, à l'intérieur de la camionnette. Ils ont repéré la fourgonnette blanche garée derrière un immeuble à logements. Ça, c'est la bonne nouvelle. Maintenant, la mauvaise : le locataire à qui elle appartient ne répond pas aux appels des *federales* et, faute de preuves, ils ne peuvent obtenir un mandat de perquisition pour vérifier s'il retient Jessica prisonnière.

Elle fait une pause pour laisser à Marc le temps d'assimiler les informations qu'elle vient de lui transmettre. Celui-ci demeure silencieux pendant un moment, puis déclare sur un ton ferme :

— Quand est-ce qu'on part ?

— Quoi ? Tu veux aller là-bas ? demande Karen, abasourdie.

— Évidemment. Que veux-tu qu'on fasse d'autre ? Attendre que les ravisseurs la tuent ? Je n'en ai rien à foutre de leur foutu mandat de perquisition, moi.

— Désolée, mais je ne peux pas t'accompagner. L'affaire Cardenas m'occupe déjà à plein temps et en plus, je dois assurer la protection des sœurs Perez. Je regrette, mais ce sera sans moi.

— Je comprends, reprend Harris sur un ton duquel perce la déception. Pourrais-tu au moins me mettre en contact avec les responsables du dossier là-bas ?

Karen soupire.

— Bon d'accord. Je n'essaierai même pas de t'en dissuader, ça ne donnerait rien; toi et ta tête de mule. Je vais faire le nécessaire et t'arranger un rendez-vous avec le lieutenant Féras, mais je ne te garantis pas qu'il va apprécier.

– Je me fous de Féras. Ce qui compte, c'est sortir Jess de là, et c'est à moi de le faire. On se voit avant mon départ ?

– Ouais, à tantôt, dit Karen en fermant le portable.

35

Aéroport John F. Kennedy
New York

Un sac à dos pendu à l'épaule, une veste de cuir sur le dos et une casquette des Marlins rabattue sur les yeux, Harris se tient devant le panneau d'affichage qui indique les départs et les arrivées. Il constate que le vol d'American Airlines numéro 8439 à destination du Brésil est prêt pour l'embarquement. Au même instant, le haut-parleur au-dessus de lui grésille : « Tous les passagers du vol d'American Airlines 8439 à destination du Brésil sont priés de se présenter à la porte d'embarquement numéro 67. »

Devant la porte 67, Harris scrute les couloirs du terminal avec le vain espoir qu'elle aurait pu changer d'idée, mais il ne la voit nulle part. C'est probablement mieux ainsi; comme ça il n'aura pas sur la conscience d'avoir mis une autre personne en danger. Tout de même déçu, il se met en ligne pour présenter son billet à l'hôtesse lorsqu'il entend quelqu'un derrière lui crier son nom. Il se retourne et la voit qui court vers lui. Une vague de soulagement et de joie le parcourt alors que Karen s'avance vers lui avec un air déterminé. Il plonge le regard dans ses yeux brillants.

— Il me semblait que tu ne pouvais pas venir avec moi parce que tu devais surveiller tes deux témoins ?

— J'ai délégué ça à DaSylva, qui va s'en occuper avec plaisir.

Elle fait une pause en le fixant attentivement.

— Mais je peux toujours m'en aller si tu n'as plus besoin de mon aide.

Harris la regarde d'un air contrit.

— Peut-être que ce serait mieux que j'y aille seul, parce que s'il t'arrivait quelque chose, je ne pourrais jamais...

— Pour qui me prends-tu ? l'interrompt Karen. Une petite poupée fragile ? Je ne sais pas pour ton ex, mais moi, je suis assez grande pour me tirer d'affaire toute seule. Je n'ai pas besoin de toi pour me protéger.

Le haut-parleur les interrompt avec le dernier appel pour l'embarquement.

Karen lui fait un signe de tête.

— Bon, alors, qu'est-ce qu'on attend, Macho Man ? On y va ?

Harris fait signe que oui et ils s'avancent vers les hôtesses occupées à préparer la fermeture des portes. Ils tendent leur billet et s'embarquent dans une aventure dont le dénouement est plus qu'incertain. Mais Harris n'a aucun doute qu'il va libérer Jessica, quoi qu'il en coûte.

36

Aeroporto Internacional de Brasilia
Brasilia, Brésil

Le lieutenant-détective Féras les attend à la sortie des passagers. De taille moyenne, la peau hâlée comme la plupart des Brésiliens, yeux et cheveux bruns coupés court, l'air renfrogné, il s'avance vers eux accompagné d'une jeune femme à l'air indécis vêtue d'un costume de coupe classique. Il tient en main une photographie qu'il examine attentivement avant de s'approcher d'eux.

— Bonjour Karen, la salue-t-il en lui tendant la main.

Elle serre la main tendue et lui sourit.

— *Buenas tardes Alejandro. Cómo estas* ?

— *Estoy bien. Y tú* ?

— *Muy bien, gracias.*

— Permets-moi de te présenter Carla Bundchen de la DPI, dit Féras en indiquant celle qui l'accompagne.

Karen adresse un bref salut à Bundchen avant de se tourner vers Marc.

— Et voici l'inspecteur Marc Harris de la SQ, dit-elle en souriant à Marc.

Féras fixe Harris d'un regard à la fois sévère et hautain.

— Si j'ai bien compris, vous êtes l'ex-amoureux de Jessica, c'est bien ça ?

— Exact, confirme Harris.

Il lui retourne son petit regard arrogant.

— Ça vous pose un problème ?

Féras lui jette à nouveau un regard agressif.

— Jessica n'est pas seulement une collègue, mais une amie.

Il plisse les yeux et ses traits se durcissent.

— Et elle ne se serait sûrement pas retrouvée dans cette situation fâcheuse si ce n'est de…

— Alors, vous l'avez repérée ? l'interrompt Karen en constatant que ces deux-là ne semblent pas trop s'apprécier.

Féras se tourne vers elle en essayant de reprendre son calme.

— Nous avons interrogé les voisins, mais ou bien ils ont peur de parler, ou bien ils n'ont vraiment rien vu.

— Et le mandat, vous l'avez ?

Il secoue la tête.

— Non, désolé. Comme je vous l'ai déjà expliqué, nous n'avons aucune preuve tangible afin de convaincre un juge, que des suppositions.

— Et le GPS n'est pas une preuve ? demande sèchement Harris.

La collègue de Féras, qui jusqu'ici n'avait pas prononcé un seul mot, déclare soudainement avec un fort accent hispanique :

— Le GPS en question a été récupéré dans un véhicule volé, abandonné derrière un édifice à logements. Seul le concierge croit qu'il a vu un des locataires au volant, mais nous n'avons rien qui puisse relier le locataire du 26B à la camionnette volée.

Harris ronge son frein et se demande comment il va faire pour court-circuiter ces deux-là lorsque Karen intervient avec une proposition.

— Et si on demandait à ce concierge d'ouvrir l'appartement sous prétexte que nous aurions entendu quelqu'un crier à l'aide à l'intérieur ? propose Karen.

— Mais c'est complètement illégal ! s'exclame Bundchen.

Féras demeure silencieux durant quelques secondes, se donnant un temps de réflexion. Puis, il semble opter pour la proposition de Newman et se tourne vers Bundchen.

— Tant que nous ne faisons pas de saisies illégales de preuves, on ne pourra rien nous reprocher, Carla.

Celle-ci lui jette un regard hésitant en haussant les sourcils.

— Et on va entrer là-dedans sans groupe d'intervention ? s'informe-t-elle d'une voix craintive.

— C'est nous, votre groupe d'intervention, rétorque Harris en indiquant Karen d'un geste de la tête.

En guise de commentaire, Bundchen se contente de hausser les épaules.

— Bon, allons-y, qu'on en finisse, déclare Féras en tournant les talons pour se diriger vers l'aire de stationnement.

Karen et Marc leur emboîtent le pas avec plaisir, tandis que Bundchen traîne derrière. Elle ne semble pas du tout contente de la tournure que prennent les événements et consulte fébrilement son iPhone.

37

Karen, assise à côté de Marc sur le siège passager de l'auto de location, est en grande conversation sur son Bluetooth avec Féras, qui attend calmement dans un XTERRA banalisé garé de l'autre côté de la rue.

Juste comme Harris s'impatiente en se disant que toute cette attente n'est qu'une perte de temps, il aperçoit sur sa gauche un homme correspondant à la description du locataire du 26B qu'Ernesto Bira, le concierge, leur a faite traverser le carrefour juste devant eux, puis marcher vers l'extrémité du pâté d'immeubles.

Il fait signe à Karen, qui s'empresse de contacter Féras pour lui indiquer qu'ils ont trouvé le suspect. Féras confirme qu'il s'agit bien de Raoul Vasquez et elle hoche la tête lorsque, dans son écouteur, il lui demande d'attendre son OK avant de se lancer à sa poursuite. Karen en fait part à Harris, qui secoue la tête.

— J'ai assez attendu comme ça, dit-il avant de se propulser hors du véhicule.

Suivi de près par Karen, il se met à la poursuite de Vasquez. L'homme trapu et chauve a dépassé le carrefour et tourné à gauche. Il approche maintenant de l'entrée de l'immeuble à logements où il demeure.

Harris s'adosse contre la façade de l'édifice adjacent pour éviter de se faire repérer. Karen s'installe à côté de lui et met sa main sur son poignet.

— Attend, chuchote-t-elle. Féras nous demande de patienter.

Harris fait la sourde oreille et s'empresse de suivre Vasquez, qui vient d'atteindre l'escalier menant à son appartement.

— Maudite tête de mule, murmure Karen, qui hâte le pas derrière lui.

Parvenu en haut de l'escalier, il s'arrête et écoute attentivement afin de repérer tout bruit suspect. Rien. Collé contre le mur, il contourne lentement le coin du couloir qui mène jusqu'à la porte de l'appartement de Raoul Vasquez. Personne en vue. Une goutte de sueur lui coule dans le milieu du dos alors qu'il prend une grande respiration, pose la main sur la crosse de son pistolet dans son holster et se lance dans le couloir, vers l'appartement du suspect.

Devant la porte, Harris frappe trois fois puis recule, la paume sur la crosse de son arme. Pas de réponse. Il attend au moins 30 secondes avant de frapper de nouveau, et plus fort, cette fois en se tenant à l'écart du chambranle. *Pas de chance à prendre,* se dit-il, *on ne sait jamais à qui on a affaire.* Toujours pas de réponse.

Harris sursaute et son cœur bat à cent à l'heure lorsque Karen met la main sur son épaule.

— Qu'est-ce que tu fous ? lui demande-t-elle sur un ton inquiet. Tu ne crois pas qu'il vaudrait mieux attendre les renforts avant de t'introduire là-dedans ?

Il lui fait signe de garder le silence avec son index devant la bouche. Puis, il écoute. Rien. Pas le moindre bruit en provenance de l'appartement. Harris frappe à nouveau, avec la crosse de son Glock, et hurle :

— *Policía* ! *Abra la puerta*[10] !

Cette fois, lui et Karen se retournent lorsqu'ils entendent le bruit d'une porte qui s'ouvre derrière eux, puis quelqu'un leur crie en portugais de cesser ce boucan. Karen et Marc poussent un soupir de soulagement avant de pouffer de rire. Harris s'apprête à défoncer la porte d'un coup de pied lorsque Karen pose la main sur son épaule et secoue la tête.

— Oublie ça, l'intime-t-elle en sortant son étui passe-partout de sa veste pour déverrouiller la serrure du 26B.

Harris se tient dans l'embrasure de la porte, et sort l'automatique de l'étui qu'il porte sous son aisselle et un silencieux de sa poche de veste. Il visse le tube sur le canon et s'avance à pas feutrés dans l'appartement. Un mince rectangle de lumière encadre la seule fenêtre occultée par un store. Le faible jet de lumière éclaire à peine une pièce sombre qu'il devine être le salon/salle à manger. Et c'est là qu'il l'aperçoit.

Harris lève son arme et la braque vers la silhouette qui s'avance lentement vers lui. Le regard d'Harris tombe sur le pistolet que l'homme tient, prêt à tirer, puis sur son crâne chauve, et il le reconnaît immédiatement par la description que lui a faite le concierge : Raoul Vasquez ! C'est bien lui. Il doit s'en assurer. Et il peut lire sur le visage de Vasquez l'expression déterminée du tueur qui contemple sa proie. C'est clair qu'il n'hésitera pas à l'abattre. Harris est là pour libérer Jessica. Au lieu de ça, il se retrouve dans un face à face avec

10. Ouvrez la porte, en espagnol.

un tueur qui braque son arme sur lui. *Merde !* Ce n'était pas dans ses plans.

Harris hésite quelques secondes de trop avant de faire feu, et c'est une erreur. Il aurait dû réagir plus vite et lui tirer dessus dès qu'il l'a aperçu. Mais Raoul Vasquez n'est pas affligé par les mêmes préoccupations qu'Harris. Il le fixe d'un regard de glace, voit son hésitation et tire en premier. Un éclat bleu-blanc apparaît dans la masse sombre de l'appartement, puis Harris, alors même que son Glock tressaute, entend un bruit, près, très près, un bruit d'impact, comme un poing claquant dans la paume d'une main.

Harris sent une douleur fulgurante lui déchirer le côté droit, juste sous l'épaule, l'obligeant à lâcher son arme. Une partie de son esprit comprend qu'il vient de se faire tirer dessus et, puisqu'il n'a pas entendu le claquement d'une détonation, que l'arme devait être équipée d'un silencieux. L'inspecteur touche son côté en grimaçant et en retire des doigts poisseux de sang. Il se dit qu'il a tout gâché et qu'au lieu de libérer Jessica, il s'est pris une balle ; pas brillant comme situation.

Mais tout ça lui paraît secondaire. Pour l'instant, ce qui le préoccupe, c'est cette terrible sensation qui le submerge, une sensation de fatigue extrême, une vague nauséeuse, comme s'il était sur le point de vomir. Harris sent ses muscles devenir caoutchouteux, et la pesanteur de son corps. L'horizon titube. Il bascule en avant et s'écroule par terre. Il croit entendre des coups de feu, au loin, puis plus rien.

Il veut répondre à Karen, qui, penchée au-dessus de lui, lui demande de rester avec elle, lui dit que ça va aller. C'est toujours ce que disent les gens en ces circonstances, alors qu'ils n'en savent rien. Il veut lui dire qu'il l'aime, mais il n'en a pas la force ; il se sent trop fatigué. Il aurait peut-être une autre occasion de le lui dire. Pour l'instant, il a besoin de fermer les yeux, seulement pendant une petite minute... pour se reposer. Ensuite, il serait comme... avant. Avant... quoi ? Il ne sait plus. Il perd connaissance.

38

Karen, qui le suit de près, aperçoit elle aussi la silhouette sombre, puis l'éclat bleu-blanc qui illumine la pièce, avant de voir Harris s'écrouler par terre. Elle n'a aucune hésitation et fait feu à deux reprises sur la silhouette que l'éclat lui a permis de repérer avec précision, puis la voit tomber à son tour. Elle se rapproche de l'homme, immobile, allongé par terre, qui baigne dans son sang, les yeux grands ouverts, l'expression sans vie. Elle constate que l'une de ses deux balles l'a atteint en plein cœur et qu'une traînée de sang s'écoule de la blessure. Karen s'avance prudemment en pointant son arme sur l'homme et lui assène un coup de pied dans les côtes afin de s'assurer qu'il est bien hors d'état de nuire. De l'autre pied, elle repousse son arme. Puis, elle se penche pour vérifier son pouls. Il est bien mort. Raoul Vasquez n'enlèvera plus jamais qui que ce soit pour le compte de Carlos, ni pour qui que ce soit d'autre.

Elle retourne auprès d'Harris, qui ne bouge plus. Grâce à Dieu, il est conscient, et elle s'aperçoit qu'il la regarde d'une drôle de façon. Elle a l'impression qu'il veut lui dire quelque chose mais n'y arrive pas.

— Ne parle pas Marc. Économise tes forces.

Elle se penche au-dessus de lui et appuie sur sa blessure pour arrêter l'hémorragie tout en lui parlant pour le garder éveillé.

— Ça va aller. Tu vas t'en sortir, Marc.

Mais elle sait très bien qu'il perd beaucoup de sang et qu'il lui faut de l'aide, sinon il mourra. Elle s'apprête à composer le 911 sur son cellulaire lorsque Féras fait irruption dans l'appartement, suivi de deux policiers en uniforme. Il s'approche en pointant son arme et jette un regard à Raoul, étendu au milieu de la pièce, raide mort, avant de s'arrêter près de Karen, qui continue d'appuyer sur la blessure de Marc.

— Il était à peu près temps que vous arriviez ! s'écrie-t-elle, en furie.

— Est-ce qu'il est…, s'informe-t-il en affichant un regard inquiet.

— Appelez une ambulance… Tout de suite ! lui ordonne Karen.

Féras sort son téléphone portable de sa poche de veston et fait l'appel en même temps qu'il fait signe aux deux policiers de faire l'inspection des lieux. Il se penche pour constater l'état d'Harris et hausse les sourcils en voyant sa veste tachée de sang.

— Ils sont en route et seront ici dans quelques minutes, tout au plus, précise-t-il.

Karen lève la tête et lui jette un regard meurtrier.

— Où est-ce que vous étiez durant tout ce temps ? On n'en serait peut-être pas là si vous étiez arrivés à temps, comme c'était prévu !

— Je vous avais demandé d'attendre d'avoir mon OK avant de monter, et vous ne m'avez pas écouté. Ce n'est pas ma faute si votre « cowboy » s'est pris une balle, dit-il en désignant Harris.

Karen s'apprête à rétorquer que Marc n'est pas un « cowboy » lorsqu'elle perçoit des bruits de pas dans l'entrée. Elle quitte Marc des yeux un instant et tourne la tête juste à temps pour voir deux paramédicaux qui accourent en transportant une civière. Elle s'éloigne à regret de Marc pour leur laisser la place. Après avoir stabilisé le blessé, ils le transfèrent sur la civière et disparaissent de sa vue.

C'est à ce moment que Karen perçoit à nouveau des pas, mais cette fois, dans l'étroit couloir qui mène aux chambres. Quelle n'est pas sa surprise, lorsqu'elle se retourne, de voir revenir les policiers avec une jeune femme en pleurs entre eux deux.

— Jessica ? s'informe Karen en s'approchant d'elle.

Les cheveux en bataille, des poches sous les yeux, les traits émaciés, Jessica fait vraiment pitié lorsqu'elle lève les yeux et la dévisage.

— Oui, acquiesce-t-elle d'une voix tremblante tout en s'appuyant sur l'un des deux policiers qui l'aident à se maintenir debout. Qui êtes-vous ?

Karen lui sourit.

— Agente Karen Newman du FBI.

— FBI ? Qu'est-ce que vous faites là ?

— J'accompagne Marc Harris. Nous sommes venus pour vous libérer, Jessica. Vous vous souvenez bien de Marc, n'est-ce pas ?

Elle ouvre grand les yeux.

— Marc ? Il est ici ? s'informe Jessica en jetant un regard autour d'elle.

— Non, répond sèchement Karen.

Elle regarde sa montre.

– À l'heure qu'il est, il doit sûrement être à l'hôpital, aux soins intensifs!

– Quoi? Aux soins intensifs! Il est blessé?

Karen hoche la tête.

– C'est grave?

– Je l'ignore, répond sèchement Karen. Par contre, je peux vous dire que vous n'avez pas l'air très bien vous non plus, Jessica.

Elle fait signe aux deux policiers qu'ils peuvent l'amener.

– Ces messieurs vont vous amener à l'hôpital, et vous pourrez vous renseigner sur l'état de votre sauveur dès qu'il ira mieux.

Et tout ça par ta faute, pauvre conne, qui t'es laissée avoir comme une débutante! pense Karen avant d'emboîter le pas aux policiers pour se diriger vers la sortie.

39

Hôpital Santa Luzia
Brasilia, Brésil

Lorsqu'il ouvre les yeux, la dernière chose dont il se souvient est le visage de Karen qui se penche vers lui, et puis plus rien. Harris regarde autour de lui et se rend compte qu'il est allongé sur un lit d'hôpital. Outre le bip d'un moniteur, il règne dans la chambre une atmosphère silencieuse. De son bras qui n'est pas immobilisé par une perfusion, il tâte le gros pansement qu'il a autour du torse, et ça lui arrache une grimace de douleur, comme si une lame acérée lui découpait les côtes. Il en a le souffle coupé et se demande s'il va appeler l'infirmière pour qu'elle lui donne d'autres calmants, lorsque soudainement, il se rend compte qu'il n'est pas seul. Il la voit qui s'approche de lui, avec un magnifique sourire sur les lèvres.

– Tu es réveillé ?

– Salut Karen.

Elle se penche et lui donne une bise sur la joue.

– Comment ça va ? demande-t-elle en le fixant d'un regard inquiet.

— Ça va aller, dit-il sur un ton peu convaincant. Depuis combien de temps suis-je là ?

— Ça fait 48 heures.

Karen parcourt du regard l'écran du moniteur relié à Marc, le large pansement qui enserre sa poitrine, la perfusion suspendue au-dessus de lui et elle sent son cœur se serrer. Il est passé vraiment près de la mort. Elle se sent affreusement coupable. C'est vrai qu'il a une tête de mule et qu'il a le don de se mettre dans le trouble, mais si elle l'avait empêché de foncer dans cet appartement sans renforts, il ne se serait probablement pas retrouvé à l'hôpital avec une côte fracturée par une balle.

— Grâce à Dieu, tu n'as rien de grave, dit-elle pour se déculpabiliser.

Elle pose la main sur la sienne, ce qui le fait à nouveau grimacer de douleur. On lui a mis l'index de la main droite dans une attelle. La scène lui revient maintenant. Le coup de feu de Raoul et le 9mm qu'il laisse tomber. Façon plutôt brutale d'être désarmé, mais ça vaut mieux que de ne plus jamais revoir le jour.

— En fait, selon le doc, la balle t'a juste effleuré. Tu as eu de la chance, Marc.

Il secoue la tête. Évidemment, vu de cet angle, il est chanceux de s'en tirer. Sauf que cette histoire de chance, lorsqu'il s'agit d'affronter Carlos et ses sbires, n'en est pas vraiment une. Il a bien hâte qu'il disparaisse de sa vie, celui-là.

— Ouais, je suppose, dit-il sur un ton dubitatif.

Karen le détaille des pieds à la tête, comme si elle le voyait pour la première fois. Ses traits sont d'une virilité absolue : mâchoire large et carrée, yeux bleus, cheveux bruns coupés court, et nez aquilin qu'il doit sûrement à ses ancêtres irlandais. De dire qu'elle le trouve séduisant, même sur un lit d'hôpital, est un euphémisme.

– C'est inutile de prendre une balle pour attirer mon attention, tu sais. Un bon repas au restaurant et des fleurs auraient suffi.

Il s'efforce de sourire.

– Vraiment ? Je n'y avais pas pensé, dit-il sur un ton qu'il voulait jovial, mais qui ne sort pas exactement comme prévu.

Son flanc élance terriblement et, pour être honnête, il n'a pas vraiment envie de plaisanter. Il oriente la conversation vers autre chose.

– Et Jessica, vous l'avez libérée ?

Karen hoche la tête.

– Et elle va bien ?

– Oui. Elle se repose dans cet hôpital pour reprendre des forces. Elle m'a promis de te rendre visite pour te remercier de l'avoir sauvée.

– D'après ce que j'en sais, c'est plutôt toi qu'elle devrait remercier.

– Ah oui ? Comment ça ?

– Ne fait pas semblant, Karen. Lors de sa visite, Féras m'a appris que c'est toi qui as abattu Raoul.

– Je n'allais tout de même pas le laisser s'en tirer comme ça après l'avoir vu tirer sur mon partenaire. Il n'a eu que ce qu'il méritait.

– Ton partenaire ! C'est tout ce que je suis pour toi ? dit-il sur un ton faussement déçu.

Elle se penche pour déposer un doux baiser sur ses lèvres.

— Disons plutôt… mon amoureux, concède-t-elle. Ça te va ?

Il fait signe que oui.

— Pour l'instant, dit-il en lui jetant un regard taquin.

On cogne à la porte. Une infirmière entre dans la chambre sans attendre d'y être invitée. C'est une jeune femme dans la trentaine, aux courts cheveux châtains et entièrement vêtue de blanc. Elle les regarde tous les deux en souriant.

— Bonjour, Monsieur Harris. Comment allez-vous ce matin ?

— Ça va, déclare Harris, distrait par Karen, qui libère le passage.

— Je reviendrai plus tard, annonce-t-elle quand l'infirmière glisse un thermomètre sous la langue de Marc et lui prend le poignet pour vérifier son pouls.

Au grand dam de l'infirmière, Harris sort le thermomètre de sa bouche.

— Karen…, dit-il d'une voix qui s'est transformée en murmure.

Elle s'arrête et se retourne.

— Oui ?

— Fais-moi plaisir, veux-tu ? dit-il avec la plus profonde sincérité. Essaie d'éviter de faire comme moi et ne te fais pas tirer dessus, OK ?

— D'accord, mon héros, dit-elle avec un sourire en lui envoyant une bise de la main. Je m'occupe de ton transfert vers une clinique de New York et je reviens te voir dès que je peux. Bye bye.

Harris la regarde partir avec nostalgie. Il regrette de ne pas l'avoir écoutée. *Tu n'es qu'un maudit macho qui essaie de prouver qu'il est le meilleur, Harris ! Mais regarde où ça t'a mené. Tu as failli y laisser ta peau et tu as mis en danger les deux personnes qui comptent le plus au monde pour toi. Pauvre con !*

Une demi-heure plus tard, Marc aperçoit avec appréhension deux armoires à glace en complet et cravate qui se présentent dans l'encadrement de sa porte de chambre. Après s'être identifié comme agent du FBI à l'aide de son badge, le plus grand des deux lui ordonne sèchement de s'habiller, et dès que c'est fait, l'autre agent le force à s'asseoir dans un fauteuil roulant que l'infirmière avait apporté entre-temps.

– Wow, merci. J'apprécie votre empathie, les gars ! lance Marc en s'assoyant.

Les deux agents haussent les sourcils tout en échangeant un regard intrigué.

– J'aurais cependant aimé que vous apportiez également des fleurs, ou, je ne sais pas, des chocolats peut-être, reprend Marc sur un ton sarcastique.

– Les fleurs, ce sera pour la prochaine fois, réplique sur le même ton l'agent qui pousse sa chaise. Au funérarium !

Puis, ils éclatent tous les trois de rire en montant dans l'ascenseur avant de quitter l'hôpital brésilien.

40

Manhattan, New York

Une sorte de bourdonnement sort Angela « Crystal » Perez, la vedette de la pornographie, intoxiquée comme chaque soir aux somnifères et au vin blanc, de son cauchemar habituel. Pas assez défoncée néanmoins pour parvenir à s'assoupir tout à fait et ne pas entendre la sonnerie du téléphone portable qu'elle a laissé sur la table du salon. Et ce damné rêve débile qui revient sans cesse la hanter, où elle tente désespérément d'empêcher une silhouette masquée d'entrer dans la chambre de ses parents, sans jamais y parvenir. Puis, elle assiste, impuissante, en hurlant à gorge déployée, au spectacle lugubre du tueur qui ouvre le feu et les assassine tous les deux.

Qu'ils aillent au diable ! Qui que ce soit, ils n'ont qu'à rappeler demain, se dit-elle en posant l'oreiller par-dessus sa tête afin d'amortir le son de la sonnerie qui se fait insistante.

Elle finit par céder et se lève en titubant pour se diriger vers le salon. Le damné téléphone n'arrête pas de sonner et finit par réveiller Riki. Angela porte les mains à ses oreilles lorsque celui-ci se met à hurler à tue-tête par-dessus la sonnerie.

— Vous allez tous me rendre folle ! s'écrie-t-elle avant de cueillir le mobile sur la table de salon et de le porter à son oreille. Allô ! lance-t-elle sur un ton exaspéré.

— Cette fois encore, tu t'en es bien tirée, espèce de putain, dit une voix masculine rauque et menaçante, mais le FBI ne sera pas toujours là pour te protéger. Je vais tous vous faire la peau, à toi et tes petits copains !

Il raccroche.

Angela regarde son mobile comme s'il s'agissait d'un serpent venimeux qui allait lui sauter à la gorge. L'écran du téléphone affiche « Numéro inconnu ». Tremblante de peur, elle le repose sur la table et se met à pleurer à chaudes larmes. Elle ne comprend pas comment ce malade a réussi à obtenir ce numéro confidentiel.

Cette fois, c'en est trop. Angela lance le téléphone sur le divan puis ramasse son veston et se dirige vers la porte d'entrée d'un pas décidé. Alors qu'elle s'apprête à faire une bêtise, un jappement se fait entendre. Elle se penche et aperçoit Riki qui est là, à ses pieds, et attend patiemment avec la laisse entre les dents. Elle secoue la tête en voyant son air piteux. Angela raccroche son veston et se dirige vers la cuisine pour ouvrir une boîte de conserve de nourriture pour chiens. Lui au moins peut avoir du plaisir sans se soucier de sa santé mentale.

Elle se serait bien servi un double scotch en fumant un joint, si elle en avait eu sous la main. C'est la première fois qu'elle en ressent vraiment le besoin depuis sa désintoxication, et la peur de retomber surpasse la soif de la drogue, du sentiment d'évasion et d'extase qu'elle lui procure.

Quand même, il lui faut réunir toute sa volonté pour ne pas se diriger vers le bar de la 64e Rue et se payer une rasade et une ligne de cocaïne. Elle va plutôt récupérer le demi-cruchon de vin dans son réfrigérateur et s'allume une cigarette pour se calmer les nerfs. Elle avale deux comprimés de somnifère avec la première gorgée de vin et s'affale sur le divan.

Progressivement, elle retrouve son calme et se met à réfléchir. Il lui a semblé reconnaître cette voix méprisante au léger accent étranger. Où a-t-elle bien pu entendre cet accent à consonance hispanique ? Même en y réfléchissant, elle n'arrive pas à trouver qui cela pouvait bien être. Elle est sûre d'une chose cependant, ce n'est pas celle de Cardenas. Elle récupère le portable que Frank lui a laissé et compose le numéro de Karen Newman.

41

Le lendemain, quand elle entend l'alarme du réveil sonner, Angela se réveille en sueur après une nuit d'un sommeil plutôt agité. Elle jette un bref coup d'œil au réveille-matin et soupire. Mais pourquoi donc faudrait-il qu'elle se lève ? Plus rien ne la motive. Même le sexe l'indiffère, c'est tout dire. Oui, elle en est rendue à ce point : quand on n'a plus aucun but, aucun espoir dans la vie, sauf celui de se venger. Lamentable, vraiment !

Finalement, Angela décide bien malgré elle de se lever lorsqu'elle entend Riki, son petit Poméranien, gratter la porte d'entrée et se lamenter pour sortir. Elle se dirige d'un pas hésitant vers la salle de bain et s'asperge le visage d'eau froide dans le but inavoué de faire disparaître les relents cauchemardesques de la nuit. Après s'être épongée avec la serviette accrochée au mur, Angela relève la tête et aperçoit sa réflexion dans le miroir au-dessus du lavabo. Elle y voit une femme usée, au regard hagard et au visage émacié sur lequel s'entrelacent la peur et la colère. Elle a peine à croire que c'est vraiment elle.

Angela se souvient d'un temps où son visage aux traits délicats attirait tous les regards masculins qui se tournaient sur son passage. Maintenant, en le voyant, la plupart des gens détournent les yeux dans un étrange sentiment de malaise. Elle saisit sa brosse à dents et soulève la lèvre supérieure pour jeter un regard de dégoût sur ses dents ; elles ont toutes des taches brunes près de la gencive, traces laissées là par la méthamphétamine cristallisée, qui corrode l'émail.

– Damnée *ice* ! s'exclame Angela en frappant du poing l'image insipide d'elle-même que le damné miroir continuait de lui renvoyer. Et ce sacré Cardenas ! Mais tu vas payer pour tout ça, mon salaud, tu as ma parole !

Elle récupère son paquet de cigarettes et son briquet sur la table de chevet et s'en allume une. Oui, c'est vrai, elle boit et fume trop, ne dort presque plus malgré les somnifères, et s'alimente mal. Mais Angela s'en fout totalement. *Quelle différence est-ce que ça peut bien faire puisque je vais crever de toute façon ?*

Assise sur le divan du salon, Angela se remémore la violence du choc que lui a causé l'annonce de la mort de ses parents, et que ce jour-là, elle a enfin compris que rien ne lui importait plus que sa sœur, Sonia, et ce sale cabot. Elle soupire d'impatience et écrase sa cigarette. En s'intensifiant, les grattements et lamentations du petit monstre s'étaient chargés de la ramener à la réalité.

– Ouais, ouais, ça va, on arrive, crie Angela en jetant un coup d'œil mauvais en direction du vestibule.

Elle se coiffe en un rien de temps, enfile un jeans et un t-shirt bleu marine sur lequel on peut lire I LOVE NEW YORK, et met ses lunettes de soleil. Elle attrape dans la garde-robe d'entrée le blouson neuf que Karen Newman lui a donné ainsi que la laisse du chien, et sort dans l'étroit couloir de son appartement du 5e étage pour se diriger vers l'escalier de secours plutôt que vers l'ascenseur, qui est pourtant beaucoup plus rapide. Angela n'aime pas les ascenseurs : ils lui donnent le vertige. Et puis, on lui a fait croire que prendre les escaliers était meilleur pour sa santé. Elle secoue la tête lorsque le ridicule de la situation lui apparaît soudainement : marcher est bon pour sa santé, alors qu'à tout moment elle risque de prendre une balle ! Complètement ridicule, songe-t-elle avec un léger sourire au coin des lèvres.

Après avoir descendu les escaliers, elle débouche sur Madison Avenue et entreprend sa promenade préférée, partant de l'appartement situé à l'angle de la 79e Rue et de Madison pour se diriger vers Central Park. C'est l'heure du petit déjeuner, la période de la journée où Angela se sent le plus en sécurité : les drogués, les sans-abri et les alcooliques dorment encore dans les ruelles sous leurs boîtes de carton, dans les bouches de métro ou les foyers pour itinérants.

Elle bombe le torse et prend une grande bouffée d'air frais en regardant autour d'elle pour s'imprégner de cette splendide matinée. Le soleil s'est levé dans un ciel limpide et on commence à voir apparaître des feuilles aux arbres du parc. De temps à autre, quelques feuilles se soulèvent sous la brise. Angela prend la direction nord sans regarder pardessus son épaule comme à son habitude. Aujourd'hui, elle a décidé de marcher avec insouciance, sans considérer le danger qui, jour après jour, la guette depuis qu'elle a décidé de témoigner contre cet enfant de chienne de Cardenas.

À mi-chemin de son trajet, elle s'arrête toujours et s'assoit sur un banc du parc pour prendre une collation, aujourd'hui constituée d'une pomme et d'un morceau de fromage, qu'elle partage avec Riki. Ce faisant, elle remarque du coin de l'œil un itinérant qui s'avance vers elle sur le sentier en poussant un panier d'épicerie dérobé au supermarché du coin et rempli de toutes sortes de choses sans valeur qu'il a probablement ramassées dans les ordures des immeubles voisins.

Il est plutôt matinal, celui-là, pense-t-elle avec un brin d'anxiété.

Angela déteste ces damnés mendiants qui essaient toujours de lui soutirer de l'argent. *Qu'ils aillent donc travailler comme tout le monde pour gagner leur vie !* Lorsqu'il fait mine de s'approcher d'elle, Riki se met à grogner en montrant ses petites dents acérées. Elle jette un regard de mépris au clochard, qui ne réagit pas et continue d'avancer. *D'habitude, ils n'aiment pas les chiens. Bizarre.*

— Je n'ai pas d'argent à vous donner. Allez-vous-en, lance-t-elle en faisant mine de balayer de la main sa présence.

Puis, quelque chose chez ce clochard attire son attention. Elle ouvre grand les yeux de surprise lorsqu'elle l'identifie ; c'est Carlos. Elle le reconnaît très bien puisque ce n'est pas la première fois qu'il menace de la tuer si elle ne lui donne pas ce qu'il veut. Le sang se fige dans ses veines lorsque celui-ci, après lui avoir jeté un regard glacial, au lieu de tendre la main, la plonge dans son panier et en retire un pistolet muni d'un silencieux.

La panique s'empare d'elle et Angela se met à courir en trébuchant sur les inégalités du sentier. Après seulement quelques enjambées, elle entend un *pop* et sent comme une brûlure dans son dos. Quelque chose la propulse vers l'avant et elle s'effondre de tout son long derrière un chêne vieux d'au moins 60 ans.

Le tueur s'approche lentement de l'arbre afin de s'assurer que sa cible est vraiment morte. Il lui donne un solide coup de pied dans les côtes et lorsqu'il l'entend gémir, lève à nouveau son arme pour achever le travail. Il braque son Glock sur elle et alors qu'il s'apprête à presser la détente, Carlos entend une voix féminine derrière lui crier :

— FBI, jetez votre arme et levez les mains en l'air !

Plutôt que d'obtempérer, le tueur à la tête rasée et à l'avant-bras tatoué d'un serpent enroulé autour d'une dague se tourne très lentement vers les deux agents du FBI accompagnés d'une demi-douzaine de membres de la brigade spéciale du service de police de New York, le NYPD, en arborant un large sourire. Du bout des doigts, il laisse tomber son arme par terre et lève les mains. Il fixe la détective de ses yeux durs et froids comme l'acier.

— Bravo Newman, vous m'avez bien eu, lance-t-il sur un ton enjoué.

Il fait une pause et regarde Karen Newman droit dans les yeux avant de conclure sur un ton moqueur :

— Cette fois-ci !

Puis, il se met à rire à gorge déployée.

Pendant que son coéquipier, Frank DaSylva, et les policiers de l'escouade tactique passent les menottes au tueur et l'amènent vers la voiture cellulaire, Karen se dirige vers Angela, qui est toujours allongée par terre près du vieux chêne. Elle fait une moue de dégoût lorsqu'elle aperçoit aux côtés d'Angela le Poméranien qui s'affaire à lui lécher le visage. Tout en affichant un regard inquiet, Karen s'approche et se penche vers elle, puis lui tape sur l'épaule.

— Angela, ça va ?

— Merde que ça fait mal ! grogne-t-elle sur un ton de dépit tout en s'assoyant sur la terre fraîche. J'aurai certainement un bleu et ça va paraître à l'écran.

— Consolez-vous, dit Karen avec un léger sourire, si vous n'aviez pas eu le gilet pare-balles cousu dans la doublure du veston, vous seriez déjà morte à l'heure qu'il est.

Karen lui tend la main pour l'aider à se relever, mais Angela la repousse et lui lance un regard hargneux.

— Tout ça, c'est de votre faute. Je n'aurais jamais dû accepter de témoigner contre Cardenas.

Karen secoue la tête et lui lance sur un ton découragé :

— Inutile de revenir là-dessus, Angela. Vous savez très bien que vous seriez en train de pourrir en prison, ou pire si vous aviez refusé l'offre du procureur. Allez venez, je vous reconduis chez vous.

Un silence s'installe entre les deux femmes alors qu'elles observent les agents de l'escouade tactique faire monter Carlos dans la voiture cellulaire. Juste avant d'embarquer dans la camionnette, Carlos se retourne et leur fait un clin d'œil accompagné d'un joli sourire.

Ordure ! pense Karen. Puis, Angela la regarde d'un air débité.

— Je m'excuse, Karen, dit-elle avec un air coupable. Je sais que vous faites seulement votre travail. C'est juste que je ne m'attendais pas à ce que ça fasse si mal.

Karen la regarde avec un petit sourire.

— Petite nature.

De nouveau, elle lui tend la main.

Cette fois-ci, Angela saisit la main qui lui est offerte et se relève avec peine en grimaçant. Son dos lui élance et elle a l'impression qu'elle vient d'être frappée par un autobus. À la vue de Riki qui lui tourne autour, la pensée lui vient qu'elle est comme une chatte qui vient de perdre une de ses neuf vies, et que contrairement aux chiens, il devrait sûrement lui en rester au moins une autre ; aussi idiot que ça puisse paraître, l'idée la réconforte.

— Merci, dit-elle finalement en affichant un léger sourire.

Karen sourit à son tour.

— Voilà, c'est beaucoup mieux. Et surtout, n'oubliez pas votre damné clébard, dit-elle en indiquant le chien qui leur tourne autour. Il a bien failli tout faire rater, celui-là, lorsqu'il s'est mis à aboyer après Carlos. Je n'aimerais pas être obligée de partir à sa recherche en plus de m'occuper de vous : ce serait vraiment trop me demander.

Elle lui indique la patrouille automobile garée tout près de l'accotement.

— Allez, on y va.

42

Federal Bureau of Investigations
Federal Plaza, New York

Karen jette un regard méfiant à travers la glace sans tain et observe Carlos pendant un moment. Le gaillard à la carrure de débardeur est complètement détendu, comme s'il se prélassait dans son salon à regarder son émission préférée à la télévision et, même si elle est persuadée qu'il ne la voit pas, Karen a l'impression qu'il la fixe à travers la vitre en arborant un large sourire.

– C'est presque trop facile, dit-elle. Si tu regardes la façon dont les choses se sont déroulées, non seulement Carlos s'est-il fait prendre la main dans le sac comme un vulgaire débutant, mais il s'est sagement rendu sans offrir la moindre résistance.

DaSylva fait une grimace de dégoût.

– Ouais, c'est comme s'il avait voulu qu'on l'épingle. Mais ça ne fait aucun sens. Pourquoi aurait-il fait ça ?

– Aucune idée. À nous de le découvrir, dit Karen en sortant une pièce de 25 cents de sa poche.

Elle regarde DaSylva d'un air espiègle.

— Pile ou face ?

DaSylva se retourne vers elle et lève les yeux au ciel en soupirant.

— Ah, tu blagues ! s'exclame-t-il avec dégoût. Tu ne vas pas recommencer avec ces enfantillages.

— Tu pourras en dire ce que tu veux, Frank, mais ces enfantillages, comme tu dis, fonctionnent toujours.

DaSylva hausse les épaules, résigné. Il sait très bien qu'il est inutile d'argumenter, car elle ne changera jamais d'idée.

— D'accord, pile.

Karen lance la pièce de 25 cents en l'air, et après l'avoir rattrapée, la retourne sur le dos de sa main.

— C'est face, dit-elle en souriant. Je choisis… bon flic.

— Comment ça se fait que c'est toujours toi qui choisis ? s'indigne DaSylva d'un air exaspéré. Laisse-moi donc voir cette pièce de 25 cents.

Il tend la main vers Karen, qui se retourne sans dire un mot et se dirige vers la salle d'interrogation, aussi surnommée « chambre des tortures » par la majorité de ses collègues.

— Tu triches, Newman ! s'exclame-t-il en lui emboîtant le pas.

— Pas du tout. Tu t'imagines des choses, DaSylva. Alors, tu viens ? lui demande-t-elle avant d'entrer dans la salle.

— Ouais, c'est ça, finissons-en, grogne DaSylva. Mais ne compte pas sur moi pour lui tirer les oreilles, à ce Carlos. Il paraît que c'est un vrai dur à cuire.

Karen s'assoit en face du prisonnier et dépose sa tasse de café et son beignet à l'érable frais du jour de chez Starbucks ainsi que le dossier de Carlos sur la table qui les sépare l'un de l'autre. Pour sa part, DaSylva s'assoit dans le coin de la pièce en affichant une mine de pitbull à qui on a subtilisé son os.

Carlos la regarde s'installer avec un sourire méprisant sur les lèvres.

– Vous savez très bien que la torture psychologique n'aura aucun effet sur moi, agente Newman, affirme-t-il sur un ton hautain.

Karen le regarde droit dans les yeux en affichant un air indifférent pour ne pas laisser paraître qu'elle est légèrement intimidée par son regard de glace.

– C'est ce que nous allons voir, dit-elle en affichant un regard arrogant.

Elle ouvre l'épais dossier et commence à lire à haute voix tous les chefs d'accusation qui pèsent contre lui à travers les deux continents.

– Holà, tout un dossier que nous avons là, Monsieur Carlos.

Elle lève la tête pour le regarder droit dans les yeux.

– Au fait, Carlos n'est pas votre vrai nom, n'est-ce pas ?

Carlos lui lance un petit sourire narquois et, pour toute réponse, lui fait un clin d'œil.

Karen secoue la tête en affichant un air de dépit. Bien qu'elle en a déjà vu bien d'autres avant lui, quand elle observe Carlos, il y a une chose dont elle est certaine : c'est qu'elle ne va rien pouvoir tirer de ce criminel endurci. Il lui faut tenter une nouvelle approche.

– Très bien, maintenant, passons aux choses sérieuses.

Elle se penche vers lui en affichant un regard sévère.

– Qui vous a commandité pour tuer notre témoin, Carlos ?

Il lui jette un regard hautain et s'esclaffe.

– Vous ne croyez pas sérieusement que je vais vous le dire, Newman ?

– Vous me le direz certainement, affirme Karen d'un ton décidé, et avant même que je ne sorte d'ici en plus.

Carlos se met à rire comme s'il venait d'entendre une bonne blague.

– Qu'allez-vous faire ? dit-il sans tressaillir. Me torturer ?

Il s'esclaffe à nouveau.

– J'admire votre ténacité, agente Newman, mais d'autres avant vous ont essayé et s'y sont cassé les dents.

C'est au tour de Karen de lui renvoyer son petit sourire narquois.

– De toute façon, on connaît déjà la réponse à cette question. Ce qui m'agace le plus, c'est la raison pour laquelle vous vous êtes laissé chopper si facilement. Avez-vous soudainement eu des remords de conscience et décidé d'expier vos péchés dans le confort d'une prison fédérale ?

Il secoue la tête et se contente de sourire en guise de réponse.

– J'en conclus donc que vous refusez de collaborer, c'est bien ça ? Dans ce cas, je serai obligée de mentionner aux médias que le célèbre Carlos, le tueur recherché par toutes les polices du monde, a, pour éviter la chambre à gaz et alléger sa peine, conclu une entente avec le procureur et accepté de dénoncer ses commanditaires dont les noms seront connus sous peu.

Le sourire narquois de Carlos s'efface soudainement de son visage pour être aussitôt remplacé par une expression menaçante.

— Jamais vous n'oserez faire ça, Newman ! s'exclame-t-il avec une expression furieuse dans le regard.

Karen fait mine de ne pas l'entendre et se tourne vers DaSylva.

— Il croit que nous bluffons. Qu'en dis-tu, Frank ? Est-ce que nous bluffons ?

— C'est à lui de voir, répond-il sur un ton moqueur, mais si j'étais à sa place, j'accepterais l'entente du procureur, sinon…

De sa main, il fait mine de se trancher la gorge.

— Ç'a assez duré, je demande à voir mon avocat ! s'écrie Carlos, qui a perdu de son arrogance et n'affiche plus qu'un air inquiet.

Karen plie bagage et se lève.

— Allez, Frank, on s'en va. Laissons-le mijoter un peu avant de venir recueillir sa déposition.

— Parfait, s'exclame-t-il. C'est l'heure de manger. Je meurs de faim.

Karen secoue la tête.

— Avec tout ce que tu bouffes durant une journée, je te regarde, DaSylva, et je ne comprends pas comment ça se fait que tu n'engraisses pas plus que ça.

— C'est bien simple, Newman, je fais autre chose que travailler après ma journée au bureau.

Il lui fait un clin d'œil avant de se diriger vers la sortie.

— Quand ce n'est pas la bouffe, c'est le sexe. Je le jure, moi les hommes, j'en ai ma claque ! murmure Karen en lui emboîtant le pas. Heureusement qu'Harris n'est pas comme ça…

Ou peut-être que je me trompe ? Je ferais mieux d'oublier ça !

* * *

Carlos passe encore une vingtaine de minutes dans la salle d'interrogation au 23e étage du Federal Plaza, où l'ont laissé Newman et cet idiot de DaSylva avant d'être conduit par deux agents fédéraux dans une petite salle d'audience du tribunal fédéral, au premier étage de la cour du district de Manhattan au 500 Pearl Street, où l'attendait Harlan Cohen, le directeur adjoint de la DEA. Il accueille Carlos avec un regard sceptique et lui demande de s'asseoir face à lui.

Quand il leur fait signe, les deux agents du FBI qui escortaient Carlos vérifient l'état des bracelets qu'il porte et sortent de la pièce pour aller l'attendre dans le hall. Cohen tire une chaise et vient s'asseoir face à Carlos.

Lorsque les deux hommes sont seuls, leurs regards se croisent et Cohen se présente :

– Agent spécial Harlan Cohen de la DEA, dit-il sèchement.

Il toise Carlos d'un regard méprisant avant d'ajouter :

– En réalité, vous ne présentez aucun intérêt pour moi. Celui qui m'intéresse, c'est Cardenas. Voici ce que je vous propose : c'est très simple. Primo, vous me dites où il se planque, et secundo, vous me donnez les noms des gens impliqués dans son organisation et vous m'aidez à les coincer pour trafic de drogue.

Il fait une pause avant de conclure. Jusqu'ici, Carlos ne lui a lancé qu'un regard impénétrable, et Cohen n'arrive pas à interpréter son impassibilité.

– En échange, je fais tomber la poursuite pour tentative de meurtre et je vous fais sortir du pays vers une destination de votre choix. Qu'en dites-vous ? C'est assez intéressant comme proposition, non ?

Sans le quitter de son regard empli d'arrogance et de férocité animale, Carlos l'écoute avec attention, mais demeure de glace jusqu'à ce que Cohen ait terminé. Il lâche un soupir d'impatience.

– C'est tout ? dit-il finalement en soutenant son regard sans sourciller.

Cohen lui jette un sourire narquois.

– Non. Si vous refusez de collaborer, de deux choses l'une : ou bien nous acceptons la demande d'extradition du gouvernement mexicain et ils s'occuperont eux-mêmes de votre cas, ou bien nous nous arrangerons pour que vous soyez reconnu coupable de plusieurs meurtres au premier degré et vous irez faire un tour dans la chambre à gaz.

Cohen essaie encore de jauger les réactions de Carlos, mais il n'y parvient tout simplement pas. Deux éclats de glace le fixent, et il songe que cet homme pourrait facilement le tuer sans aucun remords s'il en avait l'occasion. Ce tueur sans scrupules est en train de lui faire perdre son calme légendaire, et Cohen s'impatiente.

– Alors, qu'est-ce que ce sera ? Cardenas ou la chambre à gaz ? Décidez, je n'ai pas que ça à faire.

– Allez vous faire foutre ! dit finalement Carlos sur un ton hargneux. Peu importe que j'accepte ou refuse, dans les deux cas, je suis un homme mort.

Il jette un regard cinglant à Cohen. *Tout comme vous,* pense-t-il avec un sourire aux lèvres.

Cohen expire profondément et hoche la tête.

– Je m'y attendais. J'avais d'ailleurs dit au procureur que j'étais sûr que nous perdions notre temps, mais il a insisté pour que je te fasse la proposition quand même.

— Je veux parler à mon avocat, dit Carlos d'une voix menaçante.

— Bien sûr, vous y avez droit, répond Cohen sur un ton sarcastique, mais j'ai bien peur que vous deviez attendre d'être rendu à l'intérieur de la prison à sécurité maximum où je vous envoie pour lui parler.

Cohen se lève et fait signe aux deux agents du FBI que l'entretien est terminé. Ils s'approchent de Carlos, mais ce dernier est plus rapide qu'eux et se saisit de Cohen par-derrière en lui passant la chaîne des bracelets autour du cou, comme pour l'étrangler.

— Reculez, ou je le tue ! menace Carlos en reculant avec son otage vers la sortie.

Les deux agents braquent aussitôt leur arme vers lui et Waters, le plus âgé des deux, lui dit d'une voix grave :

— N'aggrave pas ton cas, Carlos. Lâche-le.

Plutôt que d'obtempérer, Carlos resserre son étreinte autour du cou de Cohen, qui commence visiblement à paniquer.

— Laissez tomber vos flingues et envoyez-les vers moi. Maintenant !

Comme les deux agents semblent hésitants, Carlos serre encore plus fort la chaîne autour du cou de Cohen, devenu blanc comme un linge.

— Faites ce qu'il dit, s'écrie ce dernier d'une voix rauque.

Waters et son collègue obéissent et se débarrassent de leurs armes. Tout en entraînant son prisonnier avec lui, Carlos s'accroupit et récupère les deux Sig Sauer P226 qui traînent sur le plancher. Il retire le chargeur de l'un d'eux, le met dans sa poche et lance le pistolet par terre.

Carlos braque l'autre Sig sur Waters et lui fait signe :

— Vous, donnez-moi vos clés de voiture.

L'agent Waters le fixe d'un regard furieux et retire le trousseau de clés de sa poche de veston.

— L'endroit est truffé de gardes de sécurité, dit-il. Tu ne pourras jamais sortir d'ici.

Il s'apprête à lancer ses clés à Carlos lorsque celui-ci désigne Cohen.

— Donnez-les-lui. Il sera mon chauffeur.

Carlos se tourne ensuite vers le deuxième agent.

— Vous, décrochez la paire de menottes de votre ceinture et posez-en une à votre poignet et l'autre à celui de votre collègue, ordonne-t-il.

Il agite son arme.

— Et plus vite que ça !

Il lève les yeux vers la caméra de sécurité placée judicieusement dans le coin de la pièce et fait signe aux deux agents de s'installer dans le coin opposé, dans l'angle mort de la caméra. Puis, il assène à chacun un coup de crosse sur la nuque, et ils s'écroulent l'un après l'autre sur le plancher de bois dur de la salle d'audience.

Carlos retire la chaîne d'autour du cou de Cohen et lui met un des bracelets devant le visage.

— Enlevez-moi ça !

Cohen prend le trousseau de clés que Waters lui a remis et en essaie quelques-unes avant de libérer Carlos. Il se met à trembler lorsqu'il sent le museau du pistolet dans son dos. L'agent spécial croit sérieusement que sa dernière heure est venue jusqu'à ce que Carlos lui murmure à l'oreille :

— Allons-y. Vous et moi, nous allons faire une petite promenade.

43

Une heure plus tard, après s'être payé un lunch rapide chez Denny's, lorsque Karen et DaSylva se pointent au Federal Plaza, ils constatent avec étonnement que leur prisonnier a disparu. Karen se retourne d'un trait pour se diriger vers le bureau de l'agent de garde, un jeune freluquet nommé Lance King. Lorsqu'elle l'interroge afin de savoir où est passé Carlos, il lève lentement les yeux de ses écrans de surveillance et lui répond sur un ton indifférent qu'il a été pris en charge par la DEA.

– Quoi ! s'exclame Karen, indignée. Qui a signé le registre ?

King, qui a évité leurs regards accusateurs jusqu'ici, les observe, elle et DaSylva, d'un air étonné.

– Mais, c'est l'agent spécial Harlan Cohen qui a signé. Je croyais que vous étiez au courant. Il a un mandat signé de la substitut du procureur, Sandy Reynolds.

Karen bout littéralement de rage.

– Pour qui elle se prend, celle-là ? s'écrie-t-elle sur un ton rageur. Elle n'a aucun droit de faire ça sans m'en parler, c'est *mon* prisonnier !

– On aurait dû s'en douter. Depuis le début, elle ne fait que nous mettre des bâtons dans les roues, celle-là ! dit DaSylva en observant les écrans de surveillance du coin de l'œil. À moins que ce soit Cohen qui ait imité sa signature...

Il pointe l'écran numéro sept du doigt.

– Où est-ce ? demande-t-il à King.

Le jeune agent se tourne vers la sept et lui répond qu'il s'agit de la salle d'audience du 500 Pearl Street.

– Ce ne serait pas là qu'ils ont amené notre prisonnier, par hasard ?

King le regarde d'un air étonné.

– Bien sûr que oui. C'est toujours là qu'on les amène. Pourquoi ?

DaSylva secoue la tête avec énergie et, dans un geste de découragement, laisse tomber les bras et lève les yeux au ciel. Il ne peut pas croire qu'on puisse être aussi incompétent.

– Parce qu'on n'y voit personne, espèce de sombre idiot ! Déclenche l'alarme, Carlos s'est fait la malle !

– Et lance un mandat d'arrêt sur Carlos tandis que tu y es ! ordonne Karen, aussi abasourdie que DaSylva par l'incompétence de King.

Alors que Karen et DaSylva se dirigent rapidement vers l'ascenseur, King affiche un air inquiet. Le directeur lui fera sa fête quand il s'apercevra qu'il n'a déclenché l'alarme que plusieurs minutes après l'évasion de Carlos.

– Merde ! murmure-t-il.

44

Alors qu'elle et DaSylva se dirigent vers la BMW de Karen, la voix du jeune blanc-bec résonne dans leurs écouteurs.

— Ici King. Les caméras de surveillance montrent clairement le suspect prenant la fuite dans le véhicule de l'agent Waters, une Ford Taurus rouge.

Karen porte la main au micro attaché au col de sa veste et appuie sur le bouton de transmission.

— Immatriculation ?

— KLB-996. Et… on me rapporte qu'il vient juste d'être repéré à l'angle de la 24e Rue et de Park Avenue.

— Bien reçu ; 10-4.

Karen prend le volant et sort du parc de stationnement souterrain à toute vitesse. Après quelques coins de rue, devant eux, la circulation ralentit. Le feu qui se trouve à l'entrée de la bretelle d'accès à la voie rapide passe au rouge. Elle freine et s'arrête. Ses mains se crispent sur le volant tellement elle est en colère contre elle-même et cet abruti de Cohen pour avoir laissé filer Carlos. Elle se redresse brusquement sur son siège lorsqu'elle croit repérer le véhicule en fuite, une Ford Taurus rouge. Ses yeux lancent des éclairs lorsqu'elle demande à DaSylva de vérifier pour elle auprès de la centrale qu'il s'agit bien de la bonne plaque d'immatriculation.

Dès qu'elle reçoit la confirmation, Karen se propulse hors du véhicule et se met à courir au milieu de la rue, entre les files de voitures immobiles. Son unique objectif est d'atteindre la Taurus rouge qui se trouve huit voitures plus loin. DaSylva la talonne, mais devient vite incapable de soutenir le rythme effréné avec lequel Karen court vers son objectif. Il voit qu'elle n'en est qu'à quelques mètres lorsque la portière du côté passager s'ouvre et que Carlos en descend, l'arme au poing. Il regarde Karen se rapprocher de lui en affichant un air satisfait et lève son arme pour la mettre en joue. DaSylva dégaine aussitôt et fait feu à plusieurs reprises en sa direction.

Carlos reçoit une balle à l'épaule et laisse tomber son arme par terre. Il se penche avec une grimace de douleur et récupère le 9mm. Dès qu'il se relève, Carlos se met à courir en direction d'un Toyota Highlander qui s'apprête à redémarrer lorsque le feu passe au vert. Carlos ouvre la portière et agrippe le conducteur par la manche de son veston pour le tirer hors du véhicule et le propulser par terre. Il s'installe au volant et démarre en trombe pour accéder à la voie express sous les protestations du conducteur en furie.

Dès qu'elle rejoint la Ford Taurus immobilisée, Karen regarde à l'intérieur et se fige. Elle passe près de vomir son déjeuner lorsqu'elle le voit, la tête appuyée sur le volant, avec un impact de balle sur la tempe gauche, d'où s'écoule un filet de sang. Cohen a rendu l'âme. Elle expire longuement pour évacuer la tension que le macabre spectacle fait naître en elle. *Heureusement pour lui, car il en aurait pris pour son grade,* se dit-elle, comme pour dédramatiser la situation.

DaSylva la rejoint et constate à son tour le décès de Cohen. Sans dire un mot, il replace son arme dans son holster et fixe Karen, qui semble tétanisée.

– Ce n'est pas le premier, tu en as vu d'autres. Respire par le nez, Newman, lui envoie DaSylva.

Pourtant, la vue d'un cadavre la retourne chaque fois.

– Même s'il était imbu de lui-même et plutôt chiant, rétorque Karen, Cohen ne méritait pas de finir comme ça.

Ils retournent en silence à la voiture. Alors qu'ils rejoignent la BMW, un hélicoptère de la police les survole, et DaSylva saisit le micro pour rapporter à l'équipage le meurtre de l'officier de la DEA et la description du véhicule dans lequel Carlos a pris la fuite.

Le feu est passé au vert et la circulation a repris. Les conducteurs des véhicules qui se trouvent derrière la BMW se mettent à klaxonner et à tenter de la contourner. DaSylva fourre son badge sous le nez d'un automobiliste particulièrement agressif qui les traite de tous les noms, et lorsqu'il fait mine de sortir son arme de son holster, celui-ci détale à toute vitesse.

Karen se remet au volant ; sa montée d'adrénaline s'estompe et elle frissonne en repensant aux risques qu'elle vient de prendre. Son estomac danse le tango alors qu'elle revoit Cohen avec un trou sanglant dans la tempe.

DaSylva l'observe alors qu'elle conduit et se rend vite compte qu'elle est bouleversée.

– Tu es sûre que tu ne veux pas que je conduise ?

– Non, ça va, dit-elle, l'air songeur.

– Tu n'as pas l'air dans ton assiette. Ce n'est pourtant pas la première fois que tu vois un macchabée.

– Ce n'est pas ça, dit-elle sur un ton encore incrédule en regardant droit devant elle. Pourquoi a-t-il fait ça ?

– Que veux-tu dire ?

– Cohen était son otage et ne représentait pas vraiment une menace, vu qu'il n'était même pas armé. Alors, pour quelle raison Carlos l'a-t-il supprimé ?

– Ce n'est pas à nous d'élucider ce mystère, dit DaSylva sur un ton cassant. C'est à la DEA d'enquêter sur l'intégrité de son personnel.

Karen fronce les sourcils et lui lance un regard en coin.

– Parce que tu crois que Cohen n'est pas réglo ?

– C'est ce que j'ai entendu dire entre les branches. Il y a des rumeurs qui circulent selon lesquelles, vu leur accès aux saisies de drogue provenant de Colombie et du Mexique, ils sont plusieurs dans ce département à arrondir leurs fins de mois en la revendant aux caïds de la drogue plutôt que de la brûler comme ils sont censés le faire.

– Ça n'explique toujours pas pourquoi Carlos l'a expédié dans l'Au-delà.

– D'après moi, Cohen bossait pour Cardenas depuis un certain temps et il l'a roulé, ou il est devenu trop gourmand et l'a menacé de tout révéler s'il ne payait pas. Dans tous les cas, Cardenas a dû lancer un contrat sur sa tête.

Karen se fait à nouveau songeuse.

– Est-ce que tu sais qui pourrait nous renseigner là-dessus ?

– Peut-être, pourquoi ? demande DaSylva, intrigué.

– Parce que ça pourrait nous renseigner sur la planque de Cardenas au Mexique.

DaSylva la regarde d'un air perplexe.

– Là, je ne te suis plus. Comment le fait de savoir que Cohen revendait de la drogue à Cardenas peut-il te renseigner sur sa planque au Mexique ?

Karen affiche un petit sourire en coin avant de déclarer :

– C'est bien simple. Il suffit de vérifier le compte en banque de Cohen et, en excluant son salaire hebdomadaire, de retracer l'origine des sommes substantielles qui y figurent.

DaSylva hoche la tête. Il vient de tout comprendre.

– Et avec la collaboration du gouvernement mexicain, ça ne devrait pas être un problème.

C'est à son tour de sourire en regardant Karen.

– Tu m'étonneras toujours, Newman. Il n'y en a pas deux comme toi pour retrouver la trace d'un criminel. Tu es comme un chien de chasse qui repère le gibier à des kilomètres à la ronde.

– Oh, merci beaucoup, c'est très flatteur d'être comparée à un chien de chasse.

DaSylva éclate de rire. Puis, après un moment, son sourire s'efface brusquement.

– C'est bien beau tout ça, mais qu'est-ce qu'on fait pour ce salaud qu'on traque depuis des semaines, Carlos ? Après le parc, ça va être plutôt difficile de lui tendre un nouveau piège.

– Surtout lorsqu'on sait qu'il nous a menés par le bout du nez et s'est laissé capturer afin d'approcher Cohen et de le liquider au vu et su de tout le monde.

Karen secoue la tête.

– Mais grâce à toi, cette fois-ci, ça va être différent. Il a fini de nous mener en bateau, celui-là.

– Comment ça, grâce à moi ? demande DaSylva, étonné.

– Tu lui as tiré une balle dans l'épaule, n'est-ce pas ?

DaSylva hoche la tête.

– Il faudra bien qu'il aille se faire soigner quelque part, non ?

DaSylva lui lance un air dubitatif.

– Et il peut se pointer à n'importe quelle clinique de Manhattan, qui en contient une trentaine. Comment vas-tu faire pour savoir laquelle ?

Elle pointe vers le haut.

– L'hélico va le faire pour moi. Dès qu'il lâchera le Highlander, on le saura. Ça devrait délimiter le périmètre, tu ne crois pas ? Et quand on le retrouvera, le chien de chasse lui réserve une surprise qu'il n'oubliera pas de sitôt, crois-moi !

DaSylva la regarde d'un air admiratif et émet un léger sifflement.

– C'est ce que je disais…

– Quoi ?

– Tu me surprendras toujours, Newman.

Puis, il imite un grognement de chien.

– J'ai trouvé la nouvelle devise du département : « Attention, criminels endurcis ; le chien de chasse est à vos trousses ! »

– Très drôle, DaSylva. Vraiment hilarant ! Tu aurais pu faire un excellent comédien.

Elle lui jette un regard du coin de l'œil, puis sourit malgré elle. DaSylva a vraiment le don de dédramatiser une situation délicate. Et en plus, elle lui est reconnaissante de lui avoir sauvé la mise, encore une fois.

45

Après avoir traversé le Lincoln Tunnel sur la 495, le Highlander bifurque sur la 3 et prend la jonction de la 17 en direction de l'aéroport de Teterboro pour s'engager sur Highland Cross et se garer à l'arrière, dans l'aire de stationnement pour visiteurs du Meadows Surgery Center, un petit centre médical situé à 10 kilomètres de l'aéroport, composé essentiellement d'un bâtiment de pierre grise de 2 étages, de la longueur d'un petit pâté de maisons.

Tout en suivant les directions de l'hélicoptère de surveillance, Karen suit le VUS en laissant une bonne distance entre les deux véhicules et se gare de l'autre côté de Highland Cross, dans un petit centre d'achats, juste en face de la clinique.

DaSylva sort les jumelles du coffre à gants, juste à temps pour voir Carlos s'extraire du Highlander et se diriger d'un pas mal assuré vers l'entrée de la clinique.

À la clinique chirurgicale Meadows, la médecin de garde, Dre Sara Martinez, révise les dossiers de la trentaine de patients qui se sont présentés à la clinique durant une journée qui s'est révélée relativement tranquille lorsque la sonnerie de son interphone résonne sur son bureau. Elle presse la touche « Écoute » et entend la voix paniquée de

Gisèle, la réceptionniste, qui lui demande de se présenter immédiatement à la réception pour prendre en charge un blessé par balle.

En arrivant dans le hall principal, elle voit Carlos avec son veston imbibé de sang à l'épaule qui braque une arme sur Gisèle, et son visage s'assombrit. Les yeux écarquillés, Sara le regarde fixement, incapable de prononcer un mot. Il est aussi séduisant que dans son souvenir : grand, mince, avec des yeux marron dans un visage aux traits anguleux et un teint hâlé, toujours sans un cheveu sur la tête, ce qui lui donne un certain charme.

Le regard de Carlos trouve le sien et son cœur fait trois tours, son estomac se noue. Carlos brise le silence en premier.

– Sara ! Ça fait un bail ! dit-il en grimaçant un semblant de sourire.

Il la regarde bizarrement. Elle est toujours aussi belle. Elle n'a pas beaucoup changé depuis la dernière fois qu'il l'a vue, deux ans auparavant. Avec une peau cuivrée, sans aucune ride malgré la trentaine avancée, elle a conservé un air de jeunesse qui met en valeur ses traits typiquement latino-américains. Elle a teint ses cheveux noirs et opté pour une teinte auburn qui s'accorde beaucoup mieux avec ses grands yeux bleus. Mais à part ça, c'est toujours la même jeune femme très séduisante qu'il a connue, il y a plus de cinq ans de cela.

Il l'a rencontrée entre deux missions, et ses brèves vacances s'étaient vite transformées en une liaison qui avait duré plus de deux ans. Pour justifier ses fréquents voyages et son haut niveau de vie, il avait prétendu être un conseiller financier travaillant pour des firmes internationales. C'était ce qu'il avait aimé avant tout chez elle. Elle n'avait pas posé de questions ni cherché plus loin. Chaque fois qu'il revenait, ils pouvaient passer des heures à faire l'amour.

Il ne l'avait pas quittée de gaieté de cœur. Une des premières règles de son métier est qu'il ne faut pas s'attacher : c'est une question de survie. Et être près d'elle lui donnait envie d'avoir quelque chose qu'il ne pourrait jamais avoir. Il avait voulu s'épargner cette torture mentale et l'avait quittée, un beau matin, alors qu'elle était encore endormie, ne laissant qu'une note en guise d'au revoir.

— Carlos ? Que viens-tu faire ici ?

— Ça me semble assez évident.

Il pointe le Sig vers sa blessure.

— Je veux que tu la retires au plus vite. Je suis assez pressé, vois-tu ?

Lorsqu'il se tait, Sara le regarde d'un œil méchant.

— Et qu'est-ce qui te fait croire que je vais le faire ? lance-t-elle avec défi.

Le sourire forcé de Carlos se transforme soudain en un regard menaçant. Il braque à nouveau son arme sur la réceptionniste qui est demeurée bouche bée jusque-là. Gisèle détourne le regard et plie l'échine, s'attendant à tout moment à recevoir une balle.

— Parce que tu ne veux pas que je lui tire une balle dans la tête. C'est suffisant comme raison ?

— Tu n'as pas changé, Carlos. Tu es toujours une belle ordure, crache-t-elle sur un ton haineux.

— Bon, maintenant que nous sommes à jour dans nos nouvelles, tu me l'enlèves ou non ? Décide. Je te donne cinq secondes et après je vous descends toutes les deux. Cinq… quatre…

— Ça va ! Ça va, j'ai compris. Inutile de me menacer.

Elle se retourne vers le couloir qui mène aux salles d'examen.

— Suis-moi, ordonne-t-elle d'un ton sec.

Il se tourne vers Gisèle et lui jette un regard glacial.

— Toi, fous le camp ! crie-t-il avant de s'avancer dans le couloir.

De l'autre côté de la rue, assis dans la BMW, Karen et DaSylva voient avec étonnement la réceptionniste sortir en courant de la clinique. Après avoir demandé des renforts, ils revêtent des gilets pare-balles et vérifient que leur Glock est déjà chargé. Ils quittent ensuite la voiture et se précipitent vers l'entrée de la clinique.

Sara conduit Carlos dans le corridor et s'arrête à une porte à mi-chemin. Comme elle est entrouverte, elle se contente de la pousser. Ils entrent dans une pièce bien éclairée qui contient une table d'examen et une armoire en métal où sont entreposés les instruments et produits utilisés lors des examens. Sara traverse la pièce d'un pas mal assuré et se procure les instruments et désinfectants dont elle aura besoin lors de l'extraction. Carlos s'approche de la table, les narines incommodées par l'odeur d'antiseptique qui plane dans la petite pièce, et s'assoit sur la table.

— Elle semble s'être logée entre la clavicule et la capsule de l'humérus, dit Sara en examinant la blessure de près.

Elle le regarde du coin de l'œil. Si elle se souvient bien, mieux vaut ne pas contrarier Carlos ; il risque de devenir violent.

— Je suppose que ça ne sert à rien de te demander comment tu as fait pour te prendre une balle.

Sara a tenté d'adopter un ton plus chaleureux et intéressé, mais elle n'est pas sûre d'y être parvenue.

— Tu as tout compris. Maintenant, retire-la au plus vite, ordonne-t-il d'un ton cassant.

Sa phrase est ponctuée par le bruit de la porte d'entrée de la clinique qu'on ouvre à la volée. Lorsqu'il entend des pas dans le couloir, d'un mouvement vif, le tueur empoigne Sara par-derrière et passe son bras ensanglanté autour de son cou. Puis, il se tourne et braque son arme sur la porte.

— Lâchez-la ! lui ordonne Karen en entrant dans la salle d'examen, son arme braquée sur le tueur.

Un sourire grimaçant se dessine sur le visage de Carlos.

— Non, je ne crois pas.

La meilleure défense, c'est toujours l'attaque, songe Sara nerveusement. Sans dire un mot, elle s'empare du scalpel qu'elle a posé sur la petite table d'examen en même temps que les bandages et le sparadrap, et elle lui entaille le bras qui tient le 9mm.

Carlos pousse aussitôt un cri de douleur, mais sans toutefois laisser tomber son arme.

— Pourquoi as-tu fait ça ? s'exclame Carlos avec un regard étonné en se tenant le bras ensanglanté.

— Les mains en l'air, ordonne DaSylva, qui vient juste de se joindre à eux et braque son arme sur lui.

Carlos a un petit rire nerveux et darde un regard noir sur Karen.

— Vous avez encore gagné, Newman, dit-il sèchement. Je dois ramollir.

Il soupire et hausse les épaules, ce qui lui soutire une grimace.

— Je crois bien qu'il est temps de passer à autre chose.

Puis, il se met à reculer vers la pièce attenante, entraînant son otage avec lui. Une fois à l'intérieur, il claque sèchement la porte et la verrouille. Carlos jette un rapide coup d'œil autour de lui, et lorsqu'il aperçoit ce qu'il cherche, repousse durement Sara dans un coin de la pièce.

— Vous n'êtes que de sales putes, toi et les autres, dit-il sur un ton de mépris avant de s'emparer d'une bonbonne d'oxygène qui repose sur un chariot près de l'entrée.

Carlos ouvre la valve et, lorsqu'il entend avec satisfaction le gaz s'échapper dans un léger sifflement, il empoigne la bonbonne et la projette à travers la baie vitrée de la salle d'examen.

Carlos se met à sourire lorsqu'il entend plusieurs coups de feu retentir à l'extérieur de la clinique, suivis de l'immense fracas d'une explosion. Son plan a fonctionné. Ces idiots de l'escouade tactique ont fait feu sur la bonbonne d'oxygène, qui leur a explosé en plein visage. Il aimerait constater par lui-même les dégâts qu'il vient de causer, mais n'en a pas le temps ; il doit sortir de là au plus vite. Il empoigne de nouveau Sara, terrorisée, et l'entraîne vers le couloir attenant à la pièce où ils se trouvent pour se diriger vers la sortie de secours à l'arrière de l'immeuble qui donne sur le terrain de stationnement.

Lorsqu'elle entend les déflagrations de M16, suivies du fracas d'une explosion, Karen tend immédiatement le bras, et fait feu à plusieurs reprises sur la serrure de la porte donnant sur la pièce où se trouvent Carlos et Sara. Celle-ci vole en éclats et DaSylva enfonce la porte d'un solide coup de pied, et ils se retrouvent tous deux face à une pièce vide. Karen s'avance pour regarder à travers la vitre brisée afin de constater les dégâts, et elle entend un des policiers d'élite de la brigade spéciale en tenue d'assaut qui brandit son fusil M16 crier :

— Laisse tomber ton arme !

Carlos se retourne d'un coup, son arme au poing. La voix vient de l'arrière, sur sa gauche, pas très loin de lui. Du coin de l'œil, il perçoit un léger mouvement près de l'une des voitures. Sans hésiter, il tire. Dès qu'il entend le bruit sourd d'un corps qui s'écroule, Carlos se met à courir vers le Highlander avec son otage en remorque.

Avant qu'il n'atteigne le VUS, un autre policier se pointe. Carlos tire, mais l'homme ne réplique pas. C'est exactement ce qu'il espère en emmenant Sara ; les forces de police n'oseront jamais tirer sur un otage.

À l'intérieur de la clinique, Karen croit reconnaître le son du Glock de Carlos qui fait feu à deux reprises. Lorsqu'elle et DaSylva sortent et qu'elle l'aperçoit au volant du VUS qui s'apprête à s'enfuir, c'est plus fort qu'elle, Karen braque son arme sur Carlos et fait feu à plusieurs reprises. Le Highlander, hors de contrôle, entre en collision avec le fourgon de la brigade spéciale qui lui barre le passage et fait une embardée pour finalement atterrir lourdement sur le toit.

Karen se précipite vers le Highlander retourné, son arme tendue devant elle. Elle se penche vers le pare-brise du côté conducteur et voit Carlos, le visage ensanglanté et le menton appuyé sur le coussin gonflable qui s'est déployé lors de l'impact. L'ombre d'un instant, elle le croit mort. Mais l'instant d'après, il remue la tête et fixe les yeux sur elle. Elle l'a raté de peu. La balle n'a fait qu'effleurer l'arcade sourcilière. Mais cela a quand même été suffisant pour l'aveugler et lui faire perdre la maîtrise du véhicule.

– Aidez-moi, supplie-t-il alors qu'il essaie de récupérer son arme, qui s'est logée entre les deux sièges avant.

Durant ce temps, DaSylva s'est dirigé du côté passager pour aider Sara à se libérer. Deux autres policiers se joignent à lui et ils parviennent à l'extraire du véhicule sans trop de mal. Alors qu'il détourne son regard de Sara pour voir comment se débrouille Karen, il aperçoit la main de Carlos qui atteint le Glock et l'empoigne. Il braque son arme sur lui, prêt à abattre ce monstre pathétique.

– Lâchez ça, espèce d'ordure ! crie-t-il sur un ton rageur.

Malgré l'avertissement, Carlos continue à relever son arme.

Karen a également entendu l'avertissement de DaSylva, et dès qu'elle le voit soulever son arme pour la braquer sur elle, elle presse la détente et lui loge une balle entre les deux yeux. Comme pour la narguer, même dans la mort, il a gardé ses yeux d'un noir d'encre fixés sur elle en affichant un large sourire aux lèvres.

– Allez en enfer ! murmure-t-elle avant de détourner le regard et de reculer de quelques pas.

La détonation alarme DaSylva. Craignant qu'elle n'ait été blessée, il se rapproche de Karen tout en gardant Carlos dans sa ligne de mire.

– Karen, est-ce que ça va ?

Elle fait signe que oui en remettant le Glock dans son holster.

Alors qu'elle s'éloigne sans dire un mot, DaSylva se penche vers Carlos pour prendre son pouls. Il a son compte. C'est fini. Le désormais célèbre tueur à gages ne fera plus jamais de victimes.

46

Aussitôt qu'ils ont fini de répondre aux questions des enquêteurs en scène de crime et remis leur rapport sur les événements ayant conduit à la mort de Cohen puis à celle de Carlos, Karen quitte la clinique en compagnie de DaSylva et reprend le volant. Sur le chemin du retour, à la demande de son coéquipier, elle s'arrête et le dépose devant la porte de l'immeuble où loge Angela ; il veut apparemment lui annoncer la bonne nouvelle de vive voix, ce qui arrache un sourire à Karen.

— Bonne chance, lance Karen alors qu'il s'apprête à quitter le véhicule.

DaSylva fait celui qui ne comprend pas et se contente de lui souhaiter une bonne fin de journée avant de se diriger vers l'entrée de l'immeuble à appartements.

Karen s'empresse ensuite de retourner à son loft pour y retrouver son héros en convalescence. Marc a eu son congé le matin où Karen a attrapé Carlos à Central Park. Elle et DaSylva étaient venus le chercher à l'entrée principale de l'hôpital St. Mary's pour le conduire à son appartement et ils étaient tous deux repartis vers le bureau immédiatement après pour apprendre que Carlos s'était fait la malle.

En entrant dans le loft, l'odeur du café flotte jusqu'à ses narines et attire son attention vers la cuisine, et vers Marc.

Même avec un bras en écharpe, il est séduisant, pense-t-elle en lui jetant un regard amoureux. Avec d'infinies précautions pour ne pas toucher à ses côtes blessées, elle s'approche de lui et pose un baiser sur ses lèvres. Il sourit.

– Comment ça va, mon beau héros ? lui demande-t-elle.

La simple odeur de son parfum a raison de lui : Marc en oublie sa blessure et il l'attire à lui. Elle se blottit contre lui, ce qui lui arrache une grimace. Plaquée contre son corps, elle sent son désir. La tiédeur qui se répand en elle l'étonne et la captive en même temps. Entre eux circule un courant électrique presque tangible. Puis, les lèvres de Marc s'emparent de sa bouche, et elle cesse de penser. La chaleur de son baiser la fait basculer et elle se laisse emporter par la vague, le serrant à son tour dans ses bras. Elle l'embrasse, d'abord tendrement, puis avec avidité.

Karen l'entraîne prudemment vers la chambre à coucher et l'aide à se déshabiller. Le corps de Marc est hâlé, aussi musclé que dans son souvenir. D'une seule main, il déboutonne difficilement sa blouse, trouve sa poitrine et s'y attarde. Puis, il défait sa jupe, qui glisse par terre, et lui enlève son slip.

Karen retire sa blouse pour se retrouver entièrement nue, et elle sent le regard de Marc sur elle. Il cueille son sein droit dans sa main gauche et l'embrasse. Quelques secondes plus tard, elle l'allonge sur le lit et le chevauche. Elle constate avec plaisir qu'il n'a rien perdu de sa virilité. Le sentir en elle, si vite, amplifie son plaisir et elle lâche un cri.

Après s'être allongée à côté de lui, Karen tourne la tête de côté et constate que son visage arbore un petit sourire de satisfaction.

– Qu'est-ce qui te fait sourire ?

— C'est que je viens juste de me souvenir de la blague des porcs-épics. Tu connais ?

— Non ?

— Sais-tu comment les porcs-épics font l'amour ?

Elle secoue la tête en signe d'ignorance.

— Avec d'infinies précautions !

Sur ce, Harris éclate de rire. Karen lui lance un regard incertain en se demandant ce qu'il trouve de si drôle là-dedans. Il réagit en pointant son bras en écharpe et en précisant :

— Avec précaution ! Tu comprends ?

Elle secoue la tête en le fixant d'un air sévère.

— Bon, maintenant, est-ce qu'on pourrait passer aux choses sérieuses ?

Les yeux de Marc croisent les siens et il fronce les sourcils.

— Qu'est-ce que tu veux dire ?

— Je n'ai même pas eu le temps de t'annoncer la bonne nouvelle avant que tu me sautes dessus, dit-elle sur un ton enjoué.

— Je ne t'ai pas sauté dessus, c'est toi qui…

Elle l'interrompt.

— Tu n'as plus rien à craindre de Carlos, il a rendu l'âme ; si jamais il en avait une, bien sûr.

— Mais c'est magnifique ! s'exclame-t-il avec un regard étonné. Quand est-ce que c'est arrivé ? Qui l'a éliminé ? C'est toi ?

Karen détaille succinctement sa journée et les circonstances qui ont mené à la mort de Cohen et finalement à celle de Carlos. Puis, elle adopte un air sévère et le regarde droit dans les yeux.

— J'ai besoin que tu me rendes un service.

— Bien sûr, tu n'as qu'à demander, mon amour.

Karen l'observe et c'est à son tour d'afficher un regard étonné. Elle se sent envahie par une drôle de sensation. Un sentiment partagé, à la fois de crainte et de joie ; la joie d'être à nouveau aimée, et la crainte d'être à nouveau déçue. Puis, elle se rend compte que Marc la regarde d'un air étrange.

— Karen ? Est-ce que ça va ?

Elle fait signe que oui et lui explique en quelques mots qu'elle a besoin de son expertise sur le crime organisé pour retrouver d'où proviennent les sommes qui figurent sur le relevé de compte bancaire de l'agent Cohen.

— Je regrette, mais mon expertise ne se situe pas là. C'est une chose de piéger et coincer des trafiquants de drogue, mais accéder à des comptes bancaires à l'étranger en est une autre. Désolé. Pourquoi ne demandes-tu pas à celui qui est responsable de la section des fraudes informatiques du FBI ?

— Parce que l'agent Cohen vient juste d'être assassiné, et qu'il serait mal vu d'ouvrir une enquête « officielle » sur lui. Même si c'est vrai qu'il était corrompu et faisait le trafic de la drogue, nous n'avons aucune preuve, et ça mettrait la puce à l'oreille de ses complices dans le département.

— Désolé, mais je ne vois vraiment pas comment je pourrais t'aider.

Elle lui jette un air empreint de reproche.

— Je me doutais bien que tu n'étais avec moi que pour le sexe et que je faisais une grave erreur en te laissant entrer dans ma vie, dit-elle en affichant un air déçu.

Elle se lève précipitamment et après avoir passé sa robe de chambre fleurie favorite qui sied parfaitement à son teint hâlé et ses cheveux pâles, Karen se dirige vers la cuisine.

Harris la suit des yeux et après maints efforts, il réussit à remettre son jeans pour aller la rejoindre. Il lui passe un bras autour de la taille et lui murmure un «Je t'aime» à l'oreille. Elle retrouve aussitôt son sourire ainsi que son calme et l'embrasse tendrement.

— Dans ce cas, tu ne connaîtrais pas quelqu'un qui pourrait...

Comme sous le coup d'une révélation, Marc lui coupe la parole et s'exclame :

— Peter !

Lorsqu'il perçoit l'incompréhension qui se reflète sur le visage de Karen, Marc précise sa pensée.

— C'est l'informaticien qui nous dépanne à l'occasion au bureau, lorsqu'on a un bogue. C'est un as de l'informatique. Il en mange. Il n'y a rien à son épreuve.

Harris va récupérer son BlackBerry dans la poche de son veston et l'ouvre. Il parcourt le menu déroulant pour y trouver le numéro de Peter Cheney à Montréal. Il compose ensuite un texto dans lequel il lui donne un aperçu du problème et lui demande de le rappeler le plus tôt possible, en mentionnant qu'il s'agit d'une urgence. Il referme le cellulaire et le dépose sur la table basse du salon avant de revenir vers Karen pour constater qu'elle s'est versé une tasse de café noir. Il secoue la tête.

— Est-ce que tu as pris le temps de dîner au moins ?

Elle lui fait signe que non en prenant une gorgée de café.

— Je vais te préparer quelque chose. Le café sur un estomac vide, c'est très mauvais pour la santé. Et en plus, tu risques de rester éveillée toute la nuit.

Karen lui lance un sourire coquin. Elle fait semblant de réfléchir pendant un instant, avant de déclarer :

– Hum, je me demande ce que je pourrais bien faire pour que la nuit paraisse moins longue.

Elle le regarde droit dans les yeux.

– Tu n'aurais pas une idée, par hasard ?

Harris la gratifie d'un large sourire.

– Et c'est moi que tu accuses de ne rester avec toi que pour le sexe ?

Elle met un doigt sur sa bouche et l'attire vers la chambre à coucher.

47

Angela sursaute lorsque la sonnerie de la porte d'entrée retentit. Tout en se demandant qui cela peut bien être, elle se lève du divan sur lequel elle s'est endormie en écoutant la télévision et va peser craintivement sur la touche « Parler » de l'interphone.

— Oui, qui est là ?

— C'est Frank. Est-ce que je peux monter ?

Sans répondre à la question, elle appuie sur la touche d'ouverture de la porte d'entrée du portique de l'immeuble durant quelques secondes avant de se ruer dans la chambre à coucher pour passer une paire de jeans moulants et un t-shirt ajusté qui mettent un peu plus en valeur ses formes généreuses que la robe de chambre ample qu'elle portait lorsqu'il a sonné. Elle veut faire bonne impression. *Pourquoi ?* se questionne-t-elle sur la raison qui l'a poussée à faire ça en retournent au vestibule.

Est-ce qu'elle est tombée amoureuse de lui ? *Ce n'est pas vraiment un cadeau à lui faire,* pense-t-elle en fixant nerveusement la porte de l'appartement. Elle ouvre dès qu'elle l'entend cogner. Lorsqu'il se présente dans l'encadrement avec un large sourire aux lèvres et lui dit « Bonjour », Angela se sent défaillir. Il est tellement beau dans son complet bleu marine qui va parfaitement avec ses yeux d'un bleu vif, avec ses cheveux noirs coupés en brosse, et son physique de footballeur.

Sans dire un mot, elle lui fait signe d'entrer et referme la porte derrière lui. Alors qu'ils se dirigent tous les deux vers le salon, il referme les mains sur ses bras pour l'attirer contre lui. Puis, il presse ses lèvres contre les siennes et l'embrasse tendrement. Stupéfaite, elle écarquille les yeux, mais elle ne résiste pas ; au contraire. Elle se blottit contre lui. Il est vraiment solide, musclé, et elle sent la chaleur qui irradie à travers ses vêtements se communiquer à son corps, et c'est comme s'il lui redonnait vie. Elle se sent rajeunir.

Il lui plaît. Les seuls mots qui lui viennent à l'esprit lorsqu'elle regarde Frank sont « viril » et « séduisant ». C'est à cet instant qu'elle prend pleinement conscience qu'elle est tombée amoureuse de lui. Elle ignore à quel moment ça s'est produit, et ce n'est pas vraiment important. Elle se souvient seulement que la première impression qu'elle a eue de lui était qu'il lui inspirait confiance. Malgré les circonstances assez stressantes et son passé plutôt orageux, elle en est venue à s'attacher à son « garde du corps », comme dans le film du même nom mettant en vedette Kevin Costner et Whitney Houston. Mais contrairement à ces acteur et actrice, les balles qu'ils risquent de prendre ainsi que les sentiments qu'ils ressentent l'un envers l'autre sont bien réels et peuvent vraiment faire mal.

Angela pose sur lui un regard vague, dérouté, en se demandant si son intérêt n'est que purement professionnel, ou bien s'il n'est là que parce qu'il veut coucher avec elle. Elle se demande ce qui se passera une fois qu'ils auront coincé Cardenas et son tueur ; l'attirera-t-elle encore ? Trouvera-t-il que ça vaut encore le coup de consacrer du temps à cette minable actrice de pornographie ? Et si elle fait l'amour avec lui, sera-t-il encore là lorsqu'il aura eu ce qu'il veut ? Ses yeux rivés aux siens le sondent longuement sans ciller ; elle est paralysée par les souvenirs et les sensations de l'instant qui se livrent en elle un combat sans merci.

Lorsqu'il voit qu'elle le regarde d'une façon étrange, DaSylva lui lance un regard inquiet.

— Angela, est-ce que ça va ? Tu as un drôle d'air.

Angela prend soudainement conscience qu'elle le dévisage et s'en excuse.

— Désolée, dit Angela dans un sourire à peine contraint. J'étais seulement surprise de vous voir ici. Qu'est-ce qui vous amène ?

— J'ai une très bonne nouvelle à vous annoncer et je voulais le faire en personne.

— Ah oui, et c'est quoi au juste, cette bonne nouvelle ? demande-t-elle d'un air sceptique.

— Vous n'avez plus rien à craindre de Carlos : il est mort !

— Vraiment ? Ce n'est pas une blague que vous me faites ?

— Premièrement, je ne blague jamais avec ça, et deuxièmement…

Pendant un court instant, la chaleur de ses grands yeux bleus croise les siens, et Angela sent son cœur battre la chamade.

— Et deuxièmement ? demande-t-elle anxieusement.

— Je ne vous raconterais jamais d'histoire, Angela. Je vous estime trop pour ça.

Elle est complètement prise au dépourvu, et pendant un instant, Angela demeure muette. Mais elle est passée maître dans l'art de changer de sujet quand la discussion ne va pas dans le sens qu'elle veut et, inconsciemment, elle aiguille aussitôt la conversation vers la première chose qui lui vient à l'esprit.

– Et Cardenas ?

– Quoi, Cardenas ? Que vient-il faire là-dedans ? demande DaSylva d'un air étonné.

– Vous l'avez attrapé ?

– Malheureusement non. Pourquoi demandez-vous ça, là, maintenant ?

Tout à coup, l'expression d'Angela change et elle devient pensive. Ses yeux fixent un point dans le vide.

– Pour rien.

Alors qu'il lit la détresse dans ses yeux, DaSylva passe un bras autour de ses épaules et lui demande en la regardant dans les yeux :

– Qu'est-ce qui vous préoccupe ? Racontez-moi.

– J'ai peur que Sonia ne fasse une bêtise.

– Pourquoi dites-vous ça ?

– Parce qu'elle m'a dit qu'elle allait s'occuper de Cardenas, *personnellement* !

DaSylva hausse les sourcils et se met à la regarder étrangement.

– Votre sœur saurait-elle quelque chose que j'ignore ? Où se cache Cardenas, par exemple ?

– Elle a parlé de retourner au ranch de… que notre père possédait autrefois à Zihuatanejo, tout près d'Ixtapa. Elle semblait être sûre qu'il y est.

Elle le regarde droit dans les yeux.

— Elle est la seule famille qui me reste. Il faut que vous l'empêchiez de faire une bêtise et de se faire tuer, OK. Frank ?

Un silence s'installe, puis elle termine, et dit d'une voix suppliante :

— S'il vous plaît, Frank.

Dans un geste d'encouragement, DaSylva pose la main sur la sienne.

— Ne vous en faites plus pour votre sœur, je m'en occupe, dit-il sur un ton qu'il veut le plus convaincant possible.

Elle acquiesce d'un signe de tête, et un léger sourire apparaît sur ses lèvres.

— Merci, dit-elle en posant un baiser sur sa joue.

Satisfait, DaSylva l'embrasse avant de tourner les talons. Alors qu'il se dirige vers la sortie, il récupère son cellulaire dans sa poche de veston et compose le numéro de Karen. Dès qu'il établit la communication, il lui raconte la conversation qu'il a eue avec Angela.

— Cette fois, je crois qu'on le tient, dit-il avec enthousiasme.

L'expérience acquise au cours de ses 11 années à se battre pour gagner sa place au sein de l'une des polices fédérales les plus bureaucratisées du monde lui dicte de se rendre droit au bureau pour informer le directeur de sa découverte. Mais son instinct lui recommande de ne pas confier l'affaire à ceux qui ont laissé Cardenas s'envoler dans la nature. Non seulement leur intervention compliquerait son travail, mais il suffisait d'une fuite pour que Cardenas se volatilise, et ce serait le retour à la case départ. Karen explique son point de vue à DaSylva, et il lui signifie son accord.

— Il ne faut pas vendre la peau de l'ours avant de l'avoir tué, surtout en ce qui concerne Cardenas, dit Karen.

Il y a un moment de silence, puis elle conclut en disant qu'elle va faire les réservations pour les billets d'avion.

— Prépare-toi, on part pour Ixtapa.

Alors qu'il s'apprête à franchir le pas de la porte, DaSylva se retourne et pose un baiser plus que chaleureux sur les lèvres d'Angela, qui le suit de près.

— Désolé, mais je dois partir, dit-il en la regardant droit dans les yeux. Mais ce n'est que partie remise, nous deux, ajoute-t-il en tournant les talons pour se diriger d'un pas rapide vers l'ascenseur.

— À bientôt, dit-elle avec regret en affichant un air déçu avant de refermer la porte derrière lui.

48

Villa del Palmar
Ixtapa-Zihuatanejo, Mexique

Le centre de villégiature d'Ixtapa-Zihuatanejo est situé sur la côte ouest du Mexique, dans l'État du Guerrero, au sud-ouest de Mexico. Ses rues pavées bordent des complexes hôteliers de grand luxe, des restaurants réputés, des centres commerciaux, des bars et des terrains de golf. Il ne faut pas oublier la Playa Linda, une magnifique plage de sable blanc d'environ cinq kilomètres qui aboutit à la marina, là où Cardenas s'adonne à son activité préférée : la plongée sous-marine. Tous ces éléments couronnés de la beauté de ses paysages ont fait de ce centre le sanctuaire idéal pour lui.

Peu lui importe que sa tête soit mise à prix au Mexique, comme dans une centaine d'autres pays d'ailleurs, la station balnéaire abrite plusieurs de ses anciens collaborateurs à la retraite ; enfin, ceux qui ont survécu à la guérilla et qu'il n'a pas expédiés dans l'autre monde. Ici, il suffit de soudoyer quelques flics du coin, et on peut vaquer à ses petites affaires sans s'inquiéter. Sans oublier Lolita, sa première maîtresse, avec qui il a eu un enfant et qui s'en occupe à ses frais. Elle lui coûte un bras, celle-là, mais c'en vaut la peine.

Le paysage dans lequel se déplace la limousine qui l'a cueilli à l'aéroport est magnifique, et Cardenas a l'impression d'être le maître du monde. Des pics montagneux bleutés se dessinent dans le lointain, et la route de plus en plus sinueuse et étroite longe des falaises surplombant la mer. Ils arrivent enfin à l'extrémité d'une petite route face à un énorme portail. Un large panneau de bronze indique le nom de la propriété : Villa del Palmar. Derrière une grille chargée et une enceinte haute de plusieurs mètres, comme celles entourant la plupart des propriétés avoisinantes, se dresse une vaste maison de style méditerranéen entourée de bougainvilliers et de palmiers.

Chaque fois qu'il s'arrête à la Villa del Palmar, il est reçu comme un prince : une limousine avec chauffeur vient le prendre à l'aéroport, un banquier capable de transférer en un clin d'œil de l'argent de l'une de ses succursales réparties à travers le monde l'accueille avec déférence, une goélette de 15 mètres avec deux hommes d'équipage est amarrée au quai, un jet privé est à sa disposition, 24 heures sur 24, et bien sûr, il peut se rendre à El Rancho Perez, l'école d'équitation de son ancien associé Ricardo Perez, que Dieu ait son âme, qu'il a confisquée après sa mort. La vie de pacha, quoi.

Sauf que maintenant que sa photo se retrouve à la une des journaux américains, il doit être plus discret que jamais afin de ne pas attirer l'attention sur lui inutilement. Aussi, lorsqu'il sort rapidement de la limousine avec ses lunettes noires et sa casquette des Yankees pour se précipiter dans la villa, Cardenas ne remarque pas la jeune femme en jeans, blouse de coton égyptien rose et lunettes de soleil perchée sur un petit scooter rouge, qui l'observe silencieusement de l'autre côté de la rue.

Un peu avant qu'il n'arrive, Sonia s'est garée à l'abri des regards derrière un bosquet d'acacia et, les yeux plissés derrière ses jumelles, elle étudie la demeure bourgeoise de Cardenas, lorsqu'elle aperçoit une grosse limousine blanche qui s'approche de la villa. Elle braque ses jumelles sur le véhicule et, lorsqu'elle le voit sortir de la voiture, Sonia sent son sang se glacer dans ses veines et un regain de colère monter en elle. Même si on ne discerne aucun sourire sur ses lèvres, un air de supériorité et une extrême confiance émanent de l'homme. Elle n'en revient tout simplement pas. *Quelle arrogance ! Cette crapule se comporte comme s'il était intouchable*, pense-t-elle en serrant les poings.

– Eh bien, c'est ce que nous allons voir, murmure-t-elle sur un ton hargneux.

Après quelques minutes, elle décide qu'il est plus prudent de déguerpir, avant que l'une des patrouilles de police, qui doivent sûrement parcourir ce quartier cossu régulièrement, ne passe et ne remarque sa présence. Elle enfourche le scooter et poursuit sa descente de la rue résidentielle en saillie au-dessus de la mer pour se diriger vers la villa qu'elle a louée à peu de frais à une ancienne camarade de classe qui travaille pour une agence immobilière locale.

49

Aéroport international d'Ixtapa-Zihuatanejo
Mexique

Après quelques jours de repos (enfin, si on peut considérer des heures à se taper des rapports comme étant du repos !), Karen et DaSylva se rendent à JFK et prennent un vol d'American Airlines pour Ixtapa-Zihuatanejo avec escale à Mexico, et plusieurs heures plus tard, ils atteignent leur destination. L'aéroport n'est pas très grand, selon les critères internationaux, mais il offre tout de même tous les services auxquels peuvent s'attendre les voyageurs : bars, restaurants, librairies, boutiques de souvenirs, kiosques d'information, etc.

Avant son départ, Karen n'a averti personne de leur visite improvisée à Ixtapa, sauf Marc et son supérieur immédiat, bien sûr. Pour sa part, DaSylva s'est empressé d'avertir Angela. Après avoir mis un terme aux activités du célèbre tueur à gages, Karen a convaincu le directeur des opérations de leur accorder, à elle et DaSylva, quelques jours de congé bien mérité. Depuis l'affaire Cohen, elle craignait qu'un des agents du bureau ne soit à la solde de Cardenas et qu'il vende la mèche. Cardenas a des relations influentes parmi les agences gouvernementales de maintien de l'ordre, et elle ne voulait pas prendre le risque de voir débarquer des policiers corrompus, pas toujours respectueux de l'ordre, qui se seraient fait un plaisir de les questionner sur les motifs de leur visite au Mexique simplement dans le but de les retarder durant des heures, sinon des jours, alors que Cardenas en profiterait pour disparaître dans la nature. En plus, si elles en avaient l'occasion, les autorités mexicaines n'hésiteraient pas à intercepter le baron de la drogue avant eux afin de s'approprier tous ses biens et vider ses comptes bancaires.

DaSylva hèle un des nombreux taxis qui attendent en file à la sortie principale de l'aéroport, et ils prennent la route pour Ixtapa. Après avoir parcouru quelques kilomètres sur une route qui dessine des lacets étroits sur des falaises surplombant une mer turquoise, le taxi grimpe une colline et bifurque sur un chemin bordé de palmiers qui s'étend sur une centaine de mètres, pour finalement s'arrêter dans une cour avec une fontaine en son centre. Après avoir payé la course, ils traversent tous les deux une petite allée de pierre pour se retrouver face à l'entrée du Club Intrawest Zihuatanejo. Niché à flanc de montagne et entouré d'une luxuriante végétation tropicale, l'hôtel cinq étoiles est situé sur l'une des plus belles plages de la côte mexicaine.

L'employée de l'espace réception situé en plein air les accueille chaleureusement et après avoir expédié les formalités d'enregistrement d'usage, leur remet les clés de la suite présidentielle. Ils prennent ensuite l'ascenseur jusqu'au 8e étage, là où se trouve la suite que Karen a réservée pour eux sur Expedia.com. Elle glisse la carte magnétique dans la serrure et le clic d'ouverture se fait entendre. Le vestibule donne directement dans le corridor qui divise les deux chambres de la suite. Elles sont toutes deux munies d'un mobilier d'aspect moderne, de lits doubles dotés de couettes aux couleurs vives qui semblent confortables, avec des murs couverts de stuc rose, un plancher de céramique à motifs aztèques, et des boiseries chaleureuses.

Karen prend celle de gauche, dépose son sac sur le lit et file à la salle de bain pour troquer ses vêtements chauds pour des vêtements plus appropriés à la température de 34 °C qui règne sur Ixtapa durant cette saison. Après avoir enfilé un haut en soie jaune serin et un paréo à rayures multicolores sur son bikini à pois jaune, elle se dirige vers la terrasse. La vue sur l'océan Pacifique et la Playa Linda est à couper le souffle.

L'instant d'après, DaSylva se joint à elle, affublé du parfait déguisement du touriste en vacances : chapeau de paille jaune pâle, lunettes de soleil miroir à montures noires, chemise hawaïenne fleurie, bermudas bleu poudre, souliers de course et appareil-photo en bandoulière. Il s'emplit les poumons d'air pur et écarte largement les bras, embrassant d'un geste la vaste étendue de l'océan bleuté sur lequel se reflète un soleil éclatant.

— C'est magnifique, s'exclame-t-il, le regard perdu dans le lointain.

Karen acquiesce d'un signe de tête. Elle se tourne vers lui et l'examine des pieds à la tête d'un œil critique.

— Oui, c'est très beau, dit-elle. Dis-moi, ça fait longtemps que tu n'as pas été en voyage dans les pays chauds ?

DaSylva la regarde d'un air intrigué.

— Euh, oui. Pourquoi me demandes-tu ça ?

— Parce que si tu espères te fondre dans la population locale habillé comme ça, dit-elle en haussant un sourcil avec un sourire moqueur, c'est complètement raté. On va devoir aller faire les boutiques avant de se promener en ville pour repérer les lieux.

— Je déteste faire les boutiques, répond DaSylva, l'air défait.

— C'est ça ou alors je te dénonce à la *policía* pour grossière indécence.

Elle lui jette un regard espiègle.

— Allez viens, ce ne sera pas si pénible que ça.

Karen s'installe au volant de la compacte Golf City de location qui les attend dans l'aire de stationnement de l'hôtel. Elle prend en sens inverse le chemin que le chauffeur de taxi a parcouru pour se rendre à l'hôtel, et après avoir redescendu les pentes escarpées, elle se retrouve au niveau du centre de villégiature d'Ixtapa, avec ses luxueuses villas, ses artères bordées de restaurants et de boutiques à la mode, et sa vue incroyable sur l'océan Pacifique.

Alors qu'ils s'affairent à refaire la garde-robe estivale de DaSylva et que ce dernier ne cesse de rechigner sur les prix exorbitants des vêtements, Karen jette un coup d'œil à travers la baie vitrée du magasin. C'est à ce moment-là qu'elle l'aperçoit : une jeune femme aux cheveux flamboyants en jeans et blouse de soie blanche qui se dirige vers la boutique d'articles de sport se trouvant directement en face de celle où ils se trouvent et qui offre des équipements pour la pêche en haute mer, la plongée et le surf.

Malgré sa chevelure rousse et ses lunettes de soleil, quelque chose attire l'attention de Karen ; peut-être est-ce sa démarche de mannequin, ou ses traits typiquement latino-nord-américains, ou sa silhouette élancée et sa taille de guêpe ; peu importe. À moins que ce ne soit une pure coïncidence, cette jeune femme a indéniablement un air de famille avec Angela.

Et Karen ne croit pas aux coïncidences. Elle regarde DaSylva et lui fait signe de la suivre. Il acquiesce d'un signe de tête et gratifie l'aguichante vendeuse d'un large sourire alors qu'elle lui tend la facture de ses emplettes. Son sourire s'efface dès qu'il voit le montant total au bas de la facture et son visage se fige dans une expression incrédule. Il lance une poignée de pesos sur le comptoir et tourne les talons en affichant un air furieux.

— Du vrai vol ! s'exclame-t-il en sortant de la boutique.

— Qu'est-ce que tu en penses ? dit Karen en désignant la jeune femme aux cheveux roux qui marche droit devant eux.

— Une vraie beauté, s'exclame-t-il après avoir émis un sifflement.

Karen lève les yeux au ciel dans un geste de découragement.

— Oublie un instant ton instinct de chasseur, veux-tu, Frank, et dis-moi à qui elle te fait penser.

Il observe la jeune femme d'un autre œil et paraît surpris.

— À Angela, bien sûr, déclare-t-il sans aucune hésitation.

— C'est bien ce que je pensais, dit Karen. C'est sûrement Sonia, la sœur d'Angela.

— Mais Angela nous a déjà dit que sa sœur lui ressemblait comme deux gouttes d'eau, et cette fille-là est rousse, pas blonde.

Karen lève à nouveau les yeux au ciel.

– Ah, Frank, tu me décourages. C'est évident qu'elle porte une perruque ; regarde ses sourcils, ils sont blonds.

DaSylva l'examine de nouveau alors qu'elle entre dans le magasin d'articles de sport et hoche de la tête.

– Ouais, ça pourrait bien être elle. Alors, qu'est-ce qu'on fait ?

– Pour l'instant, on va se contenter de la suivre. Il y a de bonnes chances pour qu'elle nous mène droit à Cardenas.

Karen détourne les yeux de la boutique de sport pour observer les alentours. Elle désigne le petit resto-bar Charlie's, situé à quelques pas de là, et ils s'y installent. DaSylva commande une Corona et Karen un Jarritos à l'ananas et à la mandarine. Ils ont à peine le temps d'entamer leur boisson que Sonia sort en trombe de la boutique. Dès qu'ils la voient se diriger vers un scooter rouge garé non loin de là, Karen et DaSylva se ruent vers la Volkswagen.

Sonia enfourche le scooter et, après avoir mis son casque, démarre en trombe. Malgré ses craintes, Karen n'a aucune difficulté à suivre le petit scooter rouge qui louvoie rapidement à travers la circulation assez lente de la station balnéaire. Après quelques kilomètres d'une route aussi sinueuse que pittoresque à travers la montagne, Sonia s'arrête devant l'entrée de la cinquième d'une rangée de petites villas qui offrent une vue stupéfiante sur une mer turquoise qu'elles surplombent.

– Et maintenant ? demande DaSylva avec impatience. On ne va tout de même pas rester là toute la nuit en attendant qu'elle décide de sortir de là.

Karen lui offre un petit sourire.

— Maintenant qu'on sait où elle habite et comment elle se déplace, nous n'avons plus besoin d'être sur ses traces jour et nuit. Allons plutôt voir quelles activités le Club Intrawest a à nous offrir. Pour ce qui est de découvrir ce qu'elle manigance, ça peut toujours attendre jusqu'à demain.

DaSylva approuve la décision avec soulagement.

— Je ne dirais pas non à quelques longueurs dans la piscine de l'hôtel pour tester mon nouveau maillot de bain, dit-il alors que Karen remet la voiture en route.

Elle éclate de rire.

— Tu veux dire « tester le degré d'intérêt et d'attirance physique qu'il suscite chez les jolies baigneuses », c'est ça ?

DaSylva la regarde avec étonnement.

— Pas du tout ! Tu n'as pas encore compris que c'est Angela, la femme de ma vie ?

C'est au tour de Karen d'être surprise par cette déclaration.

— Eh bien, on aura tout vu. DaSylva est amoureux. La fin du monde approche !

DaSylva lui jette un regard offusqué.

— Tu es jalouse, Newman, c'est pour ça que tu te moques de moi, n'est-ce pas ?

— Mais non, voyons Frank. Ne te fâche pas. Je disais ça juste pour te taquiner.

Elle tourne la tête pour apercevoir son air maussade.

— Excuse-moi, je ne voulais pas t'offenser, dit-elle en garant la Volks dans l'aire de stationnement de l'hôtel. Allez viens, allons faire trempette.

La bonne humeur de DaSylva revient dès qu'il aperçoit les jolis membres du sexe féminin en train de s'ébrouer dans la piscine de l'hôtel.

– J'adore ces paysages exotiques, s'exclame-t-il avant de plonger dans l'eau.

Karen secoue la tête en le voyant se pavaner devant ces demoiselles avant de monter sur le tremplin.

Et c'est reparti ! pense Karen avec un léger sourire aux lèvres. *Il est l'image parfaite du collégien durant la relâche !*

50

École de plongée Ricardo Alvarez
Ixtapa

L'Américaine qui s'approche lentement de lui est très belle. Cheveux d'un roux flamboyant, regard vert émeraude vif comme l'éclair, sourire enjôleur sur des lèvres plantureuses d'un rouge éclatant, physique d'une vedette de cinéma, robe topaze très ajustée qui laisse clairement paraître ses formes plantureuses, ses longues jambes élancées, le tout perché sur des talons hauts : le Mexicain est perdu d'avance.

Il salive. Celle-là va lui rapporter gros. Beaucoup plus que le tarif habituel.

– Vous n'allez pas le croire, dit-elle en s'arrêtant net à quelques pas seulement de lui, les mains écartées (des mains délicates aux ongles écarlates manucurés). Je suis complètement perdue ! Je suivais le groupe et je suis entrée dans la boutique de souvenirs là-bas.

Elle pointe du doigt vers une baraque qui tient à peine debout et sort une babiole en poterie du sac à dos en cuir qu'elle porte en bandoulière avant de continuer :

– Et après avoir négocié « ça » avec le stupide vendeur, je suis ressortie et il n'y a plus personne.

Le Mexicain secoue la tête et la regarde d'un air hébété en faisant semblant de ne pas comprendre.

– *No comprende, señora.*

– Bien sûr que tu comprends, espèce de gros tas de merde, dit la fille en souriant.

Sur le coup, Alvarez reste sans voix, figé sur place. Puis, l'instant d'après, il se ressaisit et sort une seringue de sa poche. Il se rapproche d'elle pour saisir son poignet en brandissant la seringue dans l'intention évidente de lui injecter une drogue incapacitante. Un violent coup du tranchant de la main l'atteint à la pomme d'Adam. Le souffle coupé, crachant un filet de salive, il vacille vers l'avant. La dernière chose qu'il voit avant de s'écrouler, inconscient, est la crosse de nacre d'un pistolet qui s'abat sur sa nuque.

Lorsqu'il revient à lui, Ricardo remarque qu'il est assis sur la chaise qu'il réserve habituellement à ses visiteurs de marque, ligoté comme un saucisson. Une voix ravie murmure à son oreille, dans un parfait espagnol :

– J'ai l'impression qu'on va bien s'amuser. Qu'en penses-tu, Ricardo ?

– Qui... Qui êtes-vous ? demande-t-il d'une voix étouffée.

Sonia le regarde en silence et se contente d'enlever la perruque rousse qu'elle porte. Elle secoue la tête et passe ses longs doigts effilés dans ses mèches blondes pour les laisser retomber librement sur ses épaules. Elle lui jette un regard moqueur.

– Et maintenant, est-ce que tu me reconnais ?

Le Mexicain secoue la tête.

— Non, je ne sais pas qui vous êtes. Qu'est-ce que vous me voulez ?

— Moi, par contre, je te connais, « Rico » Alvarez.

À la mention de son surnom, celui-ci détaille Sonia de plus près. Il ouvre grands les yeux de surprise lorsqu'il prend conscience de qui il s'agit.

— Angela ! s'exclame-t-il.

— Non, réfléchis encore un peu.

Perplexe, Rico la détaille de nouveau et se rend compte de son erreur.

— Sonia ? dit-il sur un ton incertain. Je n'ai jamais pu vous différencier l'une de l'autre.

Il lui sourit de ses dents jaunies par le tabac.

— Tu es devenue une belle jeune femme, dit-il en la regardant avec convoitise.

— N'essaie pas de m'amadouer, espèce de sale *rapaz*[11]. Tu crois que j'ignore qui a renseigné mon père sur celui qui a initié ma sœur à l'enfer de la drogue ? Tu es le seul qui les côtoyait tous les deux quotidiennement et qui pouvait le savoir. Tu l'as fait exprès ; tu savais très bien que cela créerait des frictions entre mon père et Cardenas. Je ne comprends pas. Mon père te traitait comme un *hermano*[12]. Il t'a pris sous son aile parce que vous aviez le même prénom et que vous étiez tous les deux sortis des ruelles de Tijuana. Pourquoi est-ce que tu as fait ça ?

Rico hausse les épaules.

— *Así es la vida*[13], déclara-t-il de façon nonchalante, comme s'il s'en moquait éperdument.

11. Rapace, en espagnol.

12. Frère, en espagnol.

13. C'est la vie, en espagnol.

Sonia fait une moue de dégoût en le regardant. Elle est prise d'une soudaine envie de frapper cette crapule, mais se retient. Pas tout de suite. Elle a besoin de lui.

— En plus, j'ai appris dernièrement que, non content de vendre la drogue de Cardenas aux riches touristes qui fréquentent ton école de plongée, tu t'en mets plein les poches en enlevant certaines de tes clientes pour les expédier vers les pays arabes.

Elle se penche vers lui et le regarde droit dans les yeux:

— Tu es une vraie ordure, Rico, tu sais?

— Qu'est-ce que tu veux? demande-t-il sur un ton inquiet. Une part du gâteau? Pour ça, c'est Cardenas qu'il faut voir. C'est lui qui gère tout.

— Plus maintenant, rétorque-t-elle. Il est recherché par toutes les polices du monde, et depuis la mort de mes parents, ses contacts savent qu'on ne peut plus lui faire confiance. Non, ce n'est plus lui le patron.

— Qui est-ce alors?

— Moi! lance-t-elle joyeusement. Et si tu ne fais pas ce que je te dis, tu te retrouveras avec les poissons, au fond de l'océan, sans équipement de plongée, bien sûr.

Rico hoche la tête en réfléchissant à la meilleure façon de s'en sortir. Il est évident que Sonia est devenue folle et qu'elle est dangereuse. Rico décide qu'il vaut mieux faire semblant de collaborer, car il ignore jusqu'où elle peut aller pour obtenir ce qu'elle veut. Il hoche la tête pour montrer qu'il a compris.

— Alors, voici comment nous allons procéder, dit-elle sèchement.

Elle lui détaille son plan d'attirer Cardenas à l'école de plongée, et alors qu'il s'adonne à son activité préférée, de lui injecter la tétrodotoxine du fugu, ou poisson-globe, que l'on retrouve dissimulé dans les coraux au large de la Playa Linda. Tout le monde croirait qu'il s'est accidentellement piqué sur les épines du poisson et est mort empoisonné.

Pendant un instant, Rico paraît réfléchir, puis il lève les yeux vers elle.

— Pourquoi l'empoisonner ? Une balle entre les deux yeux et c'est vite réglé.

— C'est plus discret. Une balle, ça laisse toujours des indices sur celui qui l'a tirée. Le poison, ce n'est pas facile à retracer.

— Pourquoi moi ? demande-t-il, soudainement méfiant. Je suis sûr que, pour la somme appropriée, n'importe qui d'autre se fera un plaisir de liquider cette crapule pour toi.

— Simplement parce que tu ne veux pas que je révèle aux *federales* de l'AFI que c'est à cause de toi que des centaines de filles disparaissent de Ciudad Juárez chaque année pour venir gonfler ton petit commerce de traite des Blanches. Ça te va comme explication ?

Rico devient blême. Il secoue la tête.

— Je ne peux pas faire ça. Si jamais Cardenas apprend que je l'ai trahi, je suis un homme mort !

— Tu n'as rien compris, *imbécil*[14] ! Il ne pourra jamais le savoir, puisqu'il sera mort, connard.

Sonia sort son téléphone portable de son sac à dos et l'ouvre.

— Alors, qu'est-ce que tu décides ? Est-ce que je compose le numéro de l'AFI ?

Rico, les yeux empreints de panique, secoue la tête.

— *No, no* ! Ne fais pas ça, Sonia.

14. Idiot, imbécile, taré, en espagnol.

Puis, il opine.

— C'est d'accord, j'accepte. Mais à une condition.

Sonia se met à rire.

— Tu n'es pas dans une position pour négocier quoi que ce soit, Rico ; mais dis toujours, on verra.

Rico sent la pression se relâcher et pousse un soupir de soulagement.

— Dès qu'il aura trépassé, je m'accapare le commerce de drogue de Cardenas, dac ?

Sonia plisse les yeux en lui jetant un regard méfiant.

— On verra, dit-elle en souriant.

Ça m'étonnerait que ses associés ne t'en laissent la chance, pense-t-elle joyeusement.

Peu après avoir libéré Rico, elle braque l'arme sur lui et tend son téléphone portable. Il la regarde d'un air incertain.

— Quoi, maintenant ? s'exclame Rico, surpris.

Elle rit et hoche la tête.

— Et n'envisage même pas d'avertir Cardenas, dit-elle en brandissant le pistolet devant son nez. Si je me rends compte qu'il agit bizarrement ou que je crois qu'il suspecte quelque chose, tu seras le premier à recevoir une balle. *Comprende*[15] ?

Rico hoche la tête.

— *Si, si ! Comprende.*

Il soupire profondément avant de composer le numéro de la Villa del Palmar.

15. Compris, en espagnol.

51

Karen et DaSylva sont assis à bord de la Golf City, attendant patiemment que Sonia ressorte de la boutique. Ils ont entrepris la filature, très tôt le matin, et l'ont suivie jusqu'à l'école de plongée de Ricardo Alvarez.

Karen secoue la tête. Elle n'arrive pas à comprendre les agissements de Sonia. Pour quelqu'un qui est à la poursuite de Cardenas, Sonia se comporte bizarrement. Alors qu'elle devrait s'occuper à questionner les gens pour retrouver la trace de Cardenas, elle fait des achats dans les boutiques, s'arrête dans les restos-bars, et fait des visites guidées, comme une touriste en vacances. Et maintenant, elle semble vouloir s'équiper pour faire de la plongée sous-marine. Il y a anguille sous roche. Elle prépare quelque chose, mais quoi ?

— À moins que…, murmure-t-elle.

DaSylva la regarde d'un air déconcerté.

— Que quoi ?

— Pourrais-tu faire une recherche pour moi sur le BlackBerry et voir ce que tu peux trouver sur le propriétaire de l'école de plongée, Ricardo Alvarez ?

DaSylva repêche le BlackBerry dans le coffre à gants de l'auto et l'ouvre. Il se met à pianoter sur le minuscule clavier et après quelques minutes de recherche, son visage s'éclaire et il sourit.

– Selon la banque de données d'Interpol, il a déjà passé du temps dans les prisons mexicaines pour trafic de stupéfiants et extorsion. Disons que ce n'est pas quelqu'un à qui je ferais confiance, à moins bien sûr d'avoir besoin de ses services pour un travail du genre spécial, et même là, je me méfierais !

– Intéressant, dit Karen.

Elle réfléchit un moment.

– Je me demande ce que Sonia peut bien lui vouloir, à celui-là, dit-elle sur un ton méfiant en observant le paysage.

– On n'a qu'à lui poser gentiment la question, dit DaSylva en posant la main sur son holster. Avec un peu de persuasion, il nous apprendra sûrement ce qu'on veut savoir.

Karen secoue de nouveau la tête.

– Ça m'étonnerait beaucoup que ce genre d'individu nous dise la vérité, même sous la contrainte. Et ça risquerait de mettre la vie de Sonia en danger. Non, je crois qu'il faut plutôt remonter aux sources. Qui d'autre que l'AFI pourrait mieux nous informer sur les petites magouilles de notre ami Alvarez ? Il serait temps de passer un coup de fil à Ortega, ne crois-tu pas ?

DaSylva opine et compose le numéro de l'AFI. Dès qu'il obtient la communication, il tend le BlackBerry à Karen.

Le colonel Ramon Ortega, un homme de forte taille à moustache et épais cheveux noirs grisonnants aux tempes, le responsable de l'AFI et chef de la division antidrogue de la police fédérale qui a capturé El Jimmy, le numéro deux du cartel de la drogue dit des frères Arellano Félix, à Tijuana il y avait maintenant près d'un an de cela, répond sèchement :

— Ortega. Qui est à l'appareil ?

— Agente Karen Newman, du FBI.

— L'assistante directrice responsable de l'OCDESF de New York ?

— Oui, c'est bien ça.

Elle marque une pause.

— Je constate que vous êtes très bien renseigné, colonel Ortega.

— Dans mon métier, le renseignement, c'est une question de vie ou de mort, agente Newman. Je tiens à vous féliciter pour avoir mis fin à la carrière de Felipe « Carlos » de Cordoba, ce tueur sanguinaire et, même s'il vous a par la suite échappé, pour la capture de Cardenas.

— Décidément, je vois que je ne me suis pas trompée en m'adressant à vous.

— Que pourrais-je faire pour vous, agente Newman ?

Karen lui explique qu'elle enquête officieusement sur les activités de Cardenas à Ixtapa et qu'elle a besoin de renseignements sur un certain Ricardo Alvarez, qui y opère une école de plongée.

Ortega paraît surpris par cette demande.

— Je croyais qu'Alvarez s'était rangé et qu'il possédait un commerce légal à Ixtapa ?

— C'est bien ce qu'il veut nous faire croire. Mais je doute fort que ses activités soient aussi légales qu'il n'y paraît.

— Je vais m'informer, dit Ortega sans beaucoup de conviction. Autre chose ?

Après lui avoir expliqué que Sonia Perez est de retour dans son village natal, et qu'elle et sa sœur ont été dépouillées de leurs biens par Cardenas, Karen demande à voir les papiers de la transaction qui a mené à l'achat de l'école d'équitation des Perez, car elle soupçonne que l'acte notarié est un faux.

— Je vais voir ce que je peux faire, dit Ortega, qui paraît soudainement plus intéressé. Je vous tiens au courant et vous faites de même, d'accord ?

— D'accord, répond Karen avec une pointe de satisfaction dans la voix.

À l'autre bout, Ortega raccroche en arborant un large sourire. La perspective de capturer Cardenas lui a rendu sa bonne humeur pour la journée.

DaSylva désigne Sonia d'un hochement de tête.

— Elle vient juste de sortir de l'école de plongée, dit-il. Elle se dirige vers la marina avec son équipement.

— Ça te plairait de prendre une leçon de plongée, Frank ?

DaSylva secoue la tête fortement et lui jette un regard inquiet.

— Tu n'es pas sérieuse ?

Il fait un geste vers la mer.

— Je ne sais pas nager, et avec tous ces requins, barracudas et autres poissons dangereux qui se promènent là-dedans, jamais de la vie !

— Poule mouillée ! Cot cot ! s'exclame Karen avant d'éclater de rire.

DaSylva hausse les épaules.

— Pourquoi pas la pêche en haute mer, tandis que tu y es ? Tu es complètement folle, Newman.

– Cot cot, poule mouillée, se moque à nouveau Karen en pouffant de rire.

– Poule mouillée tant que tu voudras Newman, mais jamais tu ne m'embarqueras là-dedans, OK ?

Karen se tord de rire en démarrant la voiture. *Au moins, ça a le mérite d'être clair,* pense-t-elle en conduisant. *Il a la trouille et il l'admet ! On va peut-être le réchapper !*

Au grand dam de DaSylva, elle sourit tout le long du retour au bercail en fredonnant la chanson-thème du film *Les Dents de la mer.*

52

Le jour suivant, Sonia est attablée dans le resto-bar de la Playa Linda lorsque le cortège de Cardenas arrive à la marina. La limousine, suivie de deux Toyota FJ Cruiser, s'arrête dans l'aire de stationnement de la marina, et la portière du côté passager arrière s'ouvre sur un Cardenas imbu de lui-même, comme à son habitude. Il jette un regard empreint de confiance autour de lui et traverse l'aire de stationnement avec ses gardes du corps à sa suite pour se diriger vers l'école de plongée où l'attend patiemment Rico.

— *Hola*[16], *señor* Cardenas. Ça fait longtemps qu'on ne vous a pas vu dans le coin. *Còmo estàs usted* ?

Il lui tend une main que Cardenas ignore.

— Est-ce que l'équipement est prêt ?

— *Si, señor.* Il est déjà à bord de *La Chiquita.*

— Tu l'as vérifié toi-même, comme je te l'avais demandé ? s'informe Cardenas avec méfiance.

— *Si, señor.* Je l'ai vérifié personnellement et tout fonctionne parfaitement.

— Alors, qu'est-ce qu'on attend ? Allons-y, lance-t-il en faisant signe à ses deux sbires de le suivre.

---

16. Salut, bonjour, en espagnol.

Cardenas, accompagné de Rico et de son escorte, se dirige vers l'embarcadère auquel est amarrée une goélette blanche de 45 pieds.

Sonia les suit des yeux, et dès que les quatre hommes disparaissent à l'intérieur de *La Chiquita,* Sonia se dirige à son tour vers l'embarcadère et grimpe à bord de l'embarcation que Rico lui a procurée, un canot automobile sport Yamaha 242 Limited S, équipé d'un moteur hors-bord d'une cylindrée de 5,3 l, qui la propulse en un temps record jusqu'à la barrière de corail.

Alors que la goélette se rapproche lentement d'elle, Sonia enfile sa tenue de plongée et se jette à l'eau. Après avoir parcouru une centaine de mètres, elle arrive au centre de la barrière de corail où pullule la myriade de poissons multicolores que Cardenas affectionne tout particulièrement. Mais elle n'est pas là pour observer les poissons.

Sonia jette un regard à sa montre de plongée. S'ils sont dans les temps, Cardenas et Rico ne devraient pas tarder à se pointer, et elle va les voir apparaître devant elle sous peu. Avec d'infinies précautions, elle retire la fléchette empoisonnée de son étui de plastique et la place dans le fusil à gaz sous pression qu'elle s'est procuré auprès d'une boutique d'articles de sport qui tient des équipements de paintball. Elle sourit sous son masque de plongée. Elle n'a jamais imaginé qu'un jour elle jouerait au paintball sous l'eau, mais il y a un début à tout. Elle s'est pratiquée dans la cour arrière de sa villa et a acquis une certaine dextérité dans le maniement du pistolet. Il ne faut surtout pas qu'elle rate son coup. C'est maintenant ou jamais.

Les deux plongeurs qu'elle attend impatiemment ne se font pas attendre. Pas d'erreur possible, malgré son équipement de plongée vert phosphorescent, l'homme ne peut être nul autre que Cardenas. Elle se mêle à un banc de poisson-clowns et se glisse derrière un amas de coraux d'une teinte rouge vif s'harmonisant à la perfection avec celle de son équipement de plongée.

Cardenas n'a rien vu, trop occupé qu'il est à essayer d'embrocher un poisson-globe à l'aide de son fusil à harpon. Sonia s'approche rapidement de lui en brandissant le pistolet et fait feu à bout portant. La fléchette empoisonnée atteint Cardenas à l'épaule. Sous la pression, la fléchette agit comme une seringue, injectant le poison dans les veines de Cardenas. Il ressent une douleur à l'épaule et se tourne vers Sonia ; derrière son masque, elle voit à ses yeux apeurés qu'il est complètement terrifié. Il soulève son fusil à harpon pour la viser, mais il s'arrête à mi-chemin. Le poison fait déjà son effet et il est pris de convulsions. Il lâche le fusil pour se prendre la gorge à deux mains. Il n'arrive plus à respirer. L'instant d'après, il cesse de bouger, paralysé ; ses membres ne répondent plus et il sombre dans l'inconscience.

Après avoir retiré la fléchette de l'épaule de Cardenas, Sonia fait signe à Rico que tout est fini. Il s'approche de Cardenas et le saisit par le harnais qui retient sa bombonne pour le remonter à la surface.

Sonia refait le trajet en sens inverse vers son bateau et se hisse à bord. Elle s'assoit à l'arrière du bateau pour enlever sa tenue de plongée et se retrouve vêtue d'un bikini rouge vif qui lui va à la perfection, mettant en valeur ses mensurations de mannequin. Elle se relève pour s'asseoir au volant et appuie sur le démarreur. Le bateau démarre dans un grondement sourd, se soulève par l'avant et bondit en direction de la marina. Sonia, au passage, salue de la main les gardes du corps de Cardenas qui l'observent à l'aide de jumelles. Les cheveux dans le vent, Sonia sourit à pleines dents en pilotant le bateau. Maintenant, elle peut passer à autre chose et s'occuper de rapatrier Angela.

53

Le lendemain matin, allongée par terre sur un tapis péruvien multicolore à dominance rouge et noir, Sonia fait ses exercices de relaxation tout en jetant un coup d'œil vers le téléviseur qui diffuse un bulletin de nouvelles sur la chaîne CNN International. Elle s'arrête net dans son mouvement lorsque, avec une grande satisfaction, elle voit apparaître la photo de celui qu'elle haït plus que tout au monde.

— Ouais ! s'écrie-t-elle avec enthousiasme en entendant le commentateur annoncer le décès du célèbre tueur en série, Carlos.

L'annonceur raconte, avec force photos macabres à l'appui, que le célèbre tueur à gages a été abattu dans l'aire de stationnement d'une clinique du New Jersey en tentant d'échapper aux griffes du FBI, qui était à sa poursuite depuis que Carlos avait contribué à l'évasion du célèbre baron de la drogue, Eduardo Cardenas. Quant à ce dernier, des rumeurs circulent selon lesquelles il se serait réfugié dans l'une de ses nombreuses villas cossues de la côte ouest du Mexique.

Enfin, se dit Sonia avec un soupir de satisfaction, *on n'aura plus rien à craindre de cette crapule de Carlos*. Mais la question qui lui vient immédiatement à l'esprit est :

pourquoi n'a-t-on pas encore annoncé la mort de Cardenas ? Peut-être les nouvelles circulent-elles moins rapidement au Mexique. À moins que… Cardenas ne soit pas mort empoisonné, comme elle l'a cru. Si cette vipère de Rico lui a joué un mauvais tour et a remplacé le poison par une drogue incapacitante au lieu de lui fournir de la tétrodotoxine du fugu comme prévu, il n'est pas mieux que mort. Elle balaie de la main cette pensée et après avoir éteint le téléviseur, elle va se planter devant la baie vitrée du salon, songeuse, les yeux dans le vide, sans apercevoir la Golf City garée un peu plus bas sur la rue.

À son arrivée, Karen doit garer la Volks un peu loin de la villa où habite Sonia, car les places libres manquent. C'est le mieux qu'elle a pu faire étant donné les circonstances. La position n'est pas optimale, mais c'est acceptable. Elle jette un œil à DaSylva, qui, assis du côté passager, vient de sortir du coffre à gants les jumelles qu'ils se sont procurées au même magasin d'articles de sport que fréquente Sonia. Il les braque vers la petite villa de stuc rosâtre avec un toit de tuiles en terre cuite rouge sang.

À part les quelques voitures qui circulent sur la rue, rien ne bouge autour de la propriété depuis qu'ils sont là. DaSylva s'apprête à remettre les jumelles dans le coffre à gants lorsqu'il aperçoit la rutilante Lotus Evora d'un jaune éclatant qui se gare en face du petit pavillon de Sonia, juste au moment où les places ne manquent pas.

— Veinard ! murmure-t-il pour lui-même.

— Quoi ? Il y a du nouveau ? s'informe Karen.

— Euh, non. Pas vraiment. C'est juste qu'il y a un petit veinard qui vient de garer sa Lotus Evora en plein devant chez Sonia.

Karen le regarde d'un air étonné.

— Tu as bien dit Lotus ?

Il hoche la tête et elle tend la main vers les jumelles.

— Donne-moi ça !

Elle ajuste le foyer juste à temps pour voir Rico Alvarez, qui, après s'être garé, s'extirpe de l'Evora et regarde nerveusement autour de lui. Il fait ensuite signe à son passager de sortir, et celui-ci vient le rejoindre. Elle fait une moue quand elle aperçoit le personnage qui l'accompagne : il est moins grand que lui et a les tempes grisonnantes. Bien qu'il porte des lunettes de soleil et une casquette des Yankees, Karen l'a immédiatement reconnu ; Cardenas ! Ils traversent la rue pour accéder à l'allée de pierre qui mène à la porte d'entrée en forme d'arche de la petite villa. Mais au lieu de se présenter devant la porte et de sonner, comme l'aurait fait tout visiteur, ils empruntent le petit sentier qui mène vers l'arrière de la propriété.

— C'est bien ce que je pensais : il est là avec un de ses sbires.

— Qui ça ? s'informe DaSylva.

— Cardenas. Il vient juste de débarquer en compagnie du propriétaire de l'école de plongée, Rico Alvarez. Et ils se dirigent tous les deux vers l'arrière de la villa, indique-t-elle en abaissant les jumelles après que les deux individus ont disparu de sa vue.

DaSylva se tourne vers elle en affichant un air inquiet.

— Ce n'est pas bon signe, ça, déclare-t-il en récupérant les jumelles.

— Passe-moi le BlackBerry, vite, demande sèchement Karen en lui tendant la main. Il est temps pour Ortega d'intervenir. Sonia est en danger de mort.

Dès qu'elle rejoint Ortega sur sa ligne personnelle, Karen le met au fait de la situation, et il réagit tout de suite en entendant la nouvelle.

– Vous êtes bien certaine, agente Newman, qu'il s'agit bien d'Eduardo Cardenas, le numéro un du cartel de Tijuana ?

– Aucun doute colonel. Je lui ai déjà mis le grappin dessus et je le reconnaîtrais entre mille.

– Très bien, alors. Je réunis les membres de l'escouade tactique et j'arrive.

– Dans combien de temps pouvez-vous être ici ?

– Si tout se déroule bien, dans environ 20 minutes.

– Dans ce cas, nous devrons nous débrouiller sans vous.

– *Por qué*[17] ?

– Parce que d'ici là, il aura eu le temps d'éliminer notre témoin, Sonia Perez.

– Dans ce cas, je vous laisse et je m'en occupe personnellement, dit-il avant de couper la communication.

Karen referme le cellulaire et fait signe de la tête à DaSylva. Sans hésiter un seul instant, ils sortent en trombe de la Golf pour se ruer vers l'entrée de la villa.

Un bruit de verre qui se brise sort Sonia de sa rêverie. Elle se fige, le souffle suspendu. Quelqu'un essaie de s'introduire dans la maison. Elle fouille le vestibule du regard. Aucun mouvement de ce côté. D'un pas rapide, elle se dirige vers la chambre à coucher pour y récupérer son pistolet à la crosse nacrée, un cadeau de son père pour son 16e anniversaire, comme celui qu'il avait offert à sa sœur, ce qui ravive en elle de merveilleux souvenirs de sa jeunesse. Mais elle secoue la tête ; ce n'est pas le temps de rêver.

17. Pourquoi, en espagnol.

Tous les sens en alerte, elle entend des pas étouffés qui lui parviennent du salon. Elle s'y rend et sait immédiatement que ses sens ne l'ont pas trompée lorsqu'elle les aperçoit. Ils sont là, tous les deux, assis confortablement sur le divan, l'arme à la main, l'air confiants et détendus, Alvarez et… non, impossible ; ça ne peut pas être lui, elle l'a vu mourir. Une seule possibilité : cette saleté de Rico l'a trahie ! Merde. Maintenant, elle est foutue. À deux contre un, elle n'a aucune chance de s'en sortir.

Cardenas, les deux pieds posés sur la table d'appoint, arbore une expression de vainqueur.

— Qu'y a-t-il, Sonia ? N'es-tu pas contente de me revoir ? s'informe le baron de la drogue sur un ton enjoué. Désolé de te décevoir, dit-il avec un petit sourire narquois, mais j'ai encore beaucoup de choses à faire avant de passer l'arme à gauche.

Il lève son arme pour la braquer sur elle en lui jetant un regard noir.

— Et l'une d'entre elles est justement de me débarrasser de toi et de ta putain de sœur, chose que j'aurais dû faire depuis longtemps.

— Lâche ton pistolet, Sonia, ordonne Rico en pointant le sien sur elle.

Il lui jette un petit sourire moqueur.

— De toute façon, il ne te sera d'aucune utilité puisqu'on t'aura descendue avant que tu aies la chance de t'en servir.

À cet instant, la sonnerie de la porte d'entrée résonne. Tous les trois sursautent et tournent la tête en direction du vestibule. Puis, les regards interrogateurs des deux autres se dirigent vers Sonia.

— Tu attends de la visite ? s'informe Cardenas, déconcerté par cette soudaine interruption.

Sonia, qui s'efforce de ne pas laisser paraître sa peur, est sur le point de répondre que oui, mais se ravise. Elle n'est pas très douée à ce jeu-là. Cardenas se rendrait vite compte qu'elle ment. Elle décide de rester muette et se contente de lui lancer un regard de défi. La sonnette résonne de nouveau à plusieurs reprises, puis ils entendent avec étonnement une voix féminine crier :

— FBI, ouvrez, ou nous enfonçons la porte !

Alors que les deux crapules se relèvent brusquement en braquant leurs armes, leur air décontracté et arrogant se change graduellement en un regard anxieux.

L'instant d'après, le fracas d'une porte que l'on défonce se fait entendre.

Alvarez se tourne vers Cardenas, l'air inquiet.

— Qu'est-ce qu'on fait ?

Cardenas fait un signe de tête en direction de Sonia.

— On l'amène avec nous. On a un otage et on s'en sert.

Rico s'approche de Sonia et appuie le canon de son arme sur sa tempe.

— Laisse tomber ton pistolet, Sonia. Je ne te le répéterai pas.

— Toi, ne me touche pas ! s'écrie Sonia en se débattant pour s'éloigner de lui.

Mais sa poigne est solide et Rico est trop fort pour elle.

— Faites ce qu'il dit, conseille Karen, qui vient d'entrer dans la pièce, son Glock braqué sur Cardenas.

Bien malgré elle, Sonia obéit et laisse tomber son pistolet.

— Tiens, tiens, voilà la cavalerie qui accourt, s'exclame Cardenas en les voyant, elle et DaSylva, se pointer dans l'encadrement de la porte du salon.

— Vous, lâchez-la ! ordonne sèchement ce dernier à Alvarez.

Incertain de ce qu'il doit faire, celui-ci se tourne vers Cardenas.

— Patron ?

— Amène-la, ordonne Cardenas en lui faisant signe de se diriger vers le patio arrière. On sort d'ici.

Les deux crapules interrompent leur progression lorsqu'ils entendent une détonation suivie d'un sifflement aigu alors qu'une balle passe au-dessus de leurs têtes.

— Jetez vos armes et rendez-vous, s'écrie Karen, dont les oreilles bourdonnent encore après avoir tiré un coup de sommation.

Cardenas éclate d'un rire sinistre.

— Vous bluffez, agente Newman. Vous n'oseriez jamais tirer sur nous de crainte de blesser votre précieux témoin oculaire, dit-il sur un ton de défi avant de faire signe à Alvarez de continuer à avancer.

Karen et Cardenas campent sur leurs positions en échangeant des regards haineux. Alors qu'elle le fixe, Karen croit deviner chez Cardenas une anxiété, une peur croissante derrière cette façade arrogante et hautaine alors qu'il braque toujours son arme sur elle.

Cardenas s'apprête à appuyer sur la détente lorsqu'un nouveau coup de feu se fait entendre. Il pose un regard étonné sur Karen et, le visage figé dans une expression incrédule, il s'écroule sur la moquette dans un gémissement de douleur.

Karen s'avance prudemment vers Cardenas, qui se lamente, et elle donne un coup de pied sur son arme qu'il a laissée tomber par terre. Il se tourne vers elle et lui lance un regard noir.

– Vous êtes morte ! dit-il en la narguant.

De son côté, DaSylva se rapproche de Rico, qui retient toujours Sonia en otage, et réitère sa demande :

– Vous, lâchez-la !

Rico lui lance un regard défiant tout en éloignant son arme de la tempe de Sonia pour la braquer vers DaSylva. Alors que Rico relâche sa prise pour saisir son arme à deux mains avant de faire feu sur DaSylva, Sonia profite de sa distraction pour se mettre à l'abri. Elle tente un saut latéral suivi d'un roulement pour retomber sur ses jambes derrière le sofa longeant le mur. Elle y reste courbée afin de ne pas être dans la ligne de tir de DaSylva jusqu'à ce qu'elle entende une autre détonation. Sonia relève la tête juste à temps pour voir Rico s'effondrer en émettant un grondement.

DaSylva s'est mis hors de portée de tir derrière le chambranle juste avant que Rico ne presse la détente. En concentrant son tir sur DaSylva, Alvarez a oublié Karen. Quand elle l'aperçoit qui braque son arme sur son coéquipier et ouvre le feu, elle fait feu sans hésiter sur Rico à son tour.

DaSylva s'approche de Rico, immobile, allongé par terre, qui baigne dans son sang, les yeux grands ouverts, l'expression sans vie. Il voit que la balle a atteint sa carotide et qu'un jet de sang s'écoule de la blessure. DaSylva se penche pour vérifier son pouls, mais il est trop tard : l'homme est déjà mort. Rico ne fera plus jamais la traite des Blanches.

– Surveille-le, pendant que j'essaie de découvrir quand les hommes du colonel seront ici, ordonne Karen en désignant Cardenas.

Elle sort son téléphone mobile de sa veste et compose le numéro d'Ortega. En attendant que la communication s'établisse, elle se dirige lentement vers Sonia afin de vérifier comment elle va. C'est alors qu'elle l'aperçoit qui relève l'arme qu'elle a récupéré en jetant un regard cinglant en direction de Cardenas.

En tentant de se relever, Cardenas s'appuie sur un coude et lève la tête. Il voit Sonia qui braque son arme sur lui et s'esclaffe.

— Tu n'oseras jamais, s'exclame-t-il dans un éclat de rire narquois.

Une lueur de haine profonde passe dans le regard de Sonia.

— Non, s'écrie Karen en tendant la main vers Sonia.

Mais il est trop tard. En voyant qu'il la nargue avec son petit sourire prétentieux, c'est plus fort qu'elle, et Sonia est prise d'une rage incontrôlée et presse la détente à plusieurs reprises. Le son des détonations déchire le silence de la pièce comme un cri perçant dans la nuit. Cardenas reçoit deux balles dans la tête et s'écroule en arborant le même regard rempli d'arrogance qu'ils lui connaissent.

DaSylva s'approche pour enlever le pistolet des mains de Sonia, et alors qu'elle fixe toujours Cardenas, il l'entend murmurer :

— Ça, c'est pour mes parents. Tu n'as que ce que tu mérites, espèce de sale fumier.

Puis, l'attention de Karen se reporte sur le cellulaire qu'elle tient toujours dans sa main lorsqu'elle entend une voix masculine lui répondre :

— Ortega.

Il reste silencieux alors qu'elle l'informe des derniers événements.

— Désolée si ça a mal tourné, dit Karen avec regret.

– *No problemo* agente Newman, dit Ortega joyeusement. Ça m'enlève une épine du pied.

Il fait une pause avant de conclure, sur le même ton enjoué :

– Vous n'avez à vous occuper de rien, *señora* Newman. Il serait préférable cependant que vous et les vôtres disparaissiez *rápido* avant que mon équipe de nettoyage arrive. Je vais leur dire qu'il s'agit d'un vol avec effraction qui a mal tourné ; cette histoire ne tient pas s'ils vous trouvent sur les lieux du crime à leur arrivée. *Hasta pronto, señora* Newman.

Il raccroche.

Karen fait signe à DaSylva d'approcher, puis se tourne vers Sonia, qui, sous le coup des émotions, est restée figée là, à fixer Cardenas, et lui prend la main. Ce geste la sort de sa torpeur, et elle tourne la tête vers Karen pour lui jeter un regard vague qui s'empreint subitement d'étonnement.

– Qu'y a-t-il ? demande DaSylva, le regard inquiet.

Karen enlève le pistolet des mains de Sonia.

– À cause des empreintes digitales, il vaudrait mieux pour tout le monde qu'on ne retrouve pas l'arme du crime, explique-t-elle en mettant le pistolet à la crosse de nacre dans sa poche de veste. Bon, maintenant il est temps d'y aller.

Karen fait signe à DaSylva de la suivre et d'amener Sonia avec lui. Cette dernière est encore sous le choc et il doit presque la traîner à l'extérieur. Après avoir parcouru la distance qui les séparait de leur véhicule, ils s'installent à l'intérieur, et alors qu'elle démarre, Karen aperçoit plusieurs véhicules militaires arriver en trombe dans la rue et freiner brusquement devant la villa.

Tout en bifurquant sur une petite route secondaire pour retourner à leur hôtel, elle observe dans son miroir l'escouade de l'AFI débarquer avec l'arme au poing et entrer dans la villa. L'opération nettoyage vient de commencer.

54

Le jour suivant, Karen reçoit un appel sur son BlackBerry ; c'est Ortega. D'une voix où perce la bonne humeur, il lui annonce qu'El Rancho Perez appartient de nouveau aux héritières de la succession Ricardo Perez. Karen le remercie chaleureusement d'avoir volontairement « oublié » le ranch lors de la saisie des biens de Cardenas, et Ortega lui répond sur un ton enjoué qu'un accord est un accord et qu'il respecte toujours la parole donnée.

— *Adios, señora* Newman. Ce fut un réel plaisir de travailler avec vous. *Hasta luego,* lance-t-il avant de raccrocher.

Mais Karen n'est pas dupe ; elle sait très bien que le colonel a certainement dû « oublier » quelques-unes des possessions de Cardenas en sa propre faveur. C'est de bonne guerre. Après avoir refermé son mobile, elle se demande tout de même ce qui, parmi les possessions de Cardenas, a bien pu susciter l'intérêt du colonel ? La goélette ? La Villa del Palmar ? Ou peut-être bien les usines Unimed ? Peu importe, il faut qu'elle annonce la bonne nouvelle à Sonia.

Lorsqu'elle apprend qu'elle et sa sœur sont à nouveau propriétaires du ranch, Sonia se met à pleurer à chaudes larmes. Après un moment, elle voit que Karen tient toujours le BlackBerry dans sa main.

– *Por favor, señora* Newman, demande-t-elle en lui tendant la main.

Karen se met à sourire et lui tend le téléphone. Elle compose le numéro d'Angela, et lorsqu'elle entend la voix de sa sœur à l'autre bout de la ligne, Sonia amorce elle aussi un sourire.

– Angie, c'est moi, Sonia. Qu'est-ce que tu dirais de venir faire de l'équitation au ranch de papa ?

Angela reste bouche bée pendant un court instant, étonnée par cette demande.

– Mais est-ce que tu ne m'as pas dit qu'il appartient à Cardenas, ce ranch ?

– Appartenait ! Ne t'en fais plus pour Cardenas, je lui ai réglé son cas…

Karen s'éclaircit la gorge et la regarde en haussant les sourcils.

– … ou plutôt, *nous* lui avons réglé son cas, se reprend Sonia.

Sous le coup de l'émotion, Angela demeure silencieuse, ne sachant que dire.

– Alors Angie, tu viens ou pas ? répète Sonia.

– Bien sûr que je viens, lui répond joyeusement Angela. Je prends le premier vol pour Zihuatanejo.

– Très bien, je passerai te prendre à l'aéroport.

Karen s'éclaircit de nouveau la voix en lui lançant un regard sévère.

– N'oublie pas Marc, lui dit-elle avec empressement.

– Ah oui, c'est vrai, Marc, reprend Sonia en hochant la tête. Et Angie, tu veux bien prendre en charge un handicapé du nom de Marc Harris et l'amener avec toi ? Il doit sûrement s'ennuyer à mort dans l'appartement de Karen. Elle croit que des vacances lui feraient un grand bien.

Elle fait une pause, puis conclut en disant :

— Et n'oublie pas que ton garde du corps préféré t'attend impatiemment ici ; j'ai cru comprendre qu'il ne te laissait pas indifférente. Alors dépêche-toi tandis qu'il est encore disponible. On ne sait jamais, dit-elle en observant DaSylva, qui rougit en se dandinant comme un collégien en chaleur, je pourrais être tentée de lui faire de l'œil.

— Dis à Karen de ne pas s'inquiéter. Je récupère son grand ado et je vous l'amène *pronto*. Et toi, petite sœur, dit-elle joyeusement, je t'interdis de poser les yeux sur Frank, tu m'entends ! N'y pense même pas. Bye ! lance Angela avant de raccrocher.

Après qu'elle a raccroché, le visage d'Angela Perez s'illumine d'un large sourire à la perspective de revoir sa sœur, et Frank. Tout à coup, elle se sent revivre. Elle ose à peine y croire ; son cauchemar est enfin terminé et l'avenir lui paraît moins sombre. Une nouvelle vie s'ouvre devant elle. Désormais, Angela Perez ne se sentira plus jamais seule au monde, et elle fera en sorte que « Crystal » disparaisse à tout jamais de sa vie.

Remerciements

Je tiens à remercier les personnes suivantes :
Mon éditeur aux Éditions AdA, François Doucet,
pour m'avoir permis de réaliser un rêve de jeunesse ;
Carine Paradis, responsable du comité de lecture,
pour avoir su apprécier mon talent à sa juste valeur ;
Nancy Coulombe, pour avoir remis les choses
sur la bonne voie ;
Tout spécialement Isabelle Veillette, réviseure linguistique,
pour ses judicieux conseils, son souci du détail
et son professionnalisme ;
Ainsi que toute l'équipe d'AdA ;
Merci de tout cœur.

Surveillez la sortie prochaine de *L'Archange*, le deuxième volet des enquêtes de Karen Newman, agente spéciale du FBI.

Tournez la page pour en lire un extrait.

1

Karen Newman et Frank DaSylva, son coéquipier, ont reçu l'appel vers 8 h. On venait de trouver le corps d'une jeune femme dans Central Park près de la 65e Rue, dans l'Upper West Side. Comme Karen l'avait prévu, tout le quartier était déjà au courant, et le temps qu'ils arrivent sur place, une foule de badauds se pressait autour de l'allée du parc, attendant qu'on emmène le corps. Elle saisit son badge dans la poche intérieure de sa veste et inspire profondément avant de plonger dans la foule. Les deux agents doivent jouer des coudes pour se frayer un passage parmi la masse de curieux jusqu'à la section ceinturée.

Aujourd'hui, une fois de plus, Karen se rend sur la scène du crime pour évaluer les indices que les enquêteurs ont trouvés sur la victime et autour d'elle, une jeune femme dans la mi-trentaine aux cheveux blond platine et aux grands yeux verts qu'un de ces maniaques a froidement assassinée au beau milieu de Central Park. Trois voitures de police sont garées à l'entrée du parc, gyrophares en action, derrière un cabriolet Mercedes CLK350 garé là illégalement. DaSylva se gare sur l'accotement de la 65e Rue, juste derrière les auto-patrouilles.

Deux agents de police détournent la circulation et repoussent la horde de journalistes et de photographes derrière les barrières qu'ils ont érigées. Tout près d'un vieux chêne centenaire, un agent en uniforme garde le périmètre tandis que deux de ses collègues finissent de baliser une portion assez large de la scène de crime, enroulant autour des arbres leur ruban jaune et noire.

Pendant que son coéquipier fait les présentations en brandissant son badge à l'agent de garde, Karen se dirige vers l'espace dégagé où la victime se trouve afin d'évaluer les dégâts. À son approche, elle voit sur le visage du détective chargé de l'enquête, Jack Reid, qu'il est contrarié. Quelques années auparavant, Karen avait collaboré avec le lieutenant sur une affaire de meurtres et d'enlèvement de proxénètes et en lisant l'expression sur son visage, elle comprend qu'il se trouve à nouveau dans une situation difficile ; c'est probablement pour cette raison qu'il a fait appel à elle.

— Bonjour, inspecteur Reid.

Il la salue et lui tend la main.

— Bonjour, agente Newman, dit-il en affichant son plus beau sourire. Merci de vous être déplacée.

Karen lui serre la main. Il est grand et mince, le visage buriné, les cheveux grisonnants coupés en brosse qui soulignent son âge (que Karen juge être dans la cinquantaine avancée) et une poignée de main assez ferme pour quelqu'un qui doit être proche de la retraite. Il semble être en assez bonne forme physique, contrairement à plusieurs de ses collègues d'expérience plutôt ventrus du service de police de la ville de New York (NYPD). Au fil des années, elle a appris à le connaître et à faire abstraction de ses manières plutôt rudes qui dissimulent une profondeur d'esprit que Karen apprécie.

En lui serrant la main, Karen remarque qu'il a, comme la dernière fois qu'ils se sont vus, cette lueur de désir dans les yeux, accompagnée d'un zeste d'intimidation. Comme la plupart des hommes qu'elle côtoie, il la trouve attirante, mais ne veut pas le lui déclarer ouvertement, de peur de... De quoi au juste ? Elle l'ignore. Peut-être parce qu'il est trop machiste pour essuyer un refus. Elle en a l'habitude. Les gens ont tendance à devenir mal à l'aise assez vite face à une femme aux cheveux auburn de 1 mètre 85 au regard intransigeant. Par le passé, elle en était agacée, mais au fil des années, elle l'a accepté et l'apprécie aujourd'hui.

En effet, car c'est plutôt un avantage avec les malfaiteurs de toute espèce qu'elle doit affronter. Elle a constaté que le visage placide qu'elle présente à son entourage et qui lui vient tout naturellement est un atout appréciable lorsqu'il s'agit d'interviewer et de confondre ces redoutables manipulateurs que sont les tueurs en série.

— Laissez-moi deviner, inspecteur, dit-elle en pointant en direction de la victime. Aucun indice valable sur la personne qui a commis ce meurtre.

Le sourire de Reid s'évapore, remplacé par une moue de dégoût. Il hoche la tête. Il est visiblement contrarié.

— Nous sommes dans l'impasse, avoue-t-il en affichant un air de frustration. Rien. Aucun signe de lutte, ni d'empreintes, ou de poils ou cheveux autres que ceux de la victime ; aucune trace prouvant qu'une arme quelconque a été utilisée. C'est le néant.

— C'est ce que je craignais, dit-elle distraitement en jetant un regard à la victime.

– Ça m'a semblé être plutôt dans vos cordes, ce genre d'enquête. C'est pour cette raison que je vous ai fait venir, conclut Reid avec un petit soupir de soulagement.

– A-t-on pu l'identifier?

– D'après les pièces d'identité qu'on a trouvées dans son sac à main, que le meurtrier a jeté dans une poubelle pas trop loin d'ici, déclare-t-il en indiquant un bac à ordure aux abords du sentier, il s'agirait d'Elaine Colgan, 31 ans, New-Yorkaise de souche, habitant au 620, 42e Rue Ouest dans les Silver Towers, près du tunnel Lincoln. À part son permis de conduire et sa carte de sécurité sociale, on a également retrouvé parmi ses papiers un permis de garer VIP délivré par Greystone Management Systems et un badge où il est mentionné qu'elle est conseillère en placements pour GMS.

– Greystone, le gestionnaire de fonds de retraite du secteur public et gouverneur de l'État? s'informe Karen en haussant les sourcils.

– Oui, c'est bien ça. Pourquoi?

– Pour rien, simple curiosité. Des cartes de crédit?

– Oui. Visa, Amex et MasterCard.

– Carte de guichet ou de débit?

– Attendez un peu que je vérifie, indique Reid en feuilletant son calepin de notes.

Puis, il secoue la tête.

– Non, rien de ce côté.

– Étrange, non?

Reid a l'air interloqué.

– Peut-être. Je ne sais pas si ça…

Karen l'interrompt.